SpringerWienNewYork

edition: 'ʌngewʌndtə

Edition Angewandte
Buchreihe der Universität für angewandte Kunst Wien
Herausgegeben von Gerald Bast, Rektor

[sammlung
angewandte
wien

Anita Kern | Bernadette Reinhold
Patrick Werkner (Hg.)

Grafikdesign von der Wiener Moderne bis heute
Von Kolo Moser bis Stefan Sagmeister

Aus der Sammlung
der Universität für angewandte Kunst Wien

SpringerWienNewYork

Unbekannt, Meisterklasse für Grafik Tino Erben, Plakat »Mladí viedenskí ilustrátori. Junge Wiener Illustratoren« (Ausschnitt, S. 185), 1995

Inhalt

Leonie Lawniczak, Klasse für Grafik Design Oliver Kartak, Animationsfilm »Mauer«, 2008 (Ausschnitt), Archiv Klasse für Grafik Design

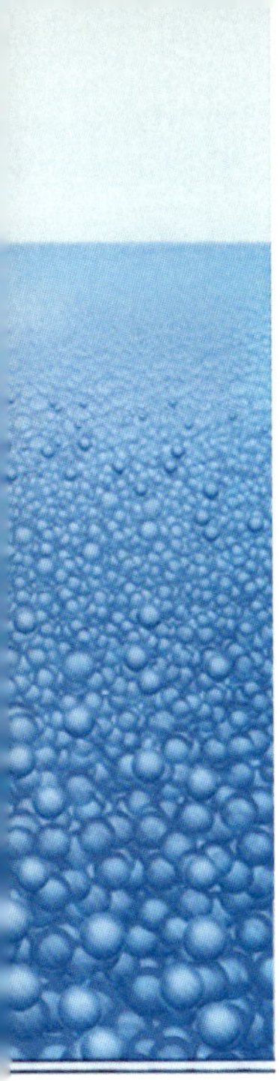

Vorwort

Gerald Bast

Design als Wort, als Begriff ist in aller Munde. Auch in Österreich erkennen immer mehr Menschen, dass sich hinter dem Begriff Design nicht nur eine attraktive Objektwelt verbirgt, sondern ein elementares Qualitätsmerkmal. Design ist weit entfernt davon, bloße Oberflächengestaltung zu sein. Design ist vielmehr ein disziplinenübergreifender, strategischer Denk- und Handlungsprozess, der Veränderung und Erneuerung beinhaltet. Design hat etwas mit Gestalten und Kommunikation zu tun, das heißt, es ist ständig Veränderungsprozessen unterworfen.

Die Universität für angewandte Kunst Wien nimmt eine Schlüsselposition im Bereich Design ein. Als Österreichs führende akademische Ausbildungsstätte für Designerinnen und Designer steht sie in der Verantwortung, zukünftigen Designergenerationen einen Ort für die bestmögliche Entwicklung der eigenen Kreativität zu bieten, einen Ort der Konzentration und Kommunikation, einen Ort des Experimentierens und Analysierens.

Zahlreiche österreichische Grafikdesignerinnen und Grafikdesigner sind eng mit der Angewandten verbunden, sei es, weil sie hier studiert oder hier gelehrt haben. Persönlichkeiten wie Josef Hoffmann, Oskar Kokoschka, Bertold Löffler oder Stefan Sagmeister, der wohl heute international am stärksten wahrgenommen wird, prägten und prägen das österreichische Grafikdesign. Die Sammlung der Angewandten verfügt über zahlreiche Werke aus diesem Bereich und wird laufend durch neue Bestände erweitert.

In der vorliegenden Publikation wird in eindrucksvoller Art und Weise ein Teilbereich des Gesamtbestandes der Sammlung der Öffentlichkeit präsentiert und im Gesamtkontext zugänglich gemacht. Auf Initiative ihres Leiters Patrick Werkner wurde die Idee geboren, die Bestände der Sammlung nach und nach in der Reihe *edition angewandte* zu dokumentieren und zu veröffentlichen. Die Sammlung, die das Herzstück der Universität bildet, hat sich zum Ziel gesetzt, die Leistungen der unzähligen hervorragenden Lehrenden und AbsolventInnen, deren Arbeiten erworben und angekauft wurden, in Form von Ausstellungen und Publikationen vermehrt der Öffentlichkeit zu präsentieren.

Ich möchte an dieser Stelle dem Leiter der Sammlung der Universität für angewandte Kunst, Patrick Werkner, für seine Initiative, sein Engagement und seinen für die Angewandte wesentlichen Beitrag danken. Mein Dank gilt ebenso Anita Kern und Bernadette Reinhold, die das Konzept für die Publikation entwickelt und umgesetzt haben und natürlich allen Autorinnen und Autoren.

Es freut mich ganz besonders, dass die Publikation in der Reihe *edition angewandte* im Springer-Verlag erschienen ist. Für die gute Zusammenarbeit möchte ich der Geschäftsführerin des Verlags, Katharina Oppitz, und Angela Fössl, die in bewährter Art und Weise das Projekt unterstützt hat, herzlich danken.

Gerald Bast, Rektor der Universität für angewandte Kunst Wien

Grafikdesign – und die Sammlung der Angewandten

Patrick Werkner

Am Anfang einer neuen Ausstellungs- und Publikationsreihe zu den Sammlungsbeständen der Universität für angewandte Kunst steht Grafikdesign. Das ist durchaus programmatisch zu verstehen. Die Wiener Moderne, mit den großen Namen wie Hoffmann, Moser, Klimt, Kokoschka, Roller, Löffler, Prutscher usw. ist untrennbar auch mit der damaligen k. k. Kunstgewerbeschule verbunden, an der diese Künstler als Lehrende wirkten oder als Studierende geprägt wurden. Grafikdesign gehörte damals, ohne dass es diesen Begriff noch gab, zu den zentralen Lehrinhalten einer Kunstgewerbeschule – bildete doch die anspruchsvolle Gestaltung aller grafischen Medien den Kern kunstgewerblichen Entwerfens und Umsetzens. Plakat, Zeitschrift, Buch, Einladungskarte, alle Ausformungen dekorativen Gestaltens kamen im Wiener Jugendstil zur Blüte. Um 1900 sind die führenden Köpfe dieser Richtung vielfach gleichzeitig Lehrende oder Studierende der Kunstgewerbeschule, Mitglieder der Künstlervereinigung Wiener Secession und häufig auch für die Wiener Werkstätte tätig – für die »Productivgenossenschaft von Kunsthandwerkern in Wien«, wie sie 1903 im Wiener Handelsregister eingetragen wurde.

Die Gründung der kaiserlich-königlichen Kunstgewerbeschule, der Vorgängerin der heutigen Universität für angewandte Kunst, erfolgte 1867 durch kaiserliches Dekret, kurz nach der Gründung des Österreichischen Museums für Kunst und Industrie (des heutigen MAK). Die beiden neuen Institutionen waren eine Antwort auf die jüngsten Reform-Entwicklungen des europäischen Kunsthandwerks, vor allem auf die Anregungen aus England. Die Wiener Kunstgewerbeschule war die erste ihrer Art auf dem Kontinent. Ihre Gründung bildete die Voraussetzung für die Entstehung eines modernen Kunstgewerbes in Wien. Die Kunstgewerbeschule, an der Gustav Klimt seine Ausbildung erhielt, an der zur Jahrhundertwende Josef Hoffmann und Kolo Moser bereits als junge Professoren lehrten, an der ein Allroundkünstler wie Bertold Löffler seinen Schüler Oskar Kokoschka inspirierte, war eine der Wiegen des Jugendstils. Sie wirkte als Anziehungspunkt für Talente aus dem Gebiet der gesamten damaligen Donaumonarchie und hatte die Funktion, einen Talente-Pool heranzubilden.

Unsere Ausstellung und das Katalogbuch verweisen im Untertitel auf die gesamte Spanne des 20. Jahrhunderts – »Von Kolo Moser bis Stefan Sagmeister« – und führen bis in unsere unmittelbare Gegenwart. Lehrerpersönlichkeiten wie Tino Erben, Walter Lürzer, Fons Hickmann, Oliver Kartak und andere haben in den vergangenen Jahrzehnten die Vermittlung von Grafikdesign an unserer Institution geprägt. Die Entwicklung des Grafikdesign wird in Ausstellung und Buch bis herauf zu den gegenwärtigen Ausprägungen im Zeitalter von Internet und Computeranimation an markanten Beispielen nachgezeichnet.

Hiermit erfolgt der Start einer Publikations- und Präsentationsreihe, die in den kommenden Jahren die Sammlung der Universität für angewandte Kunst Wien

Die k.k. Kunstgewerbeschule (links) und das Österreichische Museum für Kunst und Industrie, zeitgenössische Darstellung, Foto: Fliedl 1986

(die *Angewandte*) mit Auswahlbänden zu ihrem Gesamtbestand vorstellen soll. Seit den frühen 1980er Jahren, als das damalige Hochschularchiv unserer Institution unter dem Rektorat von Oswald Oberhuber konsequent Sammeltätigkeit begann, wurde die Geschichte unseres Hauses und der mit ihr verbundenen KünstlerInnen in zahlreichen Ausstellungen und Veröffentlichungen thematisiert. Im Lauf der vergangenen drei Jahrzehnte wurden durch Oberhuber (Rektor seit 1979, mit einer Unterbrechung, bis 1995) markante Schwerpunkte gesetzt, die von Erika Patka, der Leiterin der Sammlung (bis 2004) fortgeführt wurden.

Seit 2004 versteht sich die Sammlung verstärkt als eine Studien- und Forschungseinrichtung, die vor allem die Geschichte und Gegenwart unseres Hauses dokumentiert und publiziert. Dazu gehört, dass die Erwerbungstätigkeit in diesem Sinn konzentriert wird und der Bestand umfassend vorgestellt wird. Die charakteristischen Spezialbereiche unseres Sammlungsbestands sollen nach und nach innerhalb der Reihe *edition angewandte* im Springer Verlag mit großzügigen Auswahlbänden der Öffentlichkeit präsentiert werden.

In Unterschied zum MAK, dem Museum für angewandte Kunst Wien, das eines der großen österreichischen Bundesmuseen ist, gehört die Sammlung unserer Universität zum Typus des University Art Museums, das im angelsächsischen Sprachraum viel stärker etabliert und im Bewusstsein der Öffentlichkeit verankert ist. Unser Forschungs- und Sammlungsziel leitet sich aus der Institution selbst ab: die Sammlung bildet das kulturelle Gedächtnis unserer Universität und trägt mit seinen Aktivitäten wesentlich zur Identitätsbildung des Hauses bei.

Die Kernbereiche der Sammlung unseres Hauses – Kunstgewerbeschule, später Hochschule bzw. Akademie und seit 1998 Universität für angewandte Kunst – liegen in einigen kunsthistorischen Phasen, in Sammlungskonvoluten zu einzelnen KünstlerInnen oder in Werkgruppen, die in jeweils unterschiedlichen Zusammenhängen mit unserem Haus stehen. Dazu gehören die bereits angesprochene bildende und angewandte Kunst des Wiener Jugendstils bzw. Erzeugnisse der Wiener Werkstätte; Grafik und Malerei des 20. Jahrhunderts von österreichischen KünstlerInnen, insbesondere von ehemaligen Studierenden bzw. Lehrenden an unserem Haus; Architekturmodelle bedeutender Bauten der österreichischen Moderne; Wiener Kinetismus – die aus der Kunstgewerbeschule der 1920er Jahre hervorgegangene Avantgardebewegung; Beispiele aus allen Bereichen der angewandten Kunst von den 1870er Jahren bis heute; die Sammlung Kostüm und Mode mit historischem Bestand seit dem frühen 19. Jahrhundert; das Oskar-Kokoschka-Zentrum mit der von Olda Kokoschka, der Witwe des Künstlers, geschenkten Fotosammlung und Studienbibliothek; der Nachlass der Architektin Margarete Schütte-Lihotzky.

Hinzu kommen Archivmaterialien zu allen ehemaligen Studierenden, Fotodokumentationen, Autografen und viele andere Forschungsmaterialien. Insgesamt umfasst der Sammlungsbestand rund 60.000 Objekte.

Seit vielen Jahren wird an der Digitalisierung dieser Bestände gearbeitet, die in einer lokalen Datenbank der Forschung zur Verfügung stehen (Anfang 2009: rund 70.000 Datensätze). Die Webseite unserer Sammlung bietet nicht nur erste Einblicke in unsere Bestände, sondern kündigt auch aktuelle Ausstellungen, Neuerscheinungen und Forschungsprojekte an (www.uni-ak.ac.at/sammlung).

Die Sammlung ist keine statische, den Bestand hütende Einrichtung, sondern bildet vielmehr eine dynamische Abteilung unserer Universität. Zu unseren täglichen Aufgaben gehören die laufende Erwerbung von Werken unserer AbsolventInnen und Lehrenden (wenn auch mit begrenzten Mitteln); die Konzeption und Durchführung eigener Ausstellungen, immer wieder auch mit dem Master-Lehrgang unserer Universität, ECM = Educating/Curating/Managing; der Verleih von Werken für externe Präsentationen; eigene Forschungsprojekte, teilweise im Auftrag des FWF (Österreichischer Wissenschaftsfonds); die kontinuierliche Unterstützung von Studierenden und externen ForscherInnen; die Vermittlung von Bildmaterial aus unserer Fotothek und Datenbank für Publikationen bzw. Medien unterschiedlichster Art. Mit diesem Mix von Aktivitäten bildet die Sammlung eine Forschungsinstitution, welche die historische Position unserer Universität aus aktuellen Perspektiven beleuchtet und damit auch ihre Gegenwart jeweils neu definiert.

Stefan Sagmeister, Interaktive Karte aus der Serie der Eigenwerbung mit Postkarten, 1986, IN DA 214/86

Die Bedeutung der Sammlungsbestände zeigt sich daran, dass sie laufend als Leihgaben für die verschiedensten österreichischen, aber auch für große internationale Ausstellungen angefragt werden. Dazu gehörten in den vergangenen fünf Jahren Präsentationen in Paris, Grand Palais; Brüssel, Palais des Beaux-Arts; Bilbao, Guggenheim Museum; St. Petersburg, Eremitage; Frankfurt, Schirn Kunsthalle; Brighton Museum & Art Gallery; Stockholm, Svenskt Tenn; Beijing, National Art Museum of China; Guangzhou, Guangdong Museum of Art; Kunsthaus Zürich; Rovereto, MART Museum; Weimar, Neues Museum; München, Museum Villa Stuck; Tate Liverpool und in zahlreichen anderen Institutionen.

Derartige Ausstellungen sind für unser Haus sehr wichtig, da wir über keine permanente Präsentationsmöglichkeit für die Sammlung verfügen. Jedoch haben zahlreiche österreichische Institutionen von uns Dauerleihgaben entlehnt und es sind auch in den Büroräumen unserer Universität Sammlungsobjekte ausgestellt. Das Ausstellungszentrum der Universität im Wiener Heiligenkreuzerhof bietet zudem die Möglichkeit zu Wechselausstellungen, die von der Sammlung seit jeher erarbeitet werden, und wo auch diese Grafikdesign-Ausstellung stattfindet.

Anita Kern und Bernadette Reinhold als Kuratorinnen sind Expertinnen mit unterschiedlicher Ausbildung und beruflicher Ausrichtung, was eine ideale Ergänzung für dieses Projekt bedeutete. Anita Kern hat an unserem Haus bei Tino Erben Grafikdesign studiert und später bei Manfred Wagner (Professor für Kultur- und Geistesgeschichte unserer Universität) eine Dissertation über die Geschichte des österreichischen Grafikdesign geschrieben, die 2008 im Verlag Anton Pustet erschienen ist.

Richard Teschner, Exlibris Hugo und Dely Perutz, 1924, 9,5 x 7,7 cm, IN 12.579/6

Im Team mit Bernadette Reinhold, Kunsthistorikerin und Leiterin des hauseigenen Oskar Kokoschka-Zentrums, wurde von beiden Kuratorinnen das Konzept für Ausstellung und Buch erarbeitet. Letzteres wurde von Anita Kern als Designerin gestaltet, ebenso wie die Präsentation selbst, in den historischen Räumen des Heiligenkreuzerhofs – was eine anspruchsvolle Aufgabe darstellt.

Mein Dank gilt dem Rektor unserer Universität, Gerald Bast, der die Idee einer Publikations- und Ausstellungsreihe zu den Beständen der Sammlung sofort aufgegriffen und großzügig unterstützt hat. Ebenso danke ich den beiden Kuratorinnen und Autorinnen, die sich dem Projekt vom ersten Moment an mit höchstem Engagement gewidmet haben. Darin wurden sie vom Team der Sammlung in bewährter Weise unterstützt, insbesondere durch Silvia Herkt, Elke Handel und Nicole Femböck. Ergänzende Textbeiträge für den Katalog verfassten René Schober (Sammlungsmitarbeiter am Projekt Provenienzforschung) und Peter Kainz, Fotoexperte und -praktiker.

Ich danke auch Anja Seipenbusch, der Leiterin der Stabsstelle für Öffentlichkeitsarbeit unserer Universität, für die umsichtige Unterstützung des Projekts in allen Phasen der Entstehung und Realisierung. Nicht zuletzt ist dem Springer Verlag, insbesondere Frau Angela Fössl, für die angenehme Kooperation sehr herzlich zu danken.

Patrick Werkner, Leiter der Sammlung

Oliver Kartak, Screendesign , VIVA Station Identity, 1993, Standbild, Privatarchiv Oliver Kartak

Was haben Kolo Moser und Stefan Sagmeister gemeinsam? Zu Ausstellung und Katalog*

Anita Kern

Das Exlibris Sigmund Freuds, gestaltet von Bertold Löffler, das Plakat der Kunstschau 1908 in Wien, die Imagewerbung der U.S. NAVY aus den frühen 1950er Jahren von Joseph Binder, die Plakatentwürfe für das Kriegswinterhilfswerk der NSDAP von Schülern Paul Kirnigs, Günter Brus' oder Otto Mühls eigenhändige Ankündigung ihrer Ausstellungen oder Theaterstücke, die Verpackung der Rolling Stones-CD »Bridges to Babylon« von Stefan Sagmeister – was haben alle diese Zeugnisse visueller Kommunikation aus über einem Jahrhundert gemeinsam? – Sie sind aufbewahrt in der Sammlung der Universität für angewandte Kunst, kurz: »Sammlung Angewandte Wien«, wie sie seit 2009 genannt wird.

Nicht nur aufbewahrt: die Objekte sind zugänglich für Studierende, Forschende – für die interessierte Öffentlichkeit; in internationalen Ausstellungen, Symposien und Publikationen, in der Lehre. Es wird stetig erworben und erweitert, erweitert um Werke zeitgenössischer Kunst oder historischen Designs, Werke, die oftmals Arbeiten von Lehrenden oder Absolventen des Hauses »der Angewandten« sind. Die Sammlung ist vielgestaltig: Sie umfasst Mode und Architekturmodelle, Malerei und Videoarbeiten, Textiles und Filmisches, Objekte und Installationen. Die Sammlung ist das »kulturelle Gedächtnis« (Patrick Werkner) der Universität für angewandte Kunst Wien.

Dafür, dass Design ein massenkulturelles Phänomen ist, das maßgeblich zur allgemeinen Geschmacksbildung beiträgt, das für sich den Anspruch hat, die »Welt zum Wohl der Menschen besser zu gestalten«, dafür, dass Design Kommunikation gestaltet und Identität schafft, dass es »bewusstes Handeln zur Herstellung sinnvoller Ordnung und somit Teil unserer Kultur«[1] ist, dafür ist es erstaunlich wenig im Bewusstsein der Allgemeinheit als Beruf, als Handwerk, als wichtige gestaltende Kraft verankert. Und dafür hat es eine noch sehr schwache politische, gesellschaftliche und vor allem auch wissenschaftliche Lobby.

Beim Begriff »Design« denkt die Mehrheit nach wie vor an Produktdesign. Das Grafikdesign, die zweidimensionale visuelle Kommunikation, die uns den Inhalt einer Weinflasche oder einer Waschmittelpackung verrät, den Fahrplan eines Zuges lesbar macht (oder uns daran verzweifeln lässt), den Inhalt eines Buches vermittelt, ein Geschäft oder eine Parkverbotszone kennzeichnet, wird als etwas selbstverständlich Vorhandenes oft gar nicht bewusst wahrgenommen oder aber auch – der Fülle der Informationen wegen – nur äußerst selektiv erfasst. Wir befinden uns im »Krieg der Zeichen«[2] und jedweder Inhalt ist grafisch aufbereitet, damit wir ihn aufnehmen können – und wollen.

Diese visuelle Kommunikation eines Zeitabschnittes hat eine universale Bild- und Typografiesprache, einen Illustrationsstil – eine Formensprache, die die grafischen Erzeugnisse, betrachtet in ihrem historischen Umfeld, ihrer Herkunft und ihren Einflüssen, auf zwei Ebenen verständlich macht: einmal kommunizieren diese Objekte einen bestimmten Inhalt (eine Veranstaltung, ein Produkt etc.) und zweitens können wir erkennen, warum sie diesen Inhalt genau so kommunizieren.

Marcus Behmer, Briefkopf Fritz Waerndorfer (Brief von Fritz Waerndorfer an Josef Hoffmann vom 29. April 1902, Ausschnitt), IN 3997/1

Günter Brus, Cover Rückseite »Die Schastrommel« (Ausschnitt), 1973, Siebdruck, 23×17, IN 04725/Q/11

Federico Berczevizy-Pallavicini, Illustration »Herr von Indianer« für Konditorei Demel, 1976, Ausschnitt, Tusche auf Karton, 20,5×10,9 cm, IN 5260/1

Die Grafikdesign-Sammlung einer Kunstinstitution wird zweifellos zahlreiche Plakate für Kunstausstellungen enthalten, und naturgemäß auch von Künstlern gestaltete Kommunikationsmittel. Diese Tatsache eröffnet andere Perspektiven, als der Blick in ein Archiv, das Grafikdesign und Werbung ob ihrer kulturgeschichtlichen Bedeutung sammelt – ohne Schwerpunkt auf einem bestimmten Genre.

Bietet eine Plakatsammlung der Wienbibliothek oder der Österreichischen Nationalbibliothek einen kulturhistorischen Spiegel der Zeit, einer Stadt, des ganzen Landes, der Vorgänge in diesem (und der Welt), so zeigen die Exemplare der vorliegenden Sammlung dieses – und darüberhinaus vieles über die Aktivitäten eines Hauses und seiner Protagonisten – gefiltert durch die Folie des (kultur)historischen Kontextes.

Welche internationalen Einflüsse in Kunst/Design und Denken waren zur jeweiligen Zeit massgeblich? Welche Gäste kamen an »die Angewandte«? Welche Ausstellungen fanden statt? Wann gab es überhaupt Veranstaltungen und zu welcher Zeit gar keine? Wie stark sind die Arbeiten stilistisch durch die jeweilige Entstehungszeit und deren Umstände geprägt oder wie künstlerisch »eigenständig« sind sie?

Antworten auf diese und viele andere Fragen geben die Exponate der Ausstellung, die Objekte der Sammlung, dieses Kataloges – und einen eindrucksvollen Einblick in die gesellschaftlichen Strömungen der Zeit.

Die Betrachtung der Objekte in Ausstellung und Buch laden ein zur Zeitreise durch 100 Jahre Kulturgeschichte, vornehmlich österreichischer, »österreichisch-ungarischer« zu Beginn, europäischer und internationaler ab den 1970er Jahren. Auch die sieben Jahre nationalsozialistischen Deutschen Reichs, die gerade an der Wiener »Reichshochschule für angewandte Kunst« – bis heute wirksame – Spuren hinterlassen hatten, sind auf dieser Reise nicht ausgespart, im Gegenteil: produzierte doch gerade die Klasse für »Gebrauchs-, Illustrations- und Modegraphik«, oft direkt vom »Reichspropagandaamt« beauftragt, zahlreiche ästhetische Zeugnisse, die belegen, wie die visuelle Kommunikation von der jeweiligen Staatsmacht instrumentalisiert werden kann.

Zur Geschichte der Sammlung

Wandert man den äußeren Wiener Stubenring vom Stadtpark kommend entlang, so geht man zuerst am Eingang des MAK, des Museums für angewandte Kunst | Gegenwartskunst vorbei, passiert das schöne, nach dem Koch Helmut Österreicher benannte »Gasthaus« »Österreicher im MAK«, und kommt sodann zum alten Gebäude der Universität für angewandte Kunst und – in den Oskar Kokoschka-Platz eingebogen – an den zum Wienfluss hin ausgerichteten Neubau aus den 1960er Jahren, der den überwiegenden Teil der Abteilungen beherbergt. Für den Wandelnden wirkt dieses Ensemble wie eine Einheit, sind doch beide Kunstinstitutionen in zwei aneinander angrenzenden, von Heinrich

* Dieser Aufsatz und das Ausstellungskonzept basieren auf der umfangreichen Untersuchung der Autorin über österreichisches Grafikdesign im 20. Jahrhundert: Kern 2008.

1 Schneider 2006, 9.

2 Markus Hanzer, Krieg der Zeichen. Spurenlesen im urbanen Raum, Mainz 2009, ist eine Untersuchung über das allgegenwärtige Informationsmedium »öffentlicher Raum«.

von Ferstel entworfenen Gebäuden untergebracht, die – wie es das eklektische Konzept der Ringstraßenbauten will – programmatisch im Stil eines Renaissance-Palastes mit strenger, geschlossener Backsteinfassade errichtet wurden.

Die örtliche Nähe der beiden Institutionen ist nicht die einzige Verbindung: War die »k.k. Kunstgewerbeschule des Museums für Kunst und Industrie«, wie sie bei ihrer Gründung in 1867 hieß, der Ort der praktischen Ausbildung von damals so genannten Kunsthandwerkern – heute würde man Designern sagen –, so diente die Mutterinstitution »k.k. Österreichisches Museum für Kunst und Industrie« bereits seit 1863 der Aufbereitung der theoretischen Grundlagen der Kunstgewerbeausbildung und der »Vorbildersammlung« von Objekten für Künstler, Industrielle und Publikum, aber auch der Aus- und Weiterbildung von Entwerfern und Handwerkern. Die Schule wurde als Einrichtung des Museums geführt, beide Institutionen waren fast vierzig Jahre lang eine Unternehmung mit dem gemeinsamen Ziel, Kunst und Industrie, später auch Kunst und (Alltags-)Leben zu vereinen.

Ihren Ursprung hatte die Gründung des Museums für Kunst und Industrie in der beginnenden Industrialisierung und dem damit einhergehenden Qualitätsverlust der Produkte in materieller und ästhetischer Hinsicht. Das Handwerk, bis dahin noch in Zünften organisiert und bestimmten Qualitätskriterien verpflichtet, wurde von industrieller Massenproduktion abgelöst. Firmen wurden gegründet, Wettbewerb auf den Märkten war ein neues Phänomen. Gleichzeitig wurde die nationale Behauptung immer mehr über wirtschaftliche Überlegenheit definiert und somit die Sicherstellung der Qualität der Industrieprodukte zur Staatsangelegenheit.

In den Weltausstellungen der Mitte des 19. Jahrhunderts in London (1851 und 1862) und Paris (1855) und deren »weltumfassenden Leistungsschauen von Industrie, Gewerbe und Kunst« wurden den ausgestellten österreichischen Produkten nicht die besten Noten gegeben, man befürchtete Nachteile für die Exportwirtschaft.[3] »Die Hebung des Geschmacks« im Kunstgewerbe und damit der Qualität der heimischen Kunstindustrie und allgemein der Industrieproduktion, war das erklärte Ziel – im Sinne des Londoner South-Kensington-Museums (dem heutigen Victoria and Albert Museum) mit seinen »Schools of Design«, das für Wien Vorbild war – eine »Geschmacksbildung«, besonders auch der arbeitenden Klasse, die nicht nur wirtschafliche Vorteile für den Industriellen prophezeite, sondern sogar zur »Harmonisierung von Klassengegensätzen«[4] führen sollte.

Diese Bestrebungen waren Vorläufer einer Bildungsbewegung, die einerseits qualifizierte Arbeiter für die Industrie bereitstellen, andererseits die Lebensumstände der Industriearbeiter selbst verbessern sollte, um die Folgen der industriellen Revolution zu »mildern«. Doch dabei blieb es nicht: Bereits ein Jahr nach der Gründung des Museums begannen Diskussionen um die Ankoppelung einer Kunstgewerbeschule, die »den Kunsthandwerker zum Meister nicht im gewerblichen sonden im künstlerischen Sinne« machen sollte.[5]

Nach einem verhaltenen Start der neuen Ausbildung, die sich noch in akademischem Kopieren von Vorlagen erschöpfte, begann »die eigentliche Revolution«[6] erst mit der Direktion des Secessionisten Felician Freiherr von Myrbach Rheinfeld (von 1899 bis 1905), dessen Einsatz von Künstlerpersönlichkeiten als Lehrende den Weg zu einer Ausbildung ebnete, die über die gewerbliche Nutzbarkeit hinaus eigenschöpferisches Denken und Arbeiten zum Ziel hatte. Auch das »Geburtsjahr der österreichischen

Kolo Moser, Entwurf der »Rosenmarke« für die Wiener Werkstätte, um 1903, Tusche auf Karton, 25×25 cm, IN 3111

Gebrauchsgraphik«[7] wird Myrbach zugeschrieben: Er legte 1897 die »Graphischen Künste« als Schwerpunkt der Fachklasse für Malerei fest, was unter Lehrern von Carl Otto Czeschka bis Bertold Löffler wesentlich zur Entwicklung des österreichischen Grafikdesigns beitrug. Aus der Malerei-Klasse Löfflers, in der 1927 eine Werkstätte für Druckverfahren die grafische Ausrichtung vertiefte, wurde unter Paul Kirnig 1935 eine Grafikklasse. Dieser wiederrum integrierte die Fotografie und den Film als damals »Neue Medien« mittels Werkstätten in den Lehrbetrieb und erweiterte den bisher auf Malerei und Zeichung beschränkten Grafikdesignbegriff.

Schon damals bedeutende Gestalter wie Otto Wagner, Koloman Moser, Josef Hoffmann oder Alfred Roller, alle Mitglieder von Secession und Wiener Werkstätte, wurden Mitarbeiter des Museums wie Lehrer der Kunstgewerbeschule. In dieser personellen Konstellation und mit der revolutionären Auffassung der Lehre nach den Prinzipien der Freiheit der Mittel und der »Geistigkeit«[8] bei gleichzeitigem Universalismus in der handwerklichen Ausbildung wurde die Kunstgewerbeschule in einem einige Jahrzehnte dauernden Prozess schließlich Katalysator des Durchbruchs der Moderne um die vorletzte Jahrhundertwende.

Eines der bekanntesten Phänomene dieser Funktion des Hauses ist die Wiener Werkstätte, die, obwohl personell eng verknüpft mit der Kunstgewerbeschule, stets als davon unabhängiges Unternehmen rezipiert wurde.

Die Bedeutung der Institution Kunstgewerbeschule als »Bauhaus vor dem Bauhaus«, der Vorwegnahme des Bauhauses durch das Wiener Modell[9], wurde im Zuge der Wiederentdeckung der Wiener Moderne seit den 1970er Jahren zwar immer wieder deutlich gemacht, ist aber bis heute im Bewusstsein nicht entsprechend verankert. Ein Grund dafür könnte die wohl organisatorisch-strukturelle, nicht aber gesellschaftlich-politische Übereinstimmung der beiden berühmten Institutionen sein.[10]

Mit ihren Prinzipien des Vorkurses mit Grundausbildung zwecks Erlernens des künstlerischen Vokabulars zur eigenschöpferischen Leistung und des Werkstättenbetriebs zur praktischen Umsetzung des künstlerischen Entwurfes ist die Kunstgewerbeschule wahrhaft Pionier. Es fehlte ihr die gesellschaftspolitische Programmatik des Bauhauses, das die Kunst in die gesamte Gesellschaft integriert sehen wollte, und zwar gerade in die benachteiligten sozialen Schichten, nicht bloß als Dienstleistung für das liberale Bürgertum – ob Unternehmer oder Konsumenten –, für das die Produkte der Secession und der Wiener Werkstätte gedacht waren.

Auch ist die Gründung des Bauhauses vor dem Hintergrund der rätedemokratischen Weimarer Republik in Deutschland zu sehen. Bauen – als Inbegriff der Synthese aller Künste und Handwerksgattungen – war für den Bauhaus-Gründer Walter Gropius gesellschaftliche, geistige und symbolische Tätigkeit, nicht nur die Trennung von Kunst und Handwerk sollte überwunden werden, sonden auch Standesunterschiede.[11] Die jungen Gestalter sollten nicht zuletzt dazu erzogen werden, erzieherisch auf die Gesellschaft einzuwirken.[12] Gemeinsames Ziel war »der neue Bau der Zukunft« für »den neuen Menschen« (Bauhaus-Manifest von Walter Gropius von 1919).

Waren auch die Intentionen der Kunstgewerbeschule um 1900 von ganz ähnlichen Überlegungen getragen, so wurde Design als Inbegriff internationaler Sozialideen[13] einerseits vom Nationalismus des 19. Jahrhunderts für den »Wirtschaftskampf« umfunktioniert, andererseits aber auch von Bauhaus-Schülern verraten, die etwa die Nazis mit funktionalistisch-sachlichem Design bedienten.[14]

3 Fliedl 1986, 68.
4 Ebenda, 42.
5 Oberhuber 1986, 372.
6 Ebenda, 373.
7 Koller 1991, 204.
8 Oberhuber System 1986, 7.
9 Oberhuber 1980, Textplakat, HS/00/80/1/Pl.
10 Herzlichen Dank an Dr. Rainald Franz, Bibliothek und Kunstblättersammlung des MAK, Museum für angewandte Kunst | Gegenwartskunst, für wichtige Hinweise und Anregungen.
11 Droste 1990, 18–19.
12 Ebenda, 229.
13 Schmidt 2000.
14 Ebenda, 17.

Die Gemeinsamkeiten und Unterschiede von Wiener Kunstgewerbeschule und Bauhaus sind vielschichtig und deren genauere Untersuchung steht noch aus.

Zurück zu den Anfängen der Sammlung Angewandte Wien: Nach Differenzen zwischen dem Leiter des Museums, dem Museumsfachmann und Nationalökonomen Arthur von Scala – dessen Verdienst es ist, die Vertreter der künstlerischen Moderne von Josef Hoffmann bis Alfred Roller ursprünglich ans Haus geholt zu haben – und den Selbstbestimmungsbestrebungen des Lehrkörpers trennten sich 1900 Museum und Kunstgewerbeschule auf administrativer Ebene. Ab 1909 waren sie zwei ganz eigenständige Institute.[15] – »(…) dadurch konnte sie [die Kunstgewerbeschule] sich ungestört und in aller Ruhe entwickeln«, konstatierte Kolo Moser 1916.[16]

Hört nun heute der interessierte Mensch den Begriff »Sammlung Angewandte Wien«, so denkt er meist an das MAK. So stark haben sich die ersten vierzig Jahre des gemeinsamen Weges der beiden Häuser, die über 100 Jahre zurückliegen, wohl nicht im Bewusstsein verankert – es werden die räumliche Nähe und die Ähnlichkeit des Namens zu der Verwechslung beitragen. Vielmehr wirkt aber noch der Umstand, dass das MAK seit jeher als Sammlung positioniert war und dadurch auch das Gros der Kunstprodukte der Institution Kunstgewerbeschule und deren Umfeld zu seinen Beständen zählt. Die »Angewandte« hingegen wurde stets als Hochschulbetrieb, heute als Universität, wahrgenommen, ihre Sammlung ist als »University Collection«, wie es sie weltweit an den verschiedenen Universitäten gibt, noch »Insider-Tip«. Ausstellungen wie diese sollen die Sammlung in der Öffentlichkeit bekannter machen und ihr Ausstellungszentrum im frühbarocken Heiligenkreuzerhof in der Wiener Innenstadt als Museum positionieren – als Ort der Begegnung und Auseinandersetzung mit historischen und aktuellen Tendenzen in bildender Kunst, Mode und Design, kurz: mit angewandter Kunst.

Sammelte das Museum für Kunst und Industrie also gemäß seiner Aufgabe seit seiner Gründung in 1863, so sammelte die Kunstgewerbeschule (später Reichshochschule, Akademie sowie Hochschule für angewandte Kunst) zu Beginn nicht oder nicht systematisch, sondern widmete sich ausschließlich seiner bildnerischen Bestimmung.

Erst 1963 setzte der Rektor der damaligen Akademie für angewandte Kunst, Ceno Kosak, die Beamtin Emma Wolenec zur »Errichtung von Dokumentationen und Sammlungen« ein. Sein Nachfolger Johannes Spalt wertete dieses Archiv zu einer wissenschaftlichen Planstelle auf.

1979 begann Oswald Oberhuber, damals Rektor der Hochschule, für die Sammlung, die bis dahin vor allem Dokumente und einige Arbeiten der Schüler und lehrenden Künstler archivierte, aktiv anzukaufen, zu sammeln – aufbauend auf dem Bestand von einigen historischen Möbeln, Gegenständen, die in Benützung der Belegschaft des Hauses waren, einer Sammlung von Gläsern von Koloman Moser oder Essbesteck von Josef Hoffmann sowie historischen Kostümen, die für den Unterricht dokumentiert und aufbewahrt wurden.

Oberhuber begann mit der Sammlung in einer Zeit, als die starke Anziehungskraft von »Wien um 1900« gerade wieder neu entdeckt wurde – Großausstellungen wie »Traum und Wirklichkeit, Wien 1870–1930« (1985) zeugen vom Jahrhundertwende-Boom – und als es noch möglich war, ein Werk etwa eines Erich Mallina um einen Bruchteil dessen zu erwerben, was es zwanzig Jahre später auf dem Kunstmarkt wert war.

[sammlung
angewandte
wien

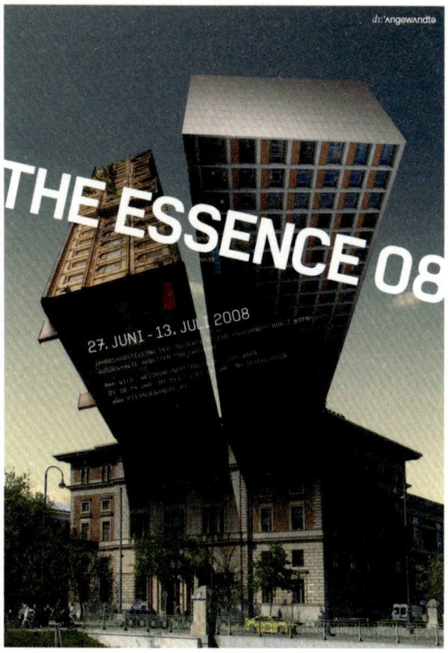

Philipp Samhaber und Nick Kapros, Klasse für Grafik Design Oliver Kartak, Plakat »Essence 08«, Jahresausstellung der Universität für angewandte Kunst Wien im MAK Wien, 2008, 84,1×59,4 cm, IN HS 06/08/1/Pl

Anita Kern, Kerndesign, Logotype für die Sammlung Angewandte Wien, 2008

Werke von für die Kunstgewerbeschule wichtigen Persönlichkeiten kamen auch auf anderen Wegen wieder zurück ins Haus: So gelangte etwa ein über 1000 Arbeiten umfassender Bestand des Werks Bertold Löfflers durch eine Schenkung der Schwester von Viktoria Löffler, der Witwe Löfflers, in die Sammlung. Löffler – selbst Schüler Koloman Mosers – leitete 28 Jahre lang die Klasse für Zeichnen und Malen, war Wegbereiter für Künstler wie Oskar Kokoschka oder Rudolf Kalvach, war prägend für die Entwicklung des Grafikdesigns in Österreich.

Paul Kurt Schwarz, Leiter der Meisterklasse für Gebrauchs-, Illustrations- und Photographik von 1954 bis 1987, übergab im ersten Jahrzehnt des begonnenen Jahrhunderts sein umfangreiches grafisches Werk der Sammlung Angewandte Wien als Vorlass.

So kam die Angewandte etwa in den Besitz einer vollständigen Galerie Würthle-Plakate-Sammlung aus den 1950er Jahren oder zahlreicher Firmenerscheinungsbilder aus mehreren Teilen, eine Rarität in Sammlungen, wurden diese »printed ephemera« meistens als nicht erhaltenswürdig erachtet, was zur Folge hat, dass historisches Corporate Design selten ist.

Das Oskar Kokoschka-Zentrum, eine Art Herzstück der Sammlung Angewandte Wien verdankt seine Existenz der Schenkung durch Olda Kokoschka, Kokoschkas Frau, die auch nach dem Tod ihres Mannes ein enges Verhältnis zur »Angewandten« unterhielt. So beherbergt die Sammlung nun u.a. die private Bibliothek und das Fotoarchiv Oskar und Olda Kokoschkas sowie originale Kunstwerke Kokoschkas.

Sosehr persönliche Erwägungen der Künstler oder deren Erben zur Erweiterung der Bestände beitrugen, sosehr hatten dieselben Erwägungen auch oft zur Folge, dass Arbeiten von Lehrenden der damaligen Kunstgewerbeschule *nicht* in der Sammlung ankamen, sondern in anderen Häusern – und hier meist im heutigen MAK – ihren Platz fanden. So verkaufte Josef Hoffmann 1930 ein Konvolut seiner Architekturskizzen, Möbel- und Stoffentwürfe und Reiseskizzen an das damalige Museum für Kunst und Industrie, Kolo Mosers Schwester übergab 1927 Mosers Nachlass an ebenjenes Haus, so auch Carla Binder den ihres Mannes Joseph Binder.

Freundschaftliche Beziehungen zwischen beiden Institutionen und wissenschaftlicher Schulterschluss überbrücken heute die Teilung der Bestände, die schließlich für den Ausstellungsbesucher oder Forschenden irrelevant ist, sind ja beide Häuser der Öffentlichkeit zugänglich.

Die heutige Verbindung von historischer Dokumentation und Kunstsammlung schließlich nahm Erika Patka vor, die die Sammlung von 1980–2004 leitete.

Seit 2004 hat nun die Sammlung unter der Leitung des Kunsthistorikers und Professors an der Angewandten, Patrick Werkner, eine erneuerte »Mission«: Gesammelt werden nunmehr ausschließlich Werke von Absolventinnen und Absolventen sowie Lehrenden des Hauses, gilt es doch die knappen Mittel zielgerichtet einzusetzen. Die wissenschaftliche Forschung und das Publizieren der Ergebnisse bilden einen neuen Schwerpunkt, eine wissenschaftlich erarbeitete Ausstellung pro Jahr soll die Sammlung der Öffentlichkeit nach und nach bekannt machen. Das Arbeiten mit den Sammlungsbeständen wird verstärkt in die Lehre integriert: so kuratieren und organisieren die Studierenden des Masterlehrgangs für Ausstellungstheorie und Praxis des Hauses (ecm | educating, curating, managing) Ausstellungen selektierter Sammlungsbestände, wie etwa 2007 die vielbeachtete Schau des Margarete Schütte-Lihotzky-Nachlasses mit dem Titel »Ich bin keine Küche«.

15 Pokorny-Nagel 2000, 87–89. Vgl. auch Franz Semper 2000.
16 Moser 1917, 17.

Koloman Moser, Briefkopf der Wiener Secession mit Signet (Ausschnitt), um 1900, IN 13.672/2

Unter Rektor Gerald Bast wurde außerdem die historisch bedeutende Kostüm- und Modesammlung 2006 in den Hauptbestand der Sammlung integriert.

2009 erfuhr die Sammlung ein »Redesign« ihres Erscheinungsbildes: Eine vom Büro Kerndesign gestaltete Logotype, die den neuen Namen transportiert, soll auf allen Publikationen der Sammlung die Identitätsbildung visuell unterstützen.

Heute stellt die Sammlung Angewandte Wien mit einem Umfang von rund 60.000 Objekten einen wichtigen Beitrag zur Dokumentation österreichischer Kunstgeschichte dar. Noch ungezählt sind darunter die Dokumente des Grafikdesigns, also Objekte, die der visuellen Kommunikation, der Vermittlung von Inhalten mit zugrundeliegendem Auftrag, dienen. Deren grafische Formensprache, ja das Kommunikationsmedium selbst, war stets von der technologischen Entwicklung abhängig, entsprechend vielfältig sind die Exponate der Ausstellung. War das Plakat das wichtigste Medium vom Beginn der »Reklamekunst« bis hinein in die 1970er Jahre – wir sehen es hier als Farblithografie des 19. und frühen 20. Jahrhunderts und als Sieb- oder Offsetdruck seit den 1950er Jahren, so sind die 1980er Jahre von Firmenerscheinungsbildern, sogenannten »Corporate Designs« geprägt. Verpackungsgestaltung und Buchdesign ist an keine Epoche gebunden. Aufschlussreich sind die Lösungen der Demel-Schokolade-Verpackungen des Federico Berzeviczy-Pallavicini zwischen 1930 und 1950, gegenübergestellt den Entwürfen der Klasse Walter Lürzer aus 2003.

Erstaunlich ist die Renaissance des Buches am Anfang des dritten Jahrtausends: Komplexe Buchprojekte der Studierenden der Klassen von Fons Hickmann und Oliver Kartak zeugen davon. Digitale Arbeiten wie TV-Signations, Internet-Portale oder aktuelle Zeichentrickfilme zeugen von der Egalität der digitalen und der papierenen Oberfläche, von der relativen Unabhängigkeit des Designers vom Medium, in dem er Inhalte vermittelt.

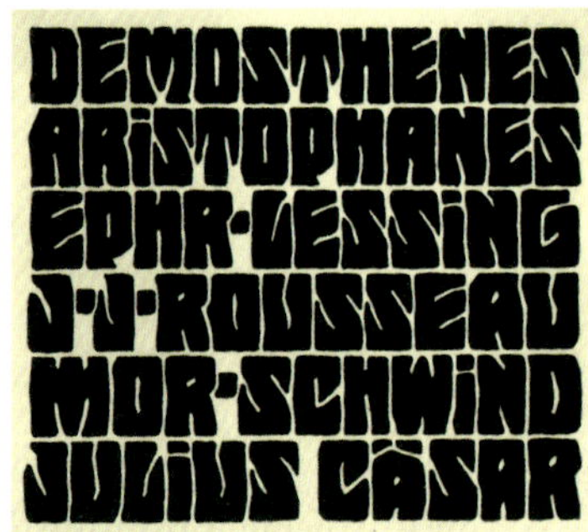

Schule Rudolf von Larisch, Schriftstudie, um 1904–1914, 10,9×11,5 cm, IN 1821/24

Die Wiener Plakatkunst um 1900

Der wahrscheinlich bekannteste Beitrag Österreichs zur Kunstgeschichte der Welt ist – ob man will oder nicht – der Wiener Jugendstil der Wende vom 19. zum 20. Jahrhundert. Vermutlich nicht einmal die barocke Baukunst Österreichs könnte in einem solchen »Ranking« mithalten. Diese Wirkung ist der Sprengkraft der Wiener »Kraftflächen« geschuldet, der Plakate, gestaltet von Künstlern der Secession (seit 1897), des Hagenbundes (seit 1900) und der Wiener Werkstätte (seit 1903). Die Reformkunstbewegungen wandten sich gegen den Akademismus der Traditionalisten, verkörpert durch die »Genossenschaft bildender Künstler – Künstlerhaus«, und deren konservative Wertvorstellungen. Dieser Kampf wird auch grafisch ausgetragen: die Plakate der Ausstellungen der Genossenschaft sind zu Beginn noch im illusionistischen Diplom- und Adressenstil vergangener Jahrhunderte gehalten, die der Reformer bereits flächig, reduziert und kraftvoll in der Farbe, ornamental jedoch klar, voller Symbolkraft, die den Kampf der neuen freien Kunst gegen die alte, »dunkle«, biedersinnige, thematisiert.

Das Plakat des Professors und Rektor an der Kunstgewerbeschule, Alfred Roller (1864–1935) für die »9. Ausstellung der Vereinigung bildender Künstler Österreichs Secession« 1901 vereint all dieses: der Strahlenkranz der leuchtenden Sonne in den Händen der statuenhaften Person ist gleichzeitig »Logo« der Secession: die drei Schilde

Alfred Roller, Plakat 16. Kunstausstellung der Vereinigung bildender Künstler Österreichs, 1903, Farblithografie, zweiteilig, 189 × 63,5 cm, © Wien Museum, HM 129.063/2

(in manchen Darstellungen tragen diese Lilien), verbunden durch den Kreis, stehen für die drei gleichberechtigten bildenden Künste Malerei, Bildhauerei und Architektur. Das Licht, das das scheinbar körperlose Objekt abgibt, beleuchtet das Gesicht des Trägers mystisch von unten – Ver sacrum, der Heilige Frühling der Secession, macht die Kunst zur wahren Religion (des Bürgertums), die keines Gottes bedarf. Der Künstler selbst ist die gestaltende Kraft. (S. 51)

Die Bewegung der Wiener Werkstätte geht noch einen Schritt weiter: Gestalter seiner Umwelt kann jeder sein, der Handwerker, der den Entwurf des Künstlers umsetzt, ist diesem ebenbürtig, beide signieren das Werkstück gleichermaßen, beider Beitrag zum (Kunst)werk ist gleich viel wert. Und Adolf Loos schließlich, erklärter Gegner des dekorativen frühen Wiener Jugenstils, beantwortet seine Frage »Brauchen wir den angewandten Künstler?« mit »Nein.« Der Handwerker, der die Prinzipien der Zweckmässigkeit anwendet, und nur diese, ist für ihn der bessere Künstler.

Der Universalkünstler Koloman Moser (1868–1918), Grafiker, Maler, Innenarchitekt, Produktdesigner und Lehrer an der Kunstgewerbeschule, entwarf die grafischen Erscheinungsbilder von Secession (die drei bereits erwähnten liliengeschmückten Wappen am Kreis, eigentlich ein Relaunch des »gegnerischen« Künstlerhaus-Genossenschaft-Logos) und Wiener Werkstätte (die Rosenmarke, eine in ein mehrfach geteiltes Rechteck eingeschriebene geometrische Rose). Moser war Mitbegründer der Wiener Plakatkunst um 1900, war Entwerfer von Möbeln und Interieurs, meist gemeinsam mit Josef Hoffmann (1870–1956), ebenfalls Lehrer an der Kunstgewerbeschule. Er arbeitete für das Palais Stoclet und das Sanatorium Purkersdorf, entwarf Bühnenbilder, Kostüme und Ausstattung des Kabarett Fledermaus, die Glasfenstern der Wiener Secession und der Kirche am Steinhof, einer der Wiener Jugenstil-Architektur-Ikonen von Otto Wagner. Kolo Moser widmete sich speziell der Gebrauchsgrafik, schuf die vor dem Ersten Weltkrieg gültigen Geldscheine und Briefmarken, Zeitschriftendesigns wie das von »Ver Sacrum«, des Mediums der Secession, und die Kaiserjubiläumspostkarten 1908.

In der Ausstellung ist Kolo Moser mit gebrauchsgrafischen Arbeiten vertreten, wie dem Cover der »Meggendorfer Blätter«, einer Münchner Satirezeitschrift, der 100 Kronen-Banknote von 1910, dem Signet der Wiener Werkstätte und einem Flächenmuster für die Zeitschrift Ver Sacrum, aber auch mit »Akzidenzen« wie Einladungskarten, Kalendern und der eigenen Vermählungsanzeige.

Bei der Entwicklung der »Flächenkunst« um 1900 spielte eine weitere Persönlichkeit der Wiener Kunstgewerbeschule eine wichtige Rolle: Rudolf von Larisch (1856–1912), Lehrer für Schrift und Heraldik von 1902 bis 1934, dem der Rang der Typografie in der visuellen Kommunikation als einem der Ersten bewusst war. Er führte die Künstler der Secession und die frühe Generation von Grafikern in die Grundprinzipien von Schriftgestaltung ein.

»Schrift kommt von Schreiben« war Larischs Botschaft, die Beschäftigung mit Kalligrafie aller Anfang der künstlerischen Schriftgestaltung. Das Verb *schreiben* wiederum leitet sich vom lateinischen *scribere* ab, was ritzen bedeutet, die »Genesis alles Schreibens«[17]. So ließ Larisch seine Schüler zu Beginn Schrift in weiches Material wie Lehm, feuchten Gips, Wachs etc. mit Griffel oder Modellierholz gravieren.[18] Das Schreiben mit der Breitfeder eröffnet dem Schreibenden quasi automatisch den Aufbau einer einer Antiqua oder Gotik, die natürliche, aus dem Werkzeug resultierende Stellung von dicken und dünnen Schenkeln, das Setzen von An- und Abstrichen, von Serifen,

17 Larisch 1905, 27.
18 Ebenda, 26 und 31.

macht das Wesen von Schrift verständlich.[19] – Schreiben mit der Breitfeder wird auch heute wieder international von Typografen, die ihre Schriftdesigns digital umsetzen, in der Entwurfsphase angewendet.[20]

Larisch beeinflusste mit seinem ornamentalen Schriftverständnis die gestalterische Auffassung – allen voran der Secessionisten –, Schrift und Bild zu gleichwertigen grafischen Elementen, ja, die Schrift zu einem dominierenden kompositorischen Teil in einem Design zu machen. Ornamentale Schrift, das Ornamentale, bedeutet bei Larisch nicht Dekoration, sondern Struktur: Wie in den semitischen Kulturen das Bildhafte durch (ornamentale) Strukturen ersetzt wird, so vermeidet die Schrift körperhafte gegenständliche Darstellungsarten und wirkt auf die damals sogenannte Bildung des Geschmacks vorteilhaft.[21] (S. 68–70)

Sind die Plakate der Secessionisten für ihre Kunstausstellungen das eine Ende der Skala der Relevanz von Grafikdesign in der Öffentlichkeit, so bildet die Verpackungsgestaltung der Gegenstände des täglichen Lebens das andere. Genießen die Kunstwerke heute bei Historikern und Liebhabern viel Beachtung, so waren es zweifellos die Zigaretten-, Käse- oder Nudelverpackungen, die die Aufmerksamkeit der zeitgenössichen Öffentlichkeit auf sich gezogen hatten. Schon Alfred Roller maß der zeitgemäßen, künstlerischen Gestaltung dieser Gegenstände eine wesentliche Bedeutung bei, bezeichnete sie als »würdige Aufgaben« der Kunstgewerbeschule – nicht zuletzt, um reale Aufträge der Industrie zu erwirken. Roller in einem Brief an die der Tabakregie übergeordnete Finanzbehörde 1910: »Es geht nicht an, der Art, wie diese kleinen Aufgaben gelöst werden, keine Bedeutung zuzumessen; denn gerade diese täglich viel hunderttausend Male wiederholten kleinen Geschmackskundgebungen tragen in der großen Öffentlichkeit, besonders auch im Auslande, mehr zur Beurteilung des gesamten Geschmacksniveaus des Reiches bei, als einzelne große Taten.«[22]

Eine Reihe von Schokoladeverpackungen Bertold Löfflers über die Zeugnisse jener Ära, in der Federico Berczevicy-Pallavicini, Absolvent der Kunstgewerbeschule, für die Konditorei Demel arbeitete, bis zu den Zigarrenetiketten des Carl Otto Czeschka (1878–1960) geben Einblick in die Verpackungsgestaltung der ersten Hälfte des 20. Jahrhunderts.

Der »gelbe Faden« durch Ausstellung und Katalog

»Die Sache, für die wir ausgezogen wurden, ist eine gerechte, (…) in der Zeitung steht, es war unabwendbar.« Was klingt wie ein Statement zum US-Krieg gegen den Irak 2003, ist aus »Die letzten Tage der Menschheit«, Karl Kraus' Tragödie um den Ersten Weltkrieg. Die Aufklärung der Funktion der Presse (nicht nur) im Krieg bleibt auch fast 100 Jahre später noch erschreckend aktuell. Die junge Studentin der Klasse Hickmann, Karin Aue, entwarf 2006 anlässlich des 70. Todestages des Autors eine Plakatserie zum Stück. Die Überschriften und Texte, Zitate aus Kraus' Werk, die ihrerseits meist Pressezitate aus den Kriegsjahren sind, wirken wie aktuelle (Kriegs-)Berichterstattung, die Illustrationen aus Aues Hand erinnern wiederrum an die politischen Karikaturen der vorvergangenen Jahrhundertwende.

Die Plakate Karin Aues sind in der Ausstellung – obwohl aus 2006 – im Raum zur Zeit um 1900 zu sehen. Dass sie ein aktuelles »Einsprengsel« sind, darauf verweist ein leuchtend gelb unterlegter Text zum Objekt. Diese zeitlichen Querverweise ziehen sich wie ein »gelber Faden« durch Ausstellung und Katalog. So verweist Zeitgenössisches auf die Aktualität von Historischem (und umgekehrt), so werden aktuelle Bezüge, Reflexionen, wiederkehrende Fragestellungen sichtbar.

Julius Klinger, Plakatentwurf, Blatt aus der Mappe »12 Klinger Plakate. Januar 1923«, 1922, 31,3×23,2 cm, IN 12.038/6/Ma

Die Pioniere

In der Frühzeit der »Gebrauchsgraphik«, wie das Genre seit den 1920er Jahren bis in die 1980er Jahre genannt wurde, ist der Übergang von freier zu zweckgebundener Grafik fließend, meist war sie von zur Malerei ausgebildeten Künstlern ausgeführt, »freie« künstlerische Techniken wie Lithografie oder Holzschnitt wurden ebenso zur Herstellung von Druckvorlagen herangezogen wie Malerei und Zeichnung für den Entwurf. Durch radikale Reduktion der Mittel und der Formensprache schließlich wurde die Künstler-Grafik mit den Pionieren Julius Klinger oder Joseph Binder seit den frühen 1920er Jahren zum graphic design, das die »Stilisierung«, die Abstraktion der Objekte auf ihre Grundmerkmale, zu ihrer wichtigsten Methode machte.

Die Protagonisten dieser Richtung bleiben eine Ausnahme. Die Moderne zeigte in Österreich mit wenigen Ausnahmen keine maßgebliche Wirkung. Man begnügte sich im Design nach wie vor mit der Gestaltung der Oberfläche, die Struktur darunter verharrt im Traditionellen. Das Barocke, der Dekorationismus, die »ästhetisch hochwertige Verkleidung der Realität«[23] bleiben die Merkmale der Formensprache.

Sind zu Beginn der Zwischenkriegszeit (1917–1938), im Anschluss an die Wiener Schule der Plakatkunst um 1900, internationale Einflüsse zu spüren, so verflüchtigen sich diese ab 1933, der Etablierung des klerikalfaschistischen »Ständestaates«, bald wieder zugunsten eines Naturalismus, der bis hin zum Fotorealismus der klassischen Produktwerbeplakate führt.

Julius Klinger, Elefant, um 1925, Holz, 23×21×26 cm, IN 7893/O

Beispiele der Auseinandersetzung mit dem »Internationalen Stil« sind gebrauchsgrafische Entwürfe der Künstlerinnen Erika Giovanna Klien (S. 98) und Elisabeth Karlinsky (S. 99) aus den 1920er Jahren – beide Vertreterinnen des Kinetismus, einer wiederentdeckten malerischen und grafischen Richtung der Wiener Moderne, die den Futurismus vorwegnahm – entwickelt im Kurs für »Ornamentale Formenlehre« von Franz Čižek an der Kunstgewerbeschule in Wien.

Die Dominanz von politischer Werbung in der Ersten Republik führte zu starken visuellen Codes in der europäischen Gebrauchsgrafik, wie etwa dem »Roten Mann«, der kolossalen roten Figur eines Schmieds, die – vom ungarischen Gafiker Mihaly Biró erfunden – zur Allegorie der Arbeiterklasse wurde und in Plakatentwürfen von Walter Harnisch zu den Maifestspielen 1932 oder der 2. Wintersport-Olympiade der Sozialistischen Arbeitersport-Internationale 1931 in Ausstellung und Katalog zu sehen ist. (S. 106)

Ein Antagonist der Secessions- und Wiener Werkstätte-Künstler, der vielleicht wirksamste und dennoch nahezu völlig Unbekannte unter den österreichischen Grafikern, wird in der Fachliteratur meist als deutscher Designer geführt, war er doch prägend für das Plakat in Deutschland, der wichtigsten Kommunikationsform im Grafikdesign bis in die 1970er Jahre. Julius Klinger, 1876 in Wien geboren, war bis zum Ersten Weltkrieg in Deutschland tätig. Es gab zu dieser Zeit keinen Grafiker, der mehr geistreichen Humor bei gleichzeitig radikaler Reduktion der Mittel in seinen Arbeiten aufweist. Im berühmten Quintett mit den deutschen Größen Lucian Bernhard, Paul Scheurich, Julius Gipkens und dem Österreicher Ernst Deutsch-Dryden arbeitete Klinger ab 1905 für die Berliner Druckerei Hollerbaum & Schmidt, die gemeinsam mit diesen Künstlern die Reklamekunst revolutionierte.

19 Larisch distanzierte sich allerdings in seinen Ausführungen von gotischer Schrift und bedingt auch von Antiqua, da sie zur »bösen alten Zeit« (Larisch 1905, 13) gehörten und strebte eine gleichmäßig starke, einfache Schrifttype im Sinne einer Groteskschrift an, die dem Wesen der damals neuen »Flächenkunst« entsprachen. Larisch 1904, 40–42.

20 Zum Beispiel Thomas Hoyer, Workshop »Space is the Spice of Lettering«, Typo Berlin 2009.

21 Vgl. Larisch 1904.

22 Alfred Roller, Eingabe an das Ministerium für öffentliche Arbeiten vom 22. Jänner 1910, zit. nach: Fliedl 1986, 187–188.

23 Witt-Dörring 2006, 15.

Julius Klinger kam mit der »Angewandten« nur soweit in Berührung, als ihn Kolo Moser privat in Wien unterrichtete und ihn an die »Meggendorfer Blätter«, eine Münchner Satire-Zeitschrift, vermittelte, wo er als Illustrator tätig war. Klinger, der im Wiener Technischen Gewerbemuseum und der Graphischen Industrie AG. ausgebildet wurde, der selbst in seinem Atelier in der Wiener Innenstadt eine private Grafikdesign-Schule betrieb, holte junge Grafiker als Unterrichtende in seine Lehrgänge und als Mitarbeiter und Mitstreiter für seine radikalen Neuerungen in sein eigenes Büro. So wurden Hermann Kosel, Rolf Frey, Wilhelm Willrab u.a. Mitherausgeber von Klingers »Poster Art in Vienna« von 1923, einer Sammlung – im Stile der Vorlagensammlungen des 19. Jahrhunderts teilweise fiktiver – funktionaler Plakatsujets, die in ihrer radikalen Ablehnung jeglicher Bildwirkung in den USA große Aufmerksamkeit errangen.

Zwei solcher Plakat- und Illustrationssammlungen von Julius Klinger und den Genannten sind auf den Seiten 88–92 dieses Kataloges zu sehen.

Ein erstmals ausgestelltes Objekt der Klingerschen Auslagendekorationstechnik ist der orange lackierte Elefant aus Holz, Teil der Reihe der sogenannten »Betterway Grotesken«, die in Schaufenstern aufgestellt, die Aufmerkamkeit auf die Waren lenken sollten. Die grafisch stark reduzierten und stets humorvoll dargestellten Tierfiguren finden sich auch in Druckproduktionen von Klingers Figurenwelt wieder. (S. 93)

Julius Klinger war einer der wenigen Designer, die sich auch verbal mitteilten: er publizierte Texte und hielt Vorträge, die außerordentlich pointiert und polemisch waren, in denen er sich als Werbegrafiker immer von der freien Kunst distanzierte – was zu dieser Zeit außergewöhnlich war, ordneten sich Grafikdesigner grundsätzlich dem »Reich der Kunst« zu. Sogar die Wiener Werkstätte, Hort des gesellschaftlichen und künstlerischen Aufbruchs, kommt bei ihm darin nicht gut weg: die Produkte haben für ihn etwas »Überspitzes, Affektiertes, (…) Unechtes und vor allem Überflüssiges.«[24] Diese Haltung ist nachvollziehbar, wenn man seine späteren, stark vom Konstruktivismus beeinflussten Arbeiten beurteilt, etwa den Entwurf für die TABU Zigarettenpapier-Werbung von 1921.

Am 2. Juni 1942 wurde Klinger gemeinsam mit deiner Frau Emilie und weiteren 998 Juden in Wien verhaftet und nach Minsk deportiert, wo er wenig später umgebracht wurde.[25] Julius Klingers Werk ist – zumindest in Österreich – nahezu völlig verschüttet, nur mehr wenigen Spezialisten bekannt und harrt der Design-Archäologie.

Für Joseph Binder (1898–1972), Doyen des österreichischen Grafikdesigns, einst Schüler Bertold Löfflers, war es das »Ziel eines jeden modern-denkenden Künstlers«, sich »an der Kunstgewerbeschule zu registrieren«.[26]

Joseph Binder, ursprünglich Josef Franz Binder, war neben Klinger die Persönlichkeit, die – hätte sie die Nachfolge Bertold Löfflers angetreten – das österreichische Grafikdesign in seiner Bedeutung möglicherweise in einen Rang mit dem französischen gehoben hätte, wo etwa ein Cassandre mit seinen Plakaten für die französische Tageszeitung »L'Intransigeant«, für Schiffahrt- und Eisenbahngesellschaften, Grafikdesigngeschichte schrieb. Binder zog es vor – nachdem er ein Angebot zu unterrichten bereits 1936 ausschlagen musste –, als er dann 1955 erneut gefragt wurde, neuerlich abzulehnen. Binder, seinerseits von Cassandre beeinflusst, übte auch so durch sein Werk und seine internationale Vermittlungstätigkeit, vor allem in den USA, unübersehbaren Einfluss auf die folgenden Generationen von Grafikern aus.

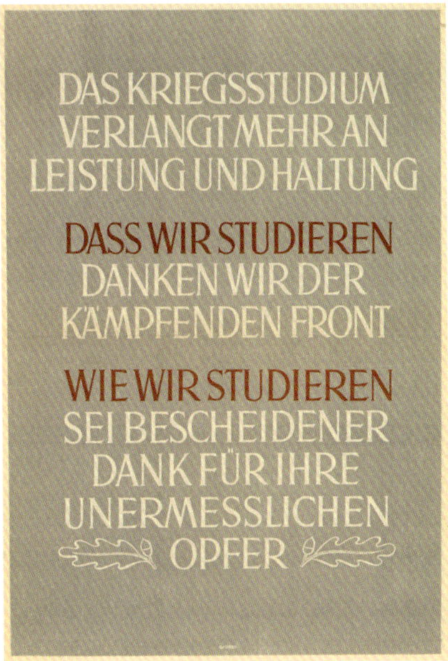

Unbekannt, Fachklasse Paul Kirnig, Plakat »Das Kriegsstudium«, o. J., Offset, 60×42 cm, IN 15.557

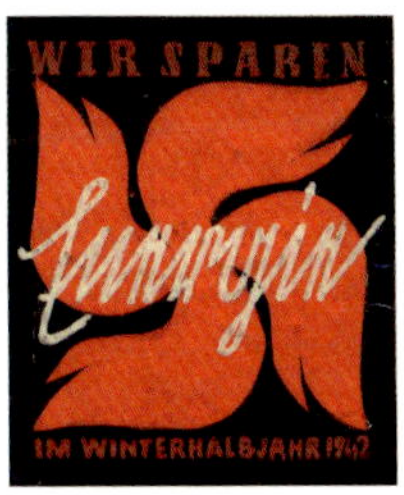

Unbekannt, Fachklasse Paul Kirnig, Vignettenentwurf »Wir sparen Energie«, 1942, Tempera auf Papier, IN 7834/10.

Binder ist trotz seiner Emigration ein klassisches Produkt österreichischer visueller Kultur. Trotz seiner Methode der »konstruktiven Reduktion«, trotz der Integration der damals modernsten Kunstrichtungen wie des Kubismus und des Konstruktivismus, ist er ein Erzähler geblieben, die Arbeiten strahlen Atmosphäre und Stimmung aus.

Binder ging bereits 1936 nach New York, da er schon mehrmals dort zum Unterricht eingeladen wurde, so zum Beispiel von Elma Pratt oder Emmy Zweybrück, und er sich seit einer Veröffentlichung in einer amerikanischen Fachzeitschrift von 1926 bereits eine gewisse Bekanntheit erworben hatte. Dass Binder in den USA blieb, hatte möglicherweise den Grund, dass seine Frau Carla vermutlich jüdischer Herkunft[27] war. Dass er nach 1945 nicht mehr zurückkam, war der wirtschaftlichen Situation geschuldet, er hatte bereits zahlreiche Aufträge in den USA angenommen. Der an der Moderne orientierte Binder hätte – wäre er zurückgekehrt – speziell als Lehrer eine Kontinuität herstellen können, die dem österreichischen Grafikdesign so vorenthalten blieb.

Der »österreichische« Nationalsozialimus

Die Zeit des Nationalsozialismus in Österreich (1938–1945) zeigt deutlich, wie stark gerade eine Grafikdesign-Klasse prädestiniert ist, vom Staat instrumentalisiert zu werden. Corporate Design ist auch für das »Branding« von Staaten notwendig – die Nazis haben diese Klaviatur besonders gut beherrscht, indem sie sich die Formensprache gerade der fortschrittlichen Kräfte angeeignet haben. Während in der bildenden Kunst Naturalismus gefragt war, bediente man sich im Grafikdesign für das Erscheinungsbild der NSDAP moderner, geometrisierend konstruktiver Elemente aus der Bauhaus-Ästhetik, progressiver Fotografie und vor allem sozialistischer und kommunistischer Symbole.

Jeder, der als Grafiker arbeiten wollte, musste sich bei der Reichskunstkammer registrieren lassen, das garantierte ein de facto-Berufsverbot für sämtliche nicht systemkonformen Personen, denn man hatte sämtliche Ahnennachweise bis zu den Großeltern von sich selbst und seinem Ehepartner beizubringen. Wer das nicht konnte, durfte seine Arbeiten nicht verkaufen und bekam keine Bezugsscheine für Material.

Obwohl sich zahlreiche Grafiker diesem Verfahren aussetzen mussten, um arbeiten zu können, sind aus der fraglichen Zeit in den Archiven wenige grafische Belege zu finden. In der Sammlung Angewandte Wien befindet sich hingegen ein relativ großes Konvolut an Plakatentwürfen, da die damalige Gebrauchsgrafikklasse gewissermaßen zur Propaganda-Umsetzungszentrale umfunktioniert wurde. Die Schüler dieser »Propagandaklasse« an der Angewandten – die bleiben konnten, viele mussten die Schule verlassen – wurden teilweise direkt vom Reichspropagandaamt Wien beauftragt und erstellten Plakate für das NS-Winterhilfswerk, die Reichskleingartenschau, den Erntedienst, diverse NS-Sportveranstaltungen etc., Grafikdesign wurde »Kampfkunst«, wie es der Meisterklassenleiter Paul Kirnig selbst bei einer Ausstellungseröffnung bezeichnete. Die anfangs modernistische Formensprache wurde spätestens ab Kriegsbeginn von der Blut-und-Boden-Ikonografie mit Reichsadler und Eichenlaub abgelöst. Die Entwürfe wurden abgehandelt wie jeder andere Auftrag, und so bieten manche Arbeiten auch Qualitätvolles wie etwa die handgefertigte Typografie der Emma Reif oder die konstruktive Formensprache des Stefan Fritz, beide Kirnig-Schüler, die in den 1950er Jahren Teil des »Ateliers Der Kreis« wurden. (Seiten 114–119)

24 Rainer/Klinger 1999, o. S.
25 Kühnel 1997, 18.
26 Binder 1973, 36.
27 Pokorny-Nagel 2001, 34.

Erstaunlich jedenfalls ist die schnelle Wende auf die andere Seite, die österreichische Grafiker nach dem März 1945 vollzogen haben. Derselbe Paul Kirnig, der von Hitler zum Professor der Reichshochschule ernannt worden war, arbeitete bereits 1946, noch bevor sein sogenanntes »Entnazifizierungsverfahren« abgeschlossen war, an der großen »Antifaschistischen Ausstellung« mit dem Titel »Niemals vergessen!« im Wiener Künstlerhaus mit, für die Victor Theodor Slama, einer der wichtigsten Grafiker der Zwischenkriegszeit, das eindrucksvolle Plakat gestaltet hatte, das wieder die Ikone des »Roten Mannes« zum Leben erweckte. Diese Figur blieb von nun an allerdings »in die Fläche gebannt«[28], die konfliktvermeidende politische Einrichtung der »Sozialpartnerschaft«, sorgte seit den späten 1970er Jahren dafür, dass die Arbeiterschaft nicht mehr so oft auf die Straße geht.

Unbekannt, Fachklasse Paul Kirnig, Plakat »Altstoff ist Rohstoff«, 1944, Lithografie, 84,2×59,5 cm, IN 15.552

Die Frage der Kontinuität vor und nach 1938 bzw. 1945 ist mit dem Verweis auf einen massiven Bruch – inhaltlich wie ästhetisch – zu beantworten. Erstand in Deutschland der Geist des Bauhauses (für kurze Zeit) wieder in Gestalt der »Guten Form« des Neofunktionalismus der Ulmer Schule für Gestaltung, fasste der Swiss Style in der deutschen Industriegrafik Fuß, so gingen diese Entwicklungen an Österreich vorbei. Der »Kahlschlag der österreichischen Geistigkeit«[29] und die – bis heute – andauernde Wirkung des Verbots der Moderne hatten ihre Folgen: Die Blütezeit der österreichischen Grafik war vorbei. Es fehlte eine kontinuierliche Entwicklung, wie zum Beispiel in der Schweiz. Hingegen setzte sich das Selbstverständnis der Grafikdesigner als Künstler (im Gegensatz zum »Gestalter seiner Umwelt«) wieder weitgehend durch. Individuelle Lösungen und Ergebnisse ohne bedeutende weltanschauliche Hintergünde waren das Ergebnis.

Die 1950er Jahre

Nach sieben Jahren intellektuellem Abschluss von der Außenwelt waren internationale Einflüsse wichtiger denn je. Die Klassische Moderne in der bildenden Kunst vom Expressionismus bis Kubismus war nach 1945 für die tätigen Gestalter hochinteressant, ebenso die zeitgenössische Musik von Komponisten wie Friedrich Cerha, Mitglied der Wiener Gruppe, der dem Publikum mit dem Ensemble »Die Reihe« Musik von Schönberg bis Webern näherbrachte. Dieses Publikum war allerdings dünn gesät, die Antimoderne hatte nach den Jahren der Nazidiktatur nach wie vor Rückenwind. Politiker, Beamten- und Professorenschaft war von ehemaligen Nazis durchsetzt, Künstler hatten es im repressiven Klima entsprechend schwer.

Der willkommene Wirtschaftsaufschwung war weniger »Wunder«, als von den USA finanziertes ideologisches Kampfmittel gegen den sowjetischen Osten in Form des Marshallplans. Österreich spielte dabei als »Fenster zum Westen«, als Bühne der Demonstration des Wohlstandes eine nicht unwesentliche Rolle. Die USA kommunizierten ihre Marshallplanhilfe, aber auch andere Inhalte. Ein kulturpolitischer Schachzug waren die zahlreichen Ausstellungen und Veranstaltungen der alliierten Besatzungsmächte zwischen 1945 und 55, die der österreichischen Bevölkerung ihre Musik, Literatur, bildende Kunst näherbringen sollten. Für die österreichischen Grafikdesigner und Künstler waren »die Alliierten« wichtige Auftraggeber, ihre Veranstaltungen willkommene Informationsquelle. (S. 124–126)

Kurt Schwarz, Cover »Arbeit und Wirtschaft 4/70«, 1970, Offset, 42×29,7 cm (offen), IN 9172/1–6

Im Osten Österreichs wurde die legendäre Einrichtung des Wiener Lokals »Strohkoffer« zum Treffpunkt für Künstler, Schriftsteller, Musiker, Intellektuelle. Die Gruppe der Künstler aller Sparten ging als Art Club in die Kunstgeschichte ein. Die Grafiker der Zeit waren eng mit der Kunst- und Architekturszene verbunden. (Heute haben grafisch-musikalische Partnerschaften jene grafisch-bildnerischen abgelöst.) Kurt Schwarz wurde mit den Plakaten für die Ausstellungen in der Art Club-Galerie in der Singerstraße beauftragt, aber auch die Galerie Würthle trat mit der Bewerbung ihrer Ausstellungen an Schwarz heran. (S. 130) Schwarz' Plakat für die Alexander Calder-Ausstellung 1951, das in seiner Reduktion das Wesen der kinetischen Calder-Plastiken herausarbeitet, stellt einen mutigen Neubeginn des Qualitätvollen in der visuellen Kommunikation der Nachkriegszeit dar, die Kurt Moldovan als »Interregnum der Geschmacklosigkeit«[30] bezeichnete.

Die andere Seite dieser ambivalenten Zeit war ein regelrechter Kulturkampf, der sich gegen alles wandte, was mit dem kommunistischen Osten sympathisierte. Brecht-Boykott, Zwangsschließung des populären Scala-Theaters in Wien Wieden, de-facto-Berufsverbot für die berühmte Architektin Margarethe Schütte-Lihotzky waren die Folge. Der damalige Kulturstadtrat Viktor Matejka bemühte sich oft vergeblich um die Rückkehr von im »Dritten Reich« verfemten Künstlern, wie etwa Oskar Kokoschka oder Arnold Schönberg.[31] Vor dieser gesellschaftlichen Stimmung wird einerseits der Exodus österreichischer Kunstschaffender, andererseits der Siegeszug des verspielt-naiven 1950er Jahre-Design verständlich.

Ein wichtiger internationaler Einfluss war der Schweizer Celestino Piatti, dessen Illustrationen von dreißig Jahren Covergestaltung der dtv-Taschenbücher mehr als bekannt waren. Piatti wurde bis ins kleinste Detail der unregelmäßigen fetten schwarzen Umrisslinie kopiert. Er wiederum könnte durchaus von den Secessionisten und deren Plakaten beeinflusst gewesen sein. Ein idealtypisches Beispiel dieser Richtung ist das Smart Export-Werbeplakat mit der »klugen« Eule von 1965 des Tiroler Grafikers Ernst Insam. (S. 81) Die flächigen, stark vereinfachten Illustrationen, oft humorvoll und kindlich, lösten die meist naturalistischen der späten 1930er und 40er Jahre ab, aber auch die konstruktiv-reduzierten der Neuen Sachlichkeit. Der Einsatz von Fotografie wird noch als Nachteil empfunden, will man mit der Wirklichkeit doch möglichst wenig zu tun haben. Auch zu starke Uniformität in der visuellen Kommunikation wird befürchtet.[32] Spätestens ab den späten 1960er Jahren löst die Fotografie die Illustration in der Werbung, ab den 1980er Jahren auch im Grafikdesign, völlig ab.

Die »Schweizer Grafik« versuchte immer noch relativ erfolglos in Österreich Fuß zu fassen. Die sachliche, meist kühle Bearbeitung der Fläche zwecks ökonomisch geradliniger Kommunikation der Inhalte war nicht besonders populär im Wien der 1950er Jahre.

28 Bennersdorfer 2003, 7.
29 Wagner 1999, 19.
30 Moldovan 1954, 5.
31 Werkner 2003.
32 Herzner 1953.

Wenige Beispiele wie Kurt Schwarz' Drucksachen für die Galerie Würthle oder Rudolf Korunkas Plakat für die Ausstellung »Wie wohnt die Welt« von 1956 zeigen diese Einflüsse der rationalen, konstruktivistischen Gestaltungsprinzipien, die in erster Linie klar kommunizieren und informieren wollen. (S. 128 und 131)

Aber auch Kurt Schwarz arbeitet für die Umschläge der Gewerkschaftszeitung »Arbeit und Wirtschaft« Ende der 1960er Jahre mit Illustration und Collage, der Humor darin ist schwarz, die Themen sind kritisch abgehandelt.

(Paul) Kurt Schwarz, selbst Kirnig-Schüler während des Zweiten Weltkriegs, übernahm – nach einem Intermezzo mit Rudolf Korunka im Duo – 1954 die Meisterklasse für Grafik und leitete sie bis zu seiner Emeritierung 1987. Paul Kirnig hatte zuvor bereits 1938 eine »Werkstätte für Photografie und Filmgraphik« an der Reichshochschule für angewandte Kunst eingerichtet, um die modernen Techniken der Fotomontage für die Gebrauchsgrafik nutzbar zu machen. Diese Fotografiewerkstätte blieb auch unter der Leitung von Kurt Schwarz und Willi Sramek eine wichtige Einrichtung bis in die späten 1980er Jahre, als die analog produzierten Bilder von den digitalen abgelöst wurden.

1960er und 70er Jahre – Austria meets USA meets Austria

Ohne Betrachtung der internationale Einflüsse ist die Grafikdesign-Entwicklung Österreichs – und aller anderen Orte – nicht nachvollziehbar. Der Anti-Funktionalismus der 1960er Jahre, der die Postmoderne einläutete, ist vor allem im Produktdesign zu orten. Er ist eher als Widerspruch gegen die politische und gesellschaftliche Entwicklung zu sehen – immerhin macht die Obrigkeit bereits wieder »entartete Kunst« (im Zusammenhang mit dem nackten Körper) aus [33]. Kriminalisierung der Kunst und die Verfolgung der Künstler als Nachwirkungen der NS-Kultur sind die Folge, wie im »Organ der österreichischen Exilregierung« unter der Federführung des Aktionskünstlers Günter Brus (*1938), »Patent Merde« und »Die Schastrommel«, inklusive Gerichtsakten dokumentiert. (S. 136–137)

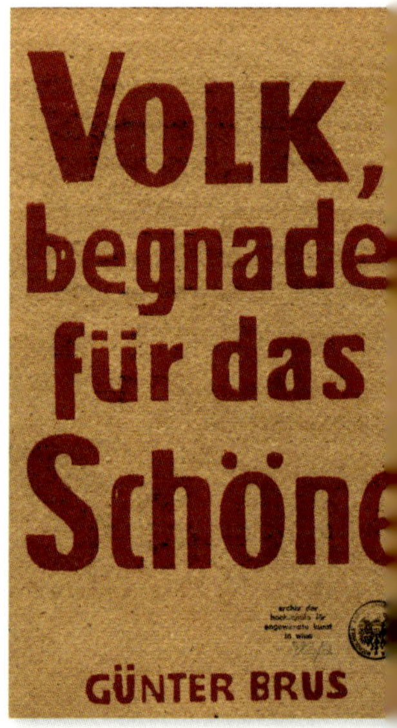

Der Inhalt wird wichtiger als die Form: die Architektur-Bewegung des »Austrian Phenomenon« mit ihren Experimenten, Aktionen und Performances jenseits der kommerziellen Verwertbarkeit macht Österreich erstmals seit Josef Hoffmann und Adolf Loos wieder international beachtet.

Jedoch auch das Einfärben der schwarz-weiß-grauen funktionalistischen Welt in gelb-orange-rot ändert nichts an den gesellschaftlichen Missständen und entpuppt sich als oberflächliche Kosmetik.

Einer der vielleicht wichtigsten Einflüsse auf die internationale Formensprache der Zeit war der in der Tschechoslowakei geborene und in Deutschland und Holland arbeitende Grafiker und Illustrator Heinz Edelmann (*1934), der für die deutsche Zeitschrift »twen« illustrierte und von 1967/68 als Art Director für den Beatles-Zeichentrickfilm »The Yellow Submarine« arbeitete. Seine Art, Figuren zu zeichnen, und die Farbigkeit seiner Illustrationen waren stilbildend.

Auch das berühmte Bob Dylan-Profil von Milton Glaser, das nicht nur als Poster-Beilage zum Dylan-Album von 1967 in Millionen Haushalte gelangte, sondern auch auf dem Cover eines der bestverkauften Grafikbücher aller Zeiten – Glasers Selbstdarstellung – weltweit in die Grafikbüros, hinterließ ebenfalls seine (grafischen) Spuren. Das Sujet wurde eines der Aushängeschilder der US-Design-Bewegung, die

Georg Schmid, Plakat »Bezirksblätter«, Meidling, 1972, Offset, 81 × 59 cm, IN Schmid G OJ/1/Pl

Milton Glaser, Buchcover »Milton Glaser Graphic Design«, 1983, IN Design 99
Glaser selbst nennt im Buch als Einflüsse zum Bob Dylan-Sujet das Silhouetten-Selbstporträt von Marcel Duchamp und die nahöstliche islamische Malerei.

zur Anti-Establishment-Subkultur gehörte, u.a. vom floralen Jugendstil beeinflusst, mit seinen fließenden Formen und überbordender Farbigkeit als »psychedelisch« etikettiert. Glaser war Gründungmitglied des legendären Push-Pin Studios in New York, das im Gegensatz zur strengen Schweizer Grafik der Zeit eklektisch arbeitete, mit historischen Versatzstücken. Das Studio betrieb regelrechte Grafikdesign-Archäologie, was möglicherweise zum Art Déco-Revival beitrug. Unübersehbar ist dabei – neben der figürlichen Darstellung – die Renaissance der ornamentalen kalligrafischen Typografie, dieser auch »urösterreichischen« Formensprache (siehe Rudolf von Larisch und die Secessionisten), die so über die USA wieder nach Europa zurückkam.

Die Protagonisten dieser Flower-Power-Grafik in Österreich waren Georg Schmid und Epi Schlüsselberger, beide Absolventen der Angewandten, ein Bohémien-Künstlerpaar wie aus dem Bilderbuch, in dessen Atelier das Wiener Kulturleben aus und ein ging und das eigentlich durch das Wiener Volkstheater bekannt wurde: In der Ära Gustav Manker machte Schmid Bühnenbilder, Schlüsselberger Kostüme – »wenn der Vorhang aufging, applaudierte das Publikum bereits.«[34]

Typisch österreichisch ist die Einverleibung der »psychedelischen Subkultur-Grafik« in die visuelle Kommunikation des »Establishments«, und zwar in die Werbung der christlichsozialen Österreichischen Volkspartei. Georg Schmids »Bunte Vogel«-Kampagne für die Wiener Bürgermeisterwahl 1975 und die poppigen Plakate für die steirische ÖVP der 1980er Jahre gehören zu den ganze seltenen von Künstlern gestalteten Grafiken für politische Parteien der zweiten Hälfte des 20. Jahrhunderts. (S. 139) Die Posterserie der 23 Wiener Bezirke, vom Kulturamt der Stadt Wien als Imagewerbung beauftragt, ist eine opulente Hommage an Wien und ein Musterbeispiel der 1960er und 70er Jahre-Illustration, die eine ganze Generation von österreichischen Grafikern inspirierte. (S. 138)

Günter Brus, Innenseiten »Patent Merde«, 1969, Siebdruck, 30 × 21 cm, IN 00983/Q

An der Angewandten dürfte die Ära des Aufbruchs, die die politischen Studentenbewegungen in den Nachbarländern auslösten, nahezu spurlos vorübergegangen sein. Eine Reihe von Entwürfen von Schülern der Klasse Kurt Schwarz für ein (fiktives) Rockmusical von 1971 mit dem Titel »Tut, was ihr wollt«, lässt die Ratlosigkeit der Belegschaft der Schule gegenüber den neuen Strömungen erahnen.

Zeugnis der angespannten Situation im Kalten Krieg, der nuklearen Bedrohung durch die beiden Weltmächte USA und Sowjetunion, und der beginnenden ökologischen Bedrohung durch die »Umweltverschmutzung«, wie der Terminus damals lautete, ist eine Studentenarbeit von 1973 mit dem Titel »Überleben?«. Die Weltkugel ist eine Bombe, auf der rauchende Fabriksschlote wachsen und eine Zündschnur brennt. (S. 134)

33 Koller 1987, 102.
34 Epi Schlüsselberger im Gespräch mit der Autorin, 12. 11. 2004.

Tino Erben, Plakat Section N »Office N«, o. J., Offset, 84,1×59,4 cm, IN Erben OJ/2/Pl

Kurt Schwarz, Plakat »Sightseeing Tour«, 1984, Offset, 59,5×42,5 cm, IN Schw 84/1/Pl

Anfang der 1970er Jahre begann das Grafikdesign verstärkt in die Abhängigkeit von Marketingstrategien der aufkommenden Werbeagenturen zu geraten. Zur gleichen Zeit regte sich merklich Widerstand gegen die uniformistische Schweizer Grafik, oder besser: gegen den Teil der Schweizer Grafik, der mit Rastersystem und strenger Typografie Ordnung, Seriosität und Modernität austrahlte, was Unternehmen für ihre Firmenerscheinungsbilder als obligatorisch annahmen.

Das *conceptual image* (Philipp Meggs) der 1970er Jahre löste das illustrativ-narrative der Jahrhundertwende ab. Das konzeptuelle Bild kommt völlig ohne Text aus. »Visuelles Denken« ist für Tino Erben grafische Gestaltung. Die zum Plakat vergößerte Skizze Erbens teilt uns auf humorvolle Weise mit, dass Le Corbusier Schweizer war, außerdem ist auf der Rückseite der Einladung mit demselben Sujet zu lesen, dass es zur Eröffnung der Möbelausstellung Käse und Wein gibt. (S. 141) Die Section N, das Wiener Avant Garde-Möbeldesigngeschäft der 1970er und 80er Jahre, das von Katarina und Peter Noever 1971 gegründet worden war, um Originale und Kopien von Möbeln von Le Corbusier bis Castiglioni zu vertreiben, stellte einen einzigartigen Produktdesign-Hotspot zu dieser Zeit dar und war die erste Anlaufstelle für an modernem Design Interessierte in Wien nach dem Zweiten Weltkrieg.

Weitere Verbreitung als die Serie der (Kunst-)Plakate für die Section N, die begehrte Sammlerstücke wurden, hatte zweifelos das Leitsystem der Wiener U-Bahn, ebenfalls von Tino Erben von 1970, das bis heute ob seiner kommunikativen Funktion in Verwendung ist.

Die 1970er und 80er Jahre Jahre glänzen durch Abwesenheit ihrer grafischen Belege in den Archiven – wurde zuwenig Herausragendes produziert oder zuwenig aufbewahrt? Nachdem sich der Offsetdruck endgültig durchgesetzt hatte, wurden Druckwerke noch weniger als Unikate betrachtet als zuvor. Außerdem wurden die Wirtschaftswerbung und Corporate Design, die nun die Grafikdesigner vermehrt beschäftigten, als nicht archivierungswürdig angesehen.

Von »Less is more« (Mies van der Rohe) zu »Less is a bore« (Alessandro Venturi) – Die 1980er Jahre

Die 1980er Jahre waren das Design-Jahrzehnt schlechthin, es war die Zeit, in der der Begriff »Design« erstmals auch sprachlich Allgemeingut wurde. Die Postmoderne mit ihren Eklektizismen, ihren Zitaten aus anderen Zeiten und Stilen, ihrer formalen Heterogenität, um nicht zu sagen Beliebigkeit, der Ästhetik um der Ästhetik willen, war die Antwort auf die gescheiterte Moderne – man vertraute nicht mehr auf die Vernunft, die der Moderne und ihrem Funktionalismus eigen war.

»Design ist, was für solches gehalten wird«, schreibt Manfred Wagner in seinem Essay über Design in Österreich von 1955–1985, »Design heute (...) wird erst durch die Akzeptanz des Konsumenten zum Begriff erklärt.«[35] Produktdesign war allgegenwärtig, man erinnere sich an die Alessi-Kaffeekannen von Philippe Stark in den betuchten Haushalten – die vollständige Ästhetisierung des Alltagslebens sollte von den gescheiterten gesellschaftlichen Experimenten der 1970er Jahre ablenken, der Konsum das bessere (Er-)Leben ersetzen. Die italienischen Industriedesignbüros Memphis und Alchimia – nach ersterem trägt die Stilrichtung »Memphis-Design« ihren Namen – verbreiteten eine Form des eklektischen Revivals des »Luxus und der Moden« verschiedener Epochen, prägten die 1980er Jahre maßgeblich, ja »regten die antifunktionalistischen Strömungen in Europa erst an.«[36] Plakate für Ausstellungen wie »Achille Castiglioni. Designer« 1984 im Museum für angewandte Kunst in Wien und »L'Atelier Alessi« 1989/90 im Centre Georges Pompidou in Paris zeugen vom Einfluss der Designerpersönlichkeiten und ihren Ideen in Europa. (S. 150)

In Österreich fehlten diese Design-Bewegungen, allerdings hatte die (nun) Hochschule für angewandte Kunst mehrere prominente Vertreter der Mailänder Memphis-Gruppe in der Lehrerschaft: den Wiener Architekten Hans Hollein (*1934) und den Keramiker Matteo Thun (*1952). Die italienischen Design-Vorreiter Alessandro Mendini, Mario Bellini und Ettore Sottsass kamen als Gastprofessoren nach Wien.

Schließlich löste Mitte der 1980er Jahre die digitale Revolution einen ähnlich wirksamen Schub von Entwicklung aus wie die Gutenbergsche Erfindung des Buchdrucks in der zweiten Hälfte des 15. Jahrhunderts. Computerprogramme egalisierten häufig die Ergebnisse der Entwurfsphase – die Form folgt der Funktion des Computerprogrammes. Das gesamte Berufsbild des Grafikdesigners veränderte sich fundamental – vom Entwurf bis zur Druckvorlagenerstellung hatte der Grafiker ab nun – oft unfreiwillig – den Setzer, Lithografen und Druckvorstufentechniker zu ersetzen.

»Man hatte den λόγος durch Logos ersetzt«

schreibt Frédéric Beigbeder in seinem Roman »39,90«, einer sogenannten Abrechnung mit der Welt der Werbung, und der Wiener Werbekonzeptionist Angelo Peer fügt hinzu, dass dies »(...) der einzig geniale Satz« in diesem ganzen Buch sei.[37] Den *Logos* – das Wort, den Sinn, die Vernunft – durch Logos zu ersetzen, ist die logische Folge des (Wirtschafts-)Systems, schließlich geht es in ihm weniger um soziale Sinnhaftigkeit als um die Wiedererkennbarkeit seiner Produkte. Das Grafikdesign ist in den 1980er Jahren mehr denn je mit der Wirtschaftswerbung verknüpft, die wirtschaftliche Konjunktur auf ihrem Höhepunkt und mit ihr die »Marke« – mangels anderer Perspektiven – als

35 Wagner 1989, o. S.
36 Schneider 2006, 165.
37 Peer 2006, 120.

konsumierbares Identifikationsmodell. Corporate Design, das visuelle Erscheinungsbild eines Unternehmens, entwickelt auf Basis der Corporate Identity, des Unternehmensprofils, wird zum wichtigen Auftragsbereich, Werbeagenturen werden zu Mittlern zwischen Auftraggebern und Designern, die Designer Zulieferanten von Gestaltung dieser Erscheinungsbilder.

In dieser vorerst letzten goldenen Zeit für Grafikbüros sind zwei Persönlichkeiten maßgeblich: Friedrich Eisenmenger (1941–2006) und Joey Badian (*1948). Beide sind Absolventen der Angewandten bei Willi Bahner (1906–1981), der »Schrift und angewandte Schriftgestaltung« unterrichtete, und beide haben in den 1980er und 90er Jahren dem österreichischen Markt ihren Stempel aufgedrückt. Archiviert wurde zu dieser Zeit wenig – die Logos sind im kollektiven Gedächtnis der Konsumenten verankert und können durch Ansicht in der Ausstellung neu abgerufen werden.

Zahlreiche hochkarätige Markenzeichen – der Wert richtet sich hier nach dem öffentlichen Bekanntheitsgrad – kommen aus Händen von an der Angewandten ausgebildeten Designern: Das Logo des österreichischen Traditionsunternehmens Semperit wurde von Joseph Binder 1930 entworfen, um ein halbes Jahrhundert später einen Relaunch durch Friedrich Eisenmenger zu erfahren. Die Zeichen der Austrian Airlines, der österreichweiten »Bankomaten« oder der Tageszeitung *Der Standard* sind »Ikonen« der visuellen Kommunikation in Österreich und werden in unserer Ausstellung ironisch wie Devotionalien in einer Art »Cella«, einem kleinen Raum am Ende der Zimmerflucht der Galerie, ausgestellt. (S. 173)

Eine konträre Strömung ist zu dieser Zeit an der Angewandten durch Plakate und Objekte aus den 1980er Jahren dokumentiert: die Kunst emanzipiert sich und bewirbt sich selbst, manchmal auch andere Unternehmungen, wie zum Beispiel Oswald Oberhuber das Burgtheater. Künstler-Plakate gab es ja schon seit 1900, nun kommen sie wieder: Otto Mühl, Oswald Oberhuber, Günther Brus, Inge Graf+Zyx schaffen ganz eigenständige, oft archaisch anmutende Werke, die naturgemäß nonkonformistisch sind – im Gegensatz zu manchen Grafikdesignproduktionen der Zeit, die den Nonkonformismus grafisch darzustellen versuchen. Plakate zu »Anti-Konsum« und »Verbraucher – Gebrauchte«, beide von 1980, (S. 148–149) kündigen Seminare an der Hochschule zu gesellschaftspolitischen Themen an, die ganz im Zeichen der Konsumkritik und des neuerwachten Umweltbewusstseins der Wende von den 1970ern zu den 80er Jahren stehen, zu einer Zeit, in der die Bevölkerungsexplosion weltweit stärker ins Bewusstsein tritt.

Die Wiederkehr der Moderne in den 1990er Jahren

Das wichtigste Phänomen im Design der 1990er Jahre, das bis heute andauert, ist das eines gewissen Neofunktionalismus, der die Postmoderne zu beenden scheint, aber nicht gleichbedeutend ist mit einer Renaissance der Moderne. Dazu fehlen die gesellschaftlichen Voraussetzungen, die Umwälzungen oder zumindest die Aufbruchstimmung, wie es sie am Anfang des 20. Jahrhunderts gab.

Die Schweiz – einer der wichtigsten Träger der Moderne im Grafikdesign – nimmt erstmals, mit 50jähriger Verspätung, nachhaltig Einfluss: die schlichte Typografie eines Walter Bohatsch, der die Schweizer Ideen von der Schule für Gestaltung Basel

Stephanie Krieger, Krieger/Sztatecny

Plakat »West trifft Ost. Neue Architektur Burgenland und Vorarlberg«, 1993, Offset, 60 × 42 cm, Archiv ks_visuell

Plakat »Rudolf Schwarz. Architekt einer anderen Moderne«, 1999, Offset, 60 × 42 cm, Archiv ks_visuell

importierte, setzte in Österreich Standards. Bohatsch hat das österreichische Grafikdesign internationalisiert: Ein nur zwei Jahre währender Lehrauftrag (1987/88) zur Einführung der Studierenden in die »Experimentelle und computerunterstützte Typografie«, den Tino Erben in seiner Grafikklasse an der Angewandten implementierte, zeigte starke Wirkung. Über die ersten Gehversuche mit dem Werkzeug Computer wurden – für das Typografieren notwendige – grafische Grundbegriffe wie die Rastersysteme von Josef Müller-Brockmann[38] vermittelt, Gestaltungsprinzipien, die der »östlichen Kreativität«[39] die westliche (schweizerische) Systematik hinzufügte.

Die in dieser Zeit herangebildete Generation von Gestaltern und Gestalterinnen, die heute das visuelle Auftreten des Landes prägt, hat viel Schweizerisches, also Rational-Systematisches, aufgenommen und weitergeführt, jedenfalls den (nicht nur) typografischen Standard auf internationales Niveau angehoben.

Wie das Interesse für Design, so wuchs auch die Aufnahmebereitschaft für Architektur in der Öffentlichkeit. Ausstellungen zur Architektur der Moderne und zu moderner Architektur sowie deren Plakate belegen die Affinität und Symbiose von Grafikdesign und Architektur an der Wende zum 21. Jahrhundert.

Die formale Übereinstimmung der Plakate beweist, dass das System »Raster« gegriffen hat: formale Ordnung und Primat der Lesbarkeit dominieren, in der Sicherheit des Rastersystems wird die Vertikale zelebriert. Der Einsatz des Computers ist ebenfalls bereits sichtbar: Überlagerungen und Transparenzen sind einfach herstellbar geworden und ermöglichen eine Vielschichtigkeit, die Räumlichkeit erzeugt. (S. 180–183) Eine Abstinenz von Dekoration und Effekt, die in Österreich wenig Tradition hat, zeichnet die Arbeiten der von Walter Bohatsch beeinflussten Grafikklasse der 1990er Jahre aus.

Ganz im Gegensatz zu dieser formalen Strenge und Klarheit, obwohl auch im Westen Österreichs wurzelnd, stehen die Arbeiten des seit Joseph Binder einflussreichsten Österreichers im Grafikdesign: Stefan Sagmeister.

38 Josef Müller-Brockmann, Grid systems in graphic design/Rastersysteme für die visuelle Gestaltung, Heiden 1996.

39 Tino Erben zitiert Willy Wegenstein im Gespräch mit der Autorin, in: Kern 2008, 298.

Internationaler »Export« Stefan Sagmeister: »To touch somebody's heart with design«

Was Neville Brody und seine Zeitschrift *The Face* mit Fragen zu Layout oder Lifestyle für die 1980er Jahre, David Carson und Überlegungen zur Typografie für die 1990er Jahre war, ist vermutlich Sagmeister für die Gegenwart, mit der Überzeugung »kein Design kann sich über den Inhalt erheben – wenn ich nichts zu sagen habe, wird mir das beste Design nicht helfen.«[40] Am Anfang des 21. Jahrhunderts beginnt sich ein neues Design-Verständnis zu entwickeln, das nicht mehr vorwiegend auf das Verkaufen von Waren und Dienstleistungen zielt. Weltweit überlegen sich Designer, Aufträge nach deren Sinnhaftigkeit zu selektieren.

»95 % von dem, was wir als professionelle Grafikdesigner machen, ist dazu da, dass etwas verkauft wird. Design kann aber soviel mehr: es kann informieren.«[41] Dieser Überzeugung gemäß ist eine der wichtigsten Arbeiten Sagmeisters die Aufklärungskampagne »Move our Money«, die zur Jahrtausendwende in verschiedenen Städten der USA lief und zum Ziel hatte, eine Lobby für die Senkung der Rüstungsausgaben der USA um 15 % zugunsten der Aufwendungen für Bildung und Sozialleistungen zu mobilisieren. Auf Dingen des alltäglichen Gebrauchs und auf mobilen aufblasbaren Diagrammen wurden die (alle überragenden) Rüstungsbudgets der USA denen anderer Länder gegenübergestellt – analog zu Otto Neuraths Bildstatistiken der 1920er Jahre, die für die oft leseschwache Arbeiterschaft komplexe soziale Zusammenhänge visualisierten.

Bekannt wurde Sagmeister, heute »international anerkannter Stardesigner aus Österreich« und »agent provocateur für Intelligente«[42], allerdings mit kommerziellem Design für die Musikindustrie. Die Rolling Stones, die Talking Heads, Lou Reed, David Byrne und Pat Metheny ließen sich ihre CD-Covers von Sagmeister gestalten, der schließlich Grammies damit gewann – und internationale Bekanntheit. (S. 212) Dass er von diesen engagiert wurde, liegt an Sagmeisters Authentizität, seiner Ehrlichkeit, der Handarbeit, dem Taktilen seiner Arbeit, dem Einbeziehen seiner Person in die Umsetzung, den Tabubrüchen seiner Entwürfe – Design »to touch somebody's heart«, wie Sagmeister das Ziel seiner Arbeit formuliert. Jedoch nicht die Form ist es, die ihn in erster Linie interessiert, die Relevanz der zu kommunizierenden Thematik steht im Vordergrund.

Stefan Sagmeister, Absolvent der Klasse Kurt Schwarz, arbeitete bereits während seines Studiums mit den Kollegen Alfonso Demetz, Uli Prugger und Jurislav Tscharyiski unter dem Namen »Gruppe Gut« für das Wiener Schauspielhaus, um danach – wie sein Vorgänger der ersten Stunde Joseph Binder – nach New York zu gehen. Zuerst als Fulbright-Stipendiat ans Pratt Institute of Design, dann – nach einem Werbeagenturen-Intermezzo bei Leo Burnett Hong Kong – im eigenen Büro, Sagmeister Inc., das er seit 1993 führt. Die Einflüsse auf Sagmeister sind und waren vielschichtig und international: polnische Plakatkunst der 1960er Jahre, die an der Angewandten der 1980er Jahre stark rezipiert wurde, der Wiener Aktionismus, der mit Körpereinsatz und Nacktheit arbeitete, Tibor Kalmans soziales (Anti-)Design, die Körperbemalungen der iranischen Künstlerin Shirin Neshat, die Kunst-Installationen im öffentlichen Raum von Jenny Holzer.

Stefan Sagmeister ist inzwischen selbst zum starken internationalen Einfluss geworden: formal wie inhaltlich. Die Handarbeit, besonders in der Typografie, ein Gegenpol zum artifiziellen, computergenerierten Zufallsdesign, hat wieder starke Anziehungskraft auf junge Designer und Designerinnen zu Beginn des 21. Jahrhunderts, was an der welt-

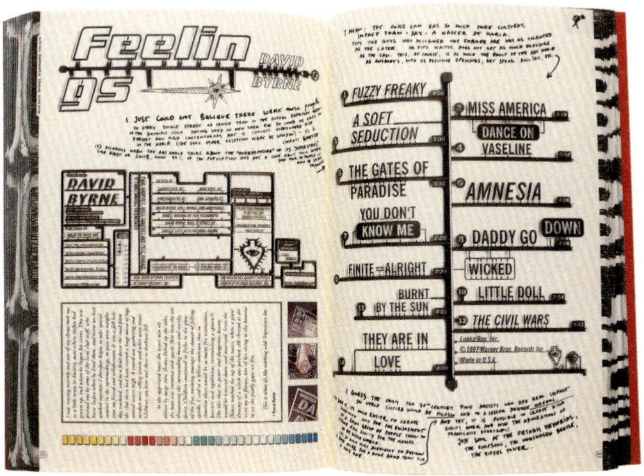

Stefan Sagmeister, Buch im Schuber »Made You Look«, 2001, 24,5×17,4×2,4 cm, IN 15.763/Q

weiten Sagmeister-Rezeption abzulesen ist – vom österreichischen Grafikstudenten Patrick Bonato, der Sagmeister als indischen Guru darstellt (S. 199), bis zur jungen australischen Typografin Gemma O'Brien, die ihren Körper als Fläche für typografische Gestaltung einsetzt. Auch die Wiederbelebung des »First things first 2000«-Manifests des britischen Designers Ken Garland (ursprünglich aus 1964), das Designer dazu auffordert, ihre Arbeitskraft Dingen zu widmen, »die die Welt braucht« – also Informationsdesign statt Markenwerbung, Kommunikation sozial wirksamer Initiativen oder relevanter Produkte wie Bücher, Magazine und Filme statt Werbung für »Hundekeks« – erfährt durch Sagmeister, der es in seinen Vorträgen kommuniziert, Verbreitung.

Frühe Arbeiten Sagmeisters wie seine Diplomarbeit von 1986, eine Serie von Eigenwerbe-Postkarten (S. 168–169), und aktuelle wie die Plakatkampagne für Levi's Jeans von 2009 (S. 214) sind in unserer Präsentation ausgestellt und im vorliegenden Katalogbuch dokumentiert.

Ausblick ins 21. Jahrhundert

Die vielleicht wirksamste Veränderung in der Entwicklung des Grafikdesigns in Österreich ist der Generationenwechsel in der Lehrerschaft der verschiedenen Designschulen, besonders an der Universität für angewandte Kunst, die in ihren ersten 140 Jahren durch Kontinuität in diesem Belang auffiel[43]. Der deutsche Grafikdesigner Fons Mathias Hickmann (*1966), der 2001 die Professur 34-jährig antrat, steht für den Paradigmenwechsel von der analogen zur digitalen Generation. Damit kehrten internationale Vernetzung, Multimedialität, Multidisziplinarität und Multidimensionalität in die Ausbildung zur visuellen Kommunikation ein.

»Grafikdesign ist nicht mehr linear und zweidimensional«, konstatiert die amerikanische Designtheoretikerin Katherine McCoy und schreibt ihm die Eigenschaften des *hyperfluids* zu, einer Art modernen »Äthers«, der alles ausfüllt. Grafikdesign hätte heute sechs Dimensionen: zu den beiden X und Y-Koordinaten der Fläche kommen Zeit, Bewegung, Ton und Interaktivität. Der Computer ist mehr als ein Werkzeug, die Elektronik wird zum Kommunikationsmedium selbst, zum Kontext, zum Inhalt, zu einer eigenen konzeptuellen Welt.[44]

Das Grafikdesignverständnis hat fundamentale Veränderungen erfahren. Der Designer als Generator der von ihm zu kommunizierenden Inhalte entwickelt sich in der geschützten Umgebung des Studiums, um dann auf dem Markt mehr als zuvor in die Aufträge auch inhaltlich einzugreifen. Der Grafikdesigner kehrt wieder zu seinem Berufsbild »Gestalter seiner Umwelt«, wie sich die Konstruktivisten bereits vor fast hundert Jahren positioniert hatten, zurück.

40 Katherine McCoy, zit. durch Stefan Sagmeister auf der Designkonferenz Typo Berlin 2002 in seinem Vortrag »Was ist gut«.

41 Sagmeister zitiert hier das Manifest »First things first 2000 – A Design Manifesto« auf der Designkonferenz Typo Berlin 2002 in seinem Vortrag »Was ist gut«.

42 Medianet, 23. 05. 2002, 1.

43 Koloman Moser unterrichtete 19 Jahre (1899–1918), Bertold Löffler 28 Jahre (1907–1935), Paul Kirnig 18 Jahre (1935–1953), Kurt Schwarz führte die Grafikklasse 33 Jahre lang (1954–1987), Tino Erben, der ihm folgte, 13 Jahre (1987–2001).

44 McCoy 1998.

Die Übernahme der Klasse an der Angewandten nach nur sechs Jahren – was vermutlich den Beginn einer schnelleren Fluktuation der Lehrenden in der Zukunft markiert – durch Oliver Kartak (*1966), der aus der Welt des bewegten Bildes, aus Film und Fernsehen kommt, setzt diesen Weg fort mit Aufgabenstellungen wie »Kommunikationsguerilla«, »subversivem« Informationsdesign im öffentlichen Raum im Selbstauftrag, bis hin zu experimentellem Animationsfilm. In diesem ist – trotz aller Digitalität – mehr Handarbeit denn je zu sehen. (S. 217–223)

»Es gehört heute – zumindest im Grafikdesign – immer noch zum guten Ton (oder zum Abwehrritual?), sich gebetsmühlenartig von der Werbung und dem Marketing zu distanzieren und die Differenz zwischen Design und Werbung zu betonen«[45], stellt der Designhistoriker Beat Schneider fest. Zur qualitätvollen Gestaltung unserer Umgebung trägt die Werbung im öffentlichen wie privaten Raum ja tatsächlich wenig bei. Gerade deshalb: Warum das Terrain der Wirtschaftswerbung, die uns immer vehementer umgibt, dem Dilettantismus von Marketingleuten und Crashkurs-Besuchern überlassen?

Die klassische Werbung, die zu Beginn des letzten Jahrhunderts bis in die 1970er Jahre der Arbeitsbereich der Gebrauchsgrafiker war, lange bevor Werbeagenturen das Licht der Welt erblickten, erfährt seit Anfang der 1990er Jahre professionelle Nachwuchsschulung in der Klasse für Grafik und Werbung unter der Leitung des Doyen der kreativen Werbegestaltung weltweit, des gebürtigen Salzburgers Walter Lürzer (*1942), der die deutsche Werbung international bekannt machte. Die heimische Agenturenlandschaft mit Anspruch schöpft mit Vorliebe aus diesem Pool der denkenden Gestalter.

Arbeiten der Studierenden der Klasse werden in unserer Ausstellung ergänzt durch legendär gewordene Kampagnen Walter Lürzers aus den 1970er Jahren in Deutschland. Gemeinsam haben diese Arbeiten den Anspruch an die Mündigkeit der Konsumenten, die »am Zustandekommen der Pointe in der Werbeaussage beteiligt« sind.[46] (S. 206–211)

Angesichts des wachsenden Stellenwerts des Internets in der Kommunikation, der technischen Entwicklung des E-Books, überrascht die Renaissance der Typografie und der (Künstler-)Bücher, die einen wichtigen Teil der ausgestellten aktuellen grafischen Arbeiten ausmachen. Die Faszination des Buches als einem Behältnis von Wissen und Erkenntnis, von persönlicher Erbauung und Weiterentwicklung – als einer ganzen Welt, die es auch zu gestalten gilt, ist ungebrochen. Wo bis in die 1980er Jahre die Aufgabe des Grafikdesigners vor allem darin bestand, Format und Satzspiegel, Mikro- und Makrotypografie, Einband und Umschlag eines Buches zu gestalten, dort wird heute der Inhalt konzipiert, der Text verfasst, es werden die Fotos gemacht, die Illustrationen erstellt, manchmal sogar die Schriften designt – Unikate bis hin zur Buchbinderei angefertigt. So manches dieser Bücher findet seinen Weg zum Verleger, in die Druckerei und in die Buchhandlung, wie etwa die Diplomarbeit des Hickmann-Studenten Christof Nardin, der in der »Compilation« »beyond graphic design« ausgesuchte Ergebnisse sämtlicher Studienprojekte der Klasse Hickmann aufbereitet. (S. 203)

Mladen Penev, Klasse für Grafik und Werbung Walter Lürzer, »The Power of Books«, Diplomarbeit, 2003, 40×30 cm, IN 14.769/FW/1

Anna-Nora Szilit, Buchkonzept und Illustrationen, »Tel Aviv-Jaffa. Once upon a time today«, Diplomarbeit, 2008, 21×14,8 cm, Sammlung Klasse für Grafik Design

Was haben nun Kolo Moser und Stefan Sagmeister gemeinsam?

– außer, dass sie in der Sammlung Angewandte Wien, in Ausstellung und Katalog präsent sind? Kolo Moser, der »Tausendkünstler« (Hermann Bahr), war ein vom Medium unabhängiger Pionier der Gestaltung seiner Umwelt; er bediente sich jeder Kunstgattung und setzte dem damals geforderten Naturalismus seine eigene reduzierte, klare, grafische Formenspache entgegen – zu Beginn des 20. Jahrhunderts oft eine Provokation – und Inspiration für kommende Generationen von Gestaltern.

Stefan Sagmeister lernte etwa 80 Jahre später in der Institution, die von Kolo Moser geprägt worden war, und prägt – neben all den Lehrenden und Lehrbeauftragten des Hauses – ebendiese Institution heute selbst (durch mediale Verbreitung oder »Designglobalisierung«), mit einem provokanten Designverständnis in Inhalt und Form: der Gestaltende bringt sich selbst in das (Welt)geschehen ein, indem er sein Vermögen zu informieren, zu kommunizieren, auch für selbstgewählte Inhalte nützt.

Der Einsatz einer eigenständigen visuellen Sprache ist dabei für die Aufnahme des zu kommunizierenden Inhalts so wichtig, dass man das Formale nicht als überkommene »Stilfrage« abtun kann. Die Form ermöglicht uns, in Ausstellung und vorliegendem Buch, zu betrachten, zu vergleichen, zu erkennen.

»Am seltensten sind für den heutigen österreichischen Künstler Aufträge, die aus Österreich kommen«, so schrieb Kolo Moser 1916 – dies könnte aber auch eine aktuelle Aussage sein. Er klagt »Stillstand und Gleichgültigkeit« gegenüber jungen Künstlern an, die »einer nach dem andern ins Ausland« geholt werden, »Unverständnis« und »Kleinlichkeit« (...) »gerade der in solchen Angelegenheiten maßgebenden Stellen« und sehnt sich nach einer »stürmischen Bewegung wie vor fünfzehn, zwanzig Jahren. An Unzufriedenheit fehlt's auch heute gewiß nicht, aber vielleicht an einer Jugend, die es laut und heftig ausspricht.«[47]

45 Schneider 2006, 101.
46 Urban 1991, 18.
47 Moser 1916, 19.

Nora Exner, Innenseite »Die Fläche«, Band 1, Heft 8 (Ausschnitt), 1902, IN 1810/Q/4

1900–1920
Die Wiener Moderne

Max Benirschke, Innenseite »Die Fläche«, Band 1, Heft 8, 1902, Lithografie, 31,1×20,3 cm, IN 1810/Q/8

Unbekannt, Innenseite »Die Fläche«, Band 1, Heft 9, 1902, Lithografie, 31,2×20,4 cm, IN 1810/Q/9

»Die Fläche«, deren Titel Programm und Inhalt zugleich[1] ist, stellt eine der seltenen Publikationen dar, die die zahlreichen Aktivitäten der Wiener Kunstgewerbeschule um die vorletzte Jahrhundertwende dokumentiert und vieles über die Methodik des Unterrichtes um 1900 verrät. Musterbücher haben bereits seit dem 15. Jahrhundert Tradition, etwa im 17. und 18. Jahrhundert als Ornamentstiche-Sammlung für das Kunsthandwerk. Die Industrialisierung im 19. Jahrhundert schließlich erforderte erneut Vorlagenwerke, die ab 1900 dem neuen Zeitstil entsprechend gestaltet wurden und als »modernes Formenvokabular«[2] für Gestalter dienten. Das »Prinzip des modernen Flachornamentes« geht von der menschlichen Gestalt, von der Natur und ihren organischen Formen aus, die symbolhaft »die leeren Flächen beleben«[3]. Dabei ging es den Gestaltern nicht um Schmuck, sondern um Ornamentik, wie sie in ethnografischen Sammlungen zu studieren ist, die durch »fortgesetztes Stilisieren«, heißt hier Übersetzung in die Sprache des Materials, zu strengen, geometrischen Formen findet.[4]

Verschiedene Künstler, Cover und Innenseiten »Die Fläche«, Dekorative Entwürfe. Neue Folge, Band 2, 1907, Lithografie, 31,7 × 21 cm, IN 4611/Q

Die vom damaligen Direktor Felician Myrbach und den Lehrenden Kolo Moser, Alfred Roller und Josef Hoffmann 1903/04 herausgegebenen »Entwürfe für decorative Malerei, Placate, Buch und Druck, Ausstattung, Vorsatzpapier, Menu und Geschäftskarten, Illustrationen, Tapeten, Schwarz-Weißkunst, Druck und Weberei, Schablonen, Bleiverglasungen, Intarsia, Stickerei, Monogramme, Kleiderschmuck etc. etc.« sind Materialsammlungen in Form von zu Heften zusammengelegten Faltblättern, die vorwiegend gebrauchsgrafische Arbeiten präsentieren. Als »Wiener Stil«, einer Art kollektivem Stil der Wiener Kunstgewerbeschule[5], der radikal flächigen Abstraktion der Gegenstände, gingen die Arbeiten dieser Ära in die Kunst(gewerbe)-geschichte ein. Die neue, von Bertold Löffler herausgegebene Folge der »Fläche« von 1910/11, kehrt zum Gegenständlich-Illustrativen zurück. Während das Heft 8 zum Thema Plakat Arbeiten von Lehrenden wie den Secessionisten Kolo Moser, Adolf Boehm, Alfred Roller, Gustav Klimt, Max Benirschke und Joseph Maria Auchenthaller zeigt,

1 Schweiger 1988, 203.
2 Ebenda, 201.
3 Joseph August Lux, in: Myrbach 1902
4 Ebenda.
5 Schweiger 1988, 203.

Max Benirschke, Adolf Otto Holub, E. Hradetzky, Innenseiten »Die Fläche«, Band 1, Heft 10, 1902, Lithografie, 31,2 × 20,2 cm, IN 1810/Q/10

sind in anderen Heften durchwegs Arbeiten der Schüler abgebildet, unter ihnen Nelly Marmorek, Maurice (Moritz) Herrgesell (siehe auch S. 128), Mileva Stojsavlevic (später verh. Roller), Moritz Jung, Emma Schlangenhausen, Leopold Forstner, Rudolf Kalvach, Josef Bruckmüller und anderen. Der »Entwurf für dekorative Malerei« von Nora Exner (später verh. Zumbusch, siehe auch S. 72), der eine Treppe mit rotem Teppich und Hund zeigt, ist Sujet dieses Kapitelanfanges (S. 36).

Wie seit den 1940er Jahren etwa die *Graphis*-Bücher – die bis heute weltweit die parallelen Entwicklungen im Grafikdesign mitbewirkten – war auch *Die Fläche* Dokumentation ausgesuchten Grafikdesigns für Designer, die zwar der Anregung diente, deren Gebrauch aber gleichzeitig durch Musterschutz und Copyright verboten wurde.[6] (AK)

Bertold Löffler, Briefumschlag für das Kabarett »Fledermaus«, 1907, 16×18,5 cm, IN 3570

Kabarett »Fledermaus«, Foto reproduziert in: Zeitschrift für bildende Kunst. Neue Folge XIX., Leipzig 1908, 251

»Der Krausfackler hat die Fledermausabortfrau ins Bein gebissen, weil sie keine Hoffmannmusterkleider trägt.«[7] So witzelte Oskar Kokoschka in einem Brief über das Gesamtkunstwerk der Wiener Moderne schlechthin: das 1907 eröffnete Kabarett Fledermaus. Das als avantgardistisches Theater-Kabarett und noble Restaurant-Bar geführte Lokal war von wesentlichen Protagonisten der Wiener Werkstätte gestaltet worden. Josef Hoffmann war für die Architektur sowie für das Mobiliar verantwortlich, darunter die in die Designgeschichte eingegangenen »Fledermaussessel und -tische«. Die dekorative Raumgestaltung, die Ludwig Hevesi wegen der bunten Wandverfliesung ironisch als »bunte Greulgrotte« bezeichnet hatte, schufen Bertold Löffler und Michael Powolny (Wiener Keramik).[8] Löffler stand auch hinter dem gebrauchsgrafischen Konzept, vom Türschild, der Anstecknadel für Personal (»Fledermausabortfrau«) bis zum Brief- und Kuvertkopf. Einem flächig ornamentalen Logo gleich zeigt dieser einen im Profil stilisierten Frauenkopf mit kunstvoll hochdrapiertem Haar, in dem sich die namensgebende Fledermaus – Sinnbild des Bohême, des Nachtschwärmers – eingenistet hat. Das Kuvert weist den erfahrenen Theatermann Emil Richter-Roland als Direktor des weithin bekannt gewordenen Etablissements aus, das in seinem Zusammenführen aller Kunstsparten Wiens außergewöhnlichstes Etablissement war. (BR)

6 Schweiger 1988, 203.
7 Brief an Erwin Lang Ende 1907, Kokoschka, Spielmann 1984, 7.
8 Ludwig Hevesi zit. n. Pichler 2008, 52.

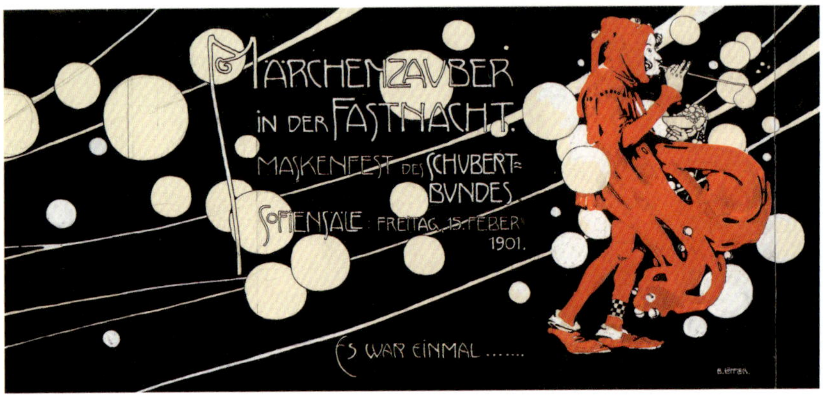

Bertold Löffler, Cover »Lucifer«, Druck auf leinenbezogenem Karton, 1903, 41×29,5 cm, IN 2315

Bertold Löffler, »Der Engelmacher«, Entwurf für die Titelseite der Zeitschrift »Lucifer«, 1903, Tempera, Tusche, 26,5×24 cm, IN 3575

Bertold Löffler, Plakatentwurf »Märchenzauber in der Fastnacht, Maskenfest des Schubertbundes«, 1901, Tempera, Bleistift, 33×57 cm, IN 3614

Noch als Student bei Kolo Moser produzierte Bertold Löffler mit Kollegen anlässlich des Frühlingsfestes in der Wiener Rotunde im »Secessionistischen Dorf« 1899 eine Persiflage auf die Zeitschrift der Secession, Ver Sacrum. Der »Buchschmutz« [sic!], der vom leicht dechiffrierbaren Pseudonym »B. Le-Fleur« entworfen wurde, zeigt Minerva, die Schutzgöttin der Secession. Mit schreckgeweiteten Augen hält sie statt der kleinen Figur der Siegesgöttin Nike einen spitzbübischen Kunststudenten mit Heiligenschein in ihrer Rechten. Eingangs steht – wie in der Ver Sacrum-Erstausgabe – die Frage: »Warum geben wir diese Zeitschrift heraus?«, die die Redaktion lapidar beantwortet: »Wer hierfür einen triftigen Grund weiß, möge denselben schleunigst bekannt geben.«[1] Auch bei anderen Gelegenheiten offenbart sich Löfflers (Bild-) Witz: Für das Maskenfest des Schubertbundes 1901 lässt er einen ganz auf das Seifenblasen konzentrierten Narren (Till Eulenspiegel[2]) durch das schwarze Querformat wandern. Wenig später griff er dieses Motiv im nur 1903 erschienenen Magazin *Lucifer* wieder auf: ein auf der Erdkugel sitzender Teufel bläst – sichtlich zufrieden – mit geflügelten Pfäfflein gefüllte Blasen ins Universum. Lucifer, der Namenspatron, wird hier in der Erstausgabe als bekannte Allegorie der Satire dargestellt, hat aber – wie öfters in Löfflers Œuvre bemerkbar – eindeutig antiklerikale Züge. Die ikonografische Verbindung der Figur des Narren mit dem Teufel ist nicht zuletzt durch das von Albrecht Dürer reich bebilderte Narrenschiff von Sebastian Brant (1494) bekannt. Ein Entwurf für ein Lucifer-Deckblatt greift diese Zwitterfigur auf und versieht sie mit den Attributen der Palette und der Schreibfeder. Sie wird so zu einem »Anti-Apoll […], einem Dämon der Musen« stilisiert und bringt programmatisch die Blattlinie ins Bild.[3] In späteren Jahren, spätestens mit seiner Professur an der Wiener Kunstgewerbeschule ab 1909, hat er in seinem Lebenslauf nicht nur die Buchgestaltung zu Arthur Schnitzlers skandalreichem Reigen (2. Auflage, 1903) unterschlagen. Auch seine zahlreichen Arbeiten für Satire-Magazine wie *Lucifer* und *Der liebe Augustin* erschienen ihm mit ihren teils exponierten politischen Karikaturen nicht mehr opportun.[4] (BR)

Bertold Löffler, »Quer Sacrum, Organ der Vereinigung bildender Künstler Irrlands«, 1899, Farblithografie, 20×20,4 cm, IN 14.799/Q

Thomas Theodor Heine, Plakat »Simplicissimus«, Farblithografie, 1896, Reprint: 1965, 68×45,7 cm, IN 1615/Pl

Im ersten Erscheinungsjahr der deutschen Satire-Zeitschrift *Simplicissimus* (1896) kreierte Thomas Theodor Heine die rote Bulldogge als dessen sinnbildlich bissiges Maskottchen. Vor schwarzem Plakatgrund steht sie als feuerroter Höllenhund da, breitbeinig, die Ketten, die sie zurückhalten sollten, zerbissen, bereit zum Sprung »und bellte von allen Mauern und Litfaßsäulen auf den Passanten herunter.«[5] Heine hatte den berühmt-berüchtigten Simplicissimus bis zu seinem erzwungenen Weggang 1933 grafisch, aber auch inhaltlich nachhaltig geprägt. Seine boshaften Karikaturen und auch er selbst waren nicht zuletzt durch seine Haftstrafe wegen Majestätsbeleidigung enorm populär. Die Bulldogge hat als Symbol den Nerv der Zeit getroffen. Aufgrund der großen Nachfrage wurde das hier gezeigte Plakat bald separat zum Verkauf angeboten. (BR)

1 Pichler 2005, 9f.
2 Adamek 2000, 64.
3 Werkner 2000, 55.
4 Pichler 2005, 15; Lensing 2000, 35–37.
5 Raff 2000, 34.

Bertold Löffler Schule, Etiketten für Mohrentusche,
1920er Jahre, Druck, IN 2244/3-6

Bertold Löffler war ab 1907 Professor für Malerei und Grafik an der Wiener Kunstgewerbeschule, wo er etliche später prominente Schüler wie Oskar Kokoschka, Josef Divéky oder Joseph Binder hatte. Er war außerdem, wie die Gestaltung des Plakatraums der Wiener Kunstschau 1908 (S. 54–55) mit zahlreichen Studentenarbeiten demonstriert, ein engagierter Lehrer und nahm mit seiner Klasse oft erfolgreich an vielen Wettbewerben teil.[1] So haben sich aus seinem gebrauchsgrafisch ausgerichteten Unterricht Verpackung für Cida-Schokolade oder Etiketten für Mohrentusche erhalten. Während die ornamentalen Cida-Musterpapiere ein stilistisches Zwitterwesen zwischen Secessionismus und Neo-Biedermeier darstellen, wird der Markenname der Tinte mit der stereotypen Figur des Mohren versinnbildlicht.[2] Löffler selbst entwarf für den Wiener Schokoladeproduzenten Küfferle eine Reihe von Verpackungen. Am gezeigten Entwurf flattern in der für Löffler typisch verspielt-kindlich anmutenden Weise rosige Täubchen vor dem Sternenhimmel und suggerieren »himmlische« Genüsse. (BR)

Bertold Löffler, Entwurf für ein Verpackungspapier der Fa. Küfferle, um 1930, Tusche, Aquarell, Bleistift, 21×20 cm, IN 3615/1

Bertold Löffler Schule, Verpackungspapier für Cida-Schokolade, 1920er Jahre, Druck, IN 1263/3,5

1 Pichler 2005, 57.
2 Vgl. Bürkl 1999; Esterlus 2002.

Koloman Moser, 100 Kronen-Banknote der Österreichisch-Ungarischen Bank, 1910, Stahlstich, IN 2324

1900 publizierte Georg Simmel seine »Philosophie des Geldes«, in der er eine »Feindseligkeit zwischen den ästhetischen Tendenzen und den Geldinteressen« feststellte.[1] Das Antlitz des schnöden Mammon sollte aber gerade in dieser Zeit ein neues Erscheinungsbild erhalten: nach der Entwertung der Silberpreise in Europa ab 1878, die (nicht nur) in Österreich einen schleichenden Verfall der bisherigen Währungsgrundlage bildete, setzte sich bald das Papiergeld als allgemeiner Währungsträger durch. In Österreich führte man nach einer Währungsreform im Jahr 1900 die Krone als gültiges Zahlungsmittel ein.

Nach Protesten über die Gestaltung der damals ausgegebenen Banknoten entschloss man sich bald zu künstlerischen Wettbewerben.[2]

Kolo Moser schuf 1910 sein »auflagenstärkstes« Kunstwerk: den 100 Kronen-Schein. Seine Flächenkunst ist noch spürbar, die strenge Geometrisierung der frühen Secessionszeit[3] ist aber bei der in Untersicht gezeigten weiblichen Figur mit amorpher Blumengirlande weicher, fließender geworden. Aus Sicherheitsgründen war diese Banknote nur zwei Jahre im Umlauf.

Bertold Löffler, 10 Schilling-Banknote der Österreichischen Nationalbank, 1927, Stahlstich, IN 2398

Detailreich und verspielt gestaltete der Moser-Schüler Bertold Löffler 1926/27 die 10 Schilling-Banknote und erntete von Kollegen harsche Kritik. Julius Klinger, ein Pionier des modernen Grafikdesigns, witzelte über Hermes, den Gott des Handels (und der Diebe) und die Donaunixe vor der von Löffler so geschätzten Silhouette von Dürnstein: letztere hält nicht den ortsüblichen »Donaukarpfen«, sondern einen dort »eher selten vorkommenden Delphin« in Händen. Vor allem aber wetterte Klinger über die Unzeitgemäßheit des Designs, über den »Wust von Blümerl, Fleckerl, Tupferl«, die »ornamentale Krätze«, die Fälschungen unmöglich machen soll. Aber: »das müsste wahrlich ein von allen Grazien verlassener Fälscher sein, der diese Note kopiere.«[4] Aus dieser Zeit stammen auch Löfflers Entwürfe für eine 50 Schilling-Banknote: Ein Hufschmied als Allegorie der (glücksbringenden) Arbeit korrespondiert auf der Gegenseite der Banknote mit Pallas Athene, als Göttin der Weisheit und auch als Sinnbild der parlamentarischen Demokratie, umrahmt von Insignien der Arbeit (Mühlrad vor Brückenlandschaft) und dem fleißigen Schaffen der Landsleute (Bienenstock). Die Entwurfsskizze scheint vorderhand vom kritisierten Ornamentalen geklärt.

1 Simmel zit. n. Gabriel 2008, 268. Herzlichen Dank an Mag. Gertrud Held für wichtige Hinweise. Aktuelles zum Thema vgl. auch Liebscher 2002.
2 Schweiger 1988, 17.
3 Moser hatte schon 1902 einen nicht realisierten 50 Kronen-Geldschein entworfen, vgl. Rennhofer 147–149; Fenz, 209.
4 Klinger zit. n. Franz 2000, 29.

Bertold Löffler, Entwurf für 50 Schilling-Banknote, um 1925, Kreide, Bleistift, Tusche, 21,8×27,5 cm, IN 2003/49

Bertold Löffler, Entwurf für 50 Schilling-Banknote, um 1925, Kohle, Tusche, 21,9×27,4 cm, IN 2313/1

Bertold Löffler, Entwurf für Verschlussmarke, 1920, Tusche, Deckweiß, Bleistift auf Papier, 12,7×9,1 cm, IN 2878/1

Bertold Löffler, Entwurf für Briefmarke 5 Kronen, 1924, Lithografie, 19,8×16,6 cm IN 3597

Erwin K. Bauer, »Banknoten. Eine Serie für Österreich«, Diplomarbeit, 1991, IN DA 577/91

Fälschungssicherheit und die Visualisierung einer verbindlichen Österreich-Identität spielten auch bei der Diplomarbeit von Erwin K. Bauer 1991 eine Rolle. Statt »großer Köpfe« sollen dabei Kernbereiche, wie Wissenschaft, Kunst, Landschaft (Alpen, Donauraum), Musik und Philosophie möglichst klischeefrei transportiert werden.[5]

5 Erben 2001, 46.

Bertold Löffler

Plakat »XXVIII. k.k. Staatslotterie«, 1911, Farblithografie, 126×94,5 cm, IN 288/Pl

Entwurf für ein Lotterielos, 1906, Mischtechnik, 17×25 cm, IN 3588/2

Um 1900 entdeckte die k.k. Lottogefälls-Direktion die neuen grafischen Werbemittel für sich und engagierte etliche namhafte Künstler für die Plakat- und Losgestaltung.[1] Von Bertold Löffler ist ein Los-Entwurf von 1906 erhalten, der die große geforderte Textmenge in einen dichten Ornamentteppich integriert. Die weibliche Figur mit Füllhorn – Sinnbild für Reichtum und zugleich ein beliebtes Attribut Löfflers (Grafik, Keramik) – ist wie auch die Schrift selbst nur durch das Absetzen unterschiedlicher Flächenmuster »lesbar« und ist noch stark der frühen Secessionskunst verpflichtet. 1911 bekam Löffler tatsächlich den Auftrag zur grafischen Gestaltung der XXVIII. Staatslotterie, die einen Hauptgewinn von 200.000 Kronen versprach. Gab es auch Gewerbe- oder Ausstellungslotterien, so war diese (wie schon 1906) für »gemeinsame Militär-Wohltätigkeiten« gewidmet. Auffallend ist zunächst neben dem wiederkehrenden Füllhorn-Motiv und der Flächenorientierung, der streng symmetrische Aufbau. Knopfartig werden die Ziffern des Hauptpreises zusammengesetzt, vor schwarzdunkelgrünem Grund heben sich in frischem Rot sternförmige Blumen ab. So entsteht, ganz im Gegensatz zum elegant-linearen Entwurf von 1906, ein beinahe textiler Charakter.[2] Wie bei einem reich bestickten Trachtentuch bedient sich Löffler bei diesem Plakat, wie auch viele andere Künstler der Zeit, einer volkstümlichen Formensprache. (BR)

1 Denscher 1988, 108.
2 Löffler war bis 1907 an der Kunststickereischule tätig, Pichler 2005, 17.
3 Hevesi 1906, 300.
4 Forsthuber 1991, 56f.

Alfred Roller, Plakat »IX. Ausstellung der Vereinigung bildender Künstler Österreichs«, 1901, Farblithografie, 187 × 62 cm, IN 286/Pl

»Und aus dieser nachdenklichen Harmonie […] fällt der Blick in den Hintergrund auf den großen Sonnenuntergang Segantinis«[3], schreibt Ludwig Hevesi in seiner Besprechung der IX. Secessions-Ausstellung, in deren Zentrum Arbeiten Giovanni Segantinis standen. Alfred Roller hatte einen »Segantini-Tempel« (Hevesi), einen Weiheraum gestaltet, in dem der kurz zuvor verstorbene Maler gewürdigt wurde.[4] Die symbolisch aufgeladene Licht-Sonnen-Metaphorik fand auch Eingang in Rollers Ausstellungsplakat. Im rötlich-braunen Dämmerlicht erscheint eine Figur vor dichtem Wolkenhimmel, die in einer diaphanen Korona das strahlende Emblem der Secession – die drei Schilder für Malerei, Bildhauerei und Architektur – vor sich trägt. Durch das außergewöhnliche Format, die reduzierte Formensprache und die dezente Beschriftung hatte die junge Secession einmal mehr ein innovatives Zeichen in der Plakatkunst gesetzt. (BR)

Bertold Löffler, Plakat »Kaiser-Huldigungs-Festzug«, 1908, Farblithografie, 106 × 39,5 cm
IN 6164/Pl

Bertold Löffler, Programmheft »Der Kaiser-Huldigungs-Festzug in Wien«, 1908, 17 × 12 cm, IN 4036/Q

Anlässlich des 60. Regierungsjubiläums von Kaiser Franz Josef I. fanden umfangreiche Feierlichkeiten statt, darunter ein Festzug am 12. Juni 1908 durch Wien, der in 19 Gruppen 600 Jahre habsburgische Herrschaftsgeschichte darstellte, gefolgt von Abgesandten der Wiener Bürgerschaft und aller Kronländer. Die Gruppen, die vor allem der kriegerischen Vergangenheit gewidmet waren, wurden von bekannten Künstlern ausgestattet. Die Gestaltung der Zeit Josefs II. (Gruppe XIII) oblag Bertold Löffler, der mit seinen Studenten Oskar Kokoschka und Josef von Divéky die Befreiung der Bauern von der Leibeigenschaft inszenierte. In Form eines ländlichen Festes mit imposanten Heuwägen und fahrbaren Weinfässern wurde »ein stilisiertes Bauerntum, einfaches idyllisches Glück der Bauern« [1] vermittelt, das die Bedeutung der Landwirtschaft, welcher Josef II. staatstragende Bedeutung (Physiokratie) zumaß, versinnbildlichte.[2] Auffällig ist die Ausblendung des aufklärerischen Reformwerks Josefs sowie kritischer Phasen der Habsburgermonarchie insgesamt.[3] Der Umzug und nicht zuletzt Löfflers Gruppe wurden, abgesehen von kritischen Stimmen (Karl Kraus), hymnisch gelobt und in einer Festschrift mit vielen Fotos dokumentiert. Neben dem ephemeren Beitrag gestaltete Löffler auch das Programmheft: am Umschlag ein Löwe umschlossen von Lorbeer, Eichenlaub und dem Motto Franz Josefs »Viribus Unitis« (Mit geeinten Kräften). Dazu kamen Reklamemarken, Postkarten und vor allem ein Plakat. Ein blond gelockter Ritter kniet, die umkränzte Standarte haltend, vor nächtlicher Berglandschaft, die an Löfflers Wachau-Bilder erinnert. Das extreme Hochformat, die starke Flächigkeit und Konturierung machen japanische Vorbilder spürbar. Zugleich wird die Diskrepanz zwischen dem traditionell-anachronistischen Ritter-Motiv und der modernen, nicht unwidersprochenen Formensprache evident. (BR)

Bertold Löffler, Dokumentation »Der Kaiser-Huldigungs-Festzug in Wien«, 1908, 17×12 cm, IN 5153/Q

Fotografie Gruppe XIII des Kaiser-Huldigungs-Festzugs: Weinlesefest zur Zeit Kaiser Josefs II., 12. Juni 1908, IN 14.277/2/FW

1 Grossegger 1992, Zit. nach Bisanz 2008, 34.

2 Josef II. wurde öfters als pflügender Herrscher dargestellt, der Pflug ist ihm immer wieder als Attribut zugedacht. Wie vital diese Ikonografie auch um 1900 noch war, verdeutlicht die Fülle an zeitgenössischen Josef-Biografien. Telesko 2006, 118–124.
Für wichtige Hinweise danke ich Univ. Doz. Dr. Werner Telesko.

3 Dazu zählen etwa 1848, das Revolutions- und Thronbesteigungsjahr Franz Josefs sowie die sechs Regierungsdekaden Franz Josefs mit ihren militärischen Misserfolgen und innenpolitischen Krisen.

Oskar Kokoschka, Plakat »Kunstschau 1908«,
Farblithografie, Reprint 1965,
95,5×39,8 cm, IN O.K. Pl 65/1

Bertold Löffler, Plakat »Kunstschau Wien 1908«, Farblithografie, 36×50 cm, IN 6/Pl

Im Rahmen der Feierlichkeiten zum 60. Regierungsjubiläum Kaiser Franz Josefs I. 1908 wurde u.a. von Gustav Klimt eine Kunstschau kuratiert, die die Leistungen des zeitgenössischen Kunstgeschehens präsentieren sollte. Bertold Löffler, der mehrfach für die Feierlichkeiten engagiert war (vgl. S. 52), gestaltete nicht nur einen beeindruckenden Raum für Plakatkunst, sondern entwarf auch das Plakat, das schon populär war, bevor es affichiert worden war. Im »heiterstem Blau und Gelb« zeigt es ein »Mädchenprofil mit langhin flatterndem Goldhaar« (Ludwig Hevesi), dass an die Höhepunkte der Flächenkunst der frühen Secessions-Plakate anknüpft. Löffler bot Oskar Kokoschka, seinem Studenten an der Kunstgewerbeschule, die Chance, ebenfalls ein Plakat zu entwerfen.[1] Die ganz in der Fläche organisierte Baumwollpflückerin steht am stilistischen Übergang Kokoschkas vom schönlinigen Jugendstil hin zu einer expressiv-kantigen, primitivistischen Auffassung. Im Gegensatz zu Löfflers Mädchenprofil hatte sich »die ganze Stadt« über dieses »barabarische Plakat« empört.[2] Kokoschka, dem von Klimt ein eigener Raum zugedacht war, war mit seinem Ausstellungdebüt in der Kunstschau und nicht zuletzt wegen des Plakats zum enfant terrible geworden.[3] (BR)

1 Denscher 1992, 68f.; Bisanz 2008, 36; Weidinger 2008.
2 Weidinger 2008, 130.
3 Denscher 1992, 70–72; Strobl / Weidinger 2008, 154–156.

Bertold Löffler, Plakat »Kunstausstellung im Sonnenuhrenhaus«, 1925, Lithografie, 66×50 cm, IN 2101/3

Bertold Löffler war seit 1904 an der Wiener Kunstgewerbeschule als Lehrer tätig und übernahm 1907 zunächst provisorisch, ab 1909 definitiv Carl Otto Czeschkas Klasse für Malerei und Grafik. Schon zuvor und auch parallel zu seiner Lehrtätigkeit war er erfolgreich mit gebrauchsgrafischen Aufträgen für die Wirtschaft und künstlerische Institutionen, v.a. das Künstlerhaus, beschäftigt. Löfflers Bandbreite in verschiedenen Medien (Stichwort: Wiener Keramik), seine stilistische Elastizität und nicht zuletzt sein Bildwitz kennzeichnen seine Arbeiten.

Spätestens ab den 1920er-Jahren stellte sich bei dem »Vaganten zwischen Secessionismus und Neobiedermeier«[1] ein konservativer Zug ein, der der allgemeinen Entwicklung der österreichischen Zwischenkriegskunst folgt: neuen Tendenzen, wie einem von Friedrich Kiesler vorgetragenen, in Österreich kaum rezipierten Konstruktivismus oder dadaistischen und surrealistischen Strömungen stand man (auch Bertold Löffler) reserviert bis ablehnend gegenüber. In erfindungsreichen, meist narrativen Entwürfen manifestierte sich eine oft leichtfüßige, verspielte künstlerische Gegenwelt, die auch nach 1945 in Österreich noch hegemonialer Konsens war und progressiven Kräften die Stirn bot.

Eine Reihe von Plakaten aus den Beständen der Sammlung der Universität für angewandte Kunst Wien demonstriert die Ambivalenz einer außergewöhnlichen Künstlerpersönlichkeit, die sich beinahe reibungslos[2] in das sogenannte »Bild der Zeit« integrierte.

Bertold Löffler, Plakat »Künstlerhaus Weihnachtsschau«, 1929, Farblithografie, 94,5×63 cm, IN 2103/2/Pl

Bertold Löffler, Briefumschlag für Wiener Keramik, 1905, 19×16 cm, IN 3571

1 Vgl. Patka 2000.
2 Vgl. Koller 2000; Pichler 2005, 67–74.

Bertold Löffler, Plakatentwurf »Wachauer Künstlerbund«, 1921, Tusche, Kreide, Wasserfarben, 62×45 cm, IN 2047/2

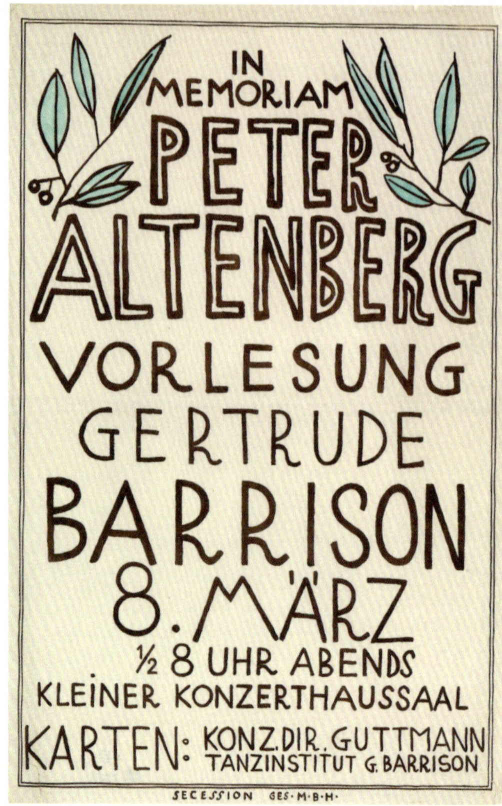

Bertold Löffler, Plakat »In Memoriam Peter Altenberg«, um 1920, Lithografie, 84×54 cm, IN 2105/P/1

In der Zwischenkriegszeit entwarf Bertold Löffler Plakate und Einladungen für das Wiener Künstlerhaus, dessen Mitglied er ab 1922 war. Im Jahr zuvor hatte dort die Ausstellung »Die Wachau« stattgefunden, in der er prominent vertreten war. Löffler war spätestens ab 1918/19 oft in der Wachau. Speziell Dürnstein fand wiederholt Eingang in seine Arbeiten. Sein Plakatentwurf für die besagte Ausstellung zeigt den Turm der Ruine Dürnstein, auf dem ein Maler mit klischeehaft breitkrempigem Hut Platz genommen hat und absurderweise eben diesen »malerischen« Teil der Ruine skizziert. Vexierbildhaft wird der Turm – zugleich beliebtes Motiv, als auch erhobener Ort des Künstlers, um das berühmte Donautal-Panorama erfassen zu können – zur Ankündigungsfläche.[3]

Ebenfalls für das Künstlerhaus kreierte er das Plakat für die Weihnachts-Ausstellung 1929/30. Die lorbeergekrönte Dreieinigkeit von Malerei, Architektur und Plastik ist bei dezentem Farbeinsatz und einer dem Art déco verwandten Formensprache durch die raffiniert geteilte, farbige Grundfläche effektvoll ins Bild gesetzt. Beinahe auf die Schrift reduziert reiht sich auch das Plakat für eine Gedenkveranstaltung für Peter Altenberg in die Auftragswerke von Kulturinstitutionen. Der betont hand- bzw. mit dem Pinsel geschriebene Text verleiht dem Ganzen einen leichten, improvisierten Charakter und erinnert – retrospektiv – an Arbeiten Oswald Oberhubers aus den 1980er Jahren (vgl. S. 155).

Bertold Löffler, Plakatentwurf »Alphorn Emmentaler«, um 1929, 46,5×30,5 cm, IN 2260/4

Bertold Löffler, Plakat »Arsokoll, Oderberger chemische Werke«, 1925, Farblithografie, 66×50 cm, IN 2104/Pl

Die Bandbreite seiner Formensprache(n) und sein Sinn für Humor, der gerade bei Werbeaufträgen die nötige Aufmerksamkeit für das angepriesene Produkt an sich binden kann, zeigen die Plakate für das Schädlingsvernichtungsmittel Arsokoll und den Alphorn Emmentaler-Käse aus der zweiten Hälfte der 1920er-Jahre. In beiden wird das Beworbene nur über Assoziationen evoziert: hier droht der Arsokoll-Mann neben überdimensionalem Obst einer Raupe mit strengem Fingerzeig, dort wird der namensgebende Alphornbläser vor Berglandschaft zum Sinnbild des guten, in scheinbar naturbelassener Umgebung geschaffenen Lebensmittels. Bertold Löfflers frühe ironische Arbeiten finden hier ihre Fortführung. (BR)

3 Egger 2000, 117–119.
Als eine der »ältesten Kulturlandschaften Österreichs« wurde die Wachau 2000 von der UNESCO zum Weltkulturerbe erklärt, vgl. www.unesco.at (29. 04. 2009).

Koloman Moser, Kalender 1901,
Lithografie, 49×9,8 cm (geschlossen),
IN 2383

Vermählungsanzeige von
Koloman Moser und Ditha
Mautner Markhof, 1905,
18×12 cm, IN 455

Waren Kalender bis zur Mitte des 19. Jahrhunderts kaum bebildert, begannen fortschrittliche Verleger um 1900 prominente Künstler als Illustratoren zu engagieren.[1] Kolo Moser schuf u.a. 1901 einen eleganten Kalender, der allein durch sein außergewöhnliches Format mehr ein Luxusartikel als ein Alltagsgegenstand war. Die formal reduzierte, ganz in der Fläche organisierte japanische Holzschnittkunst war zweifellos eine Inspirationsquelle für die meist auf zwei Farben beschränkten, figürlichen Darstellungen. Noch ist Mosers teils florale Schönlinigkeit des Wiener Jugendstils präsent, die mit wenig Beiwerk den jeweiligen Monat charakterisiert.

Dieser Kalender wurde aufgrund seines Erfolges in mehreren Verlagen in Wien und München produziert.

Ditha (Dita) Moser, Faltkalender, 1911,
15,7 × 8 cm, (geschlossen), IN 1165

Mosers Entwicklung hin zur geometrisierten Flächenkunst wird in seiner Vermählungsanzeige von 1905 evident, die eine radikal anmutende Balance zwischen Schrift und Leerfläche herstellt.[2] Seine Frau Ditha, die aus der Industriellenfamilie Mautner Markhof stammte, und maßgeblich an der Finanzierung der von Moser mitgetragenen Wiener Werkstätte beteiligt war, arbeitete selbst als Grafikerin. Schon 1908 hatte sie im Plakatraum der Wiener Kunstschau einen Kalender in Leporelloform ausgestellt und blieb diesem Format auch später treu. Ein Exemplar von 1911 zeigt für jeden Monat eine andere germanische Gottheit. Die Figuren scheinen sich in abstrahierten Ornamentflächen beinahe aufzulösen und erinnern stark an ähnliche Tendenzen in Klimt-Bildern um 1907.[3] Die Beschränkung auf Schwarz und Gold evoziert den Eindruck von byzantinischen Mosaiken oder mittelalterlichen Email-Arbeiten (vgl. Klimt) und macht den kleinen Kalender zu einem druckgrafischen »Schmuckstück«.

1 Schweiger 1988, 93.
2 Rennhofer 2002, 111.
3 Vgl. Gustav Klimt, Der Kuss, 1907/08; Bildnis Adele Bloch-Bauer, 1907.

Koloman Moser, Meggendorfer Blätter, Entwurf für die Titelseite, um 1895, Collage, Tusche, 37,5 × 26 cm, IN 3108

Koloman Moser, Entwurf »Prosit Neujahr«, o. J., Tusche koloriert, Bleistift auf Karton, 28 × 35,5 cm, IN 3111

Etwa zeitgleich mit Kolo Mosers Engagement für die 1897 gegründete Secession entstanden auch kommerzielle Arbeiten wie für die *Meggendorfer Blätter,* eine farbig illustrierte Wochenzeitschrift für »Kunst und Humor«. Beim Entwurf für ein Titelblatt verarbeitete er secessionistische Tendenzen, wie das Integrieren großer Leerflächen in Verbindung mit kurvig-linearen Elementen in abgemilderter Form. Entsprechend bediente er sich einer erzählerischen, detailreichen (und somit konventionelleren) Formensprache: die Musen für Dichtkunst und Malerei respektive Grafik, die stellvertretend für die zwei künstlerischen Medien der »Meggendorfer Blätter« stehen, sind in antikisch anmutende Reformkleider gewandet, wie man sie von Mosers späteren Modeentwürfen kennt.

Fröhlich, ausgelassen flattern aus der übervollen Brieftasche Neujahrsglückwünsche (Prosit!), die von kleinen Zwergen bevölkert sind.[5]

Koloman Moser, Dedikationsblatt anlässlich des 50. Regierungsjubiläums von Kaiser Franz Josef I., 1898, 23,5×20,5 cm, IN 14.475

Mit gebührendem Ernst gestaltete er das Dedikationsblatt für Kaiser Franz Josef I. anlässlich dessen 50. Regierungsjubiläums 1898, das vom Tod Kaiserin Elisabeths überschattet war. Mit gesenktem Blick, den Helm abgelegt, gleichsam im Moment des Innehaltens, steht Minerva, den Huldigungspalmzweig wie beiläufig haltend, vor einer dichten Wand aus Lorbeer und Sonnenblumen, einer beliebten Flora der Secession. Moser gelang es hier, höchste Repräsentationsansprüche mit modernen Gestaltungsprinzipien zu vereinen. (BR)

4 Franz 2007, 28.

Josef Hoffmann, Ständige Ausstellungshalle der Wiener Werkstätte, 1929, Modell: Meisterklasse Johannes Spalt, um 1985, 70,4×53,2 cm, IN 10.624/0

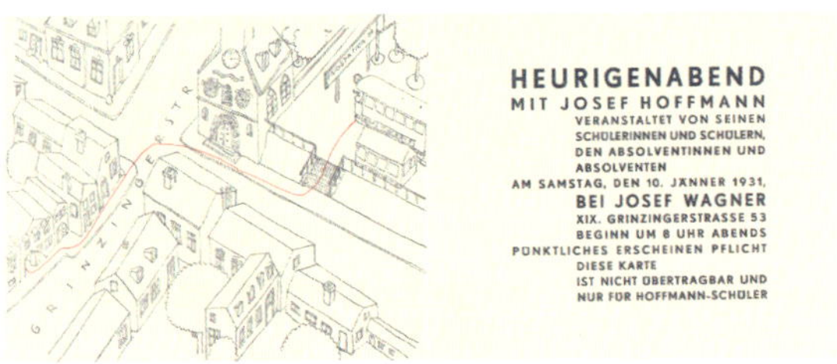

Unbekannt, Einladungskarte zum Heurigenabend mit Josef Hoffmann, veranstaltet von seinen Schülerinnen und Schülern, 1931, 12×30 cm (offen), IN 11.00/Q/2

In den Bereich Grafikdesign fällt auch die Beschriftung von Architektur, wovon ein Projekt Josef Hoffmanns Zeugnis gibt. 1929 entwarf er eine ständige Ausstellungshalle, die wie eine überdimensionale Vitrine mit umlaufenden Schaufenstern Erzeugnisse der Wiener Werkstätte (WW 1903–1932) präsentieren sollte.[1] Über den reduzierten Baukörper ist eine Gitterstruktur gelegt, die Erinnerungen an seine frühen Objekte der WW evoziert und zugleich grafische Elemente und entsprechende Beschriftung integriert.[2] Die Verwirklichung der Ausstellungshalle fiel vermutlich dem weltweiten Börsenkrach von 1929 zum Opfer. (BR)

Oskar Kokoschka, Postkarte der Wiener Werkstätte, Mutter mit drei Kindern, 1907, Reprint 1976, IN OK-Mon 1306/3/P

Oskar Kokoschka, Postkarte der Wiener Werkstätte, Flötenspieler und Fledermäuse, 1907, Reprint 1976, IN OK Mon 1306/3/P

Oskar Kokoschka, Postkarte der Wiener Werkstätte, Mädchen mit Lamm, von Räubern bedroht, 1907, Reprint 1976, IN OK-Mon 1306/3/P

1907 eröffnete das von der Wiener Werkstätte (WW) eingerichtete Kabarett Fledermaus (vgl. S. 41). In diesem Zusammenhang schuf der junge Oskar Kokoschka für die WW u.a. die Postkarte »Flötenspieler und Fledermäuse«, die einerseits das namensgebende Motiv aufgriff, andererseits auf eine von Studienkollegen aufgeführte Pantomime zurückgeht.[3] Der Flötenspieler ist aus flächig-geometrischen Grundelementen zusammengesetzt und nicht (wie sonst bei Kokoschka) aus einer linearen Komposition heraus entwickelt.

Eine andere Postkarte steht ebenfalls mit dem Kabarett Fledermaus, konkret Kokoschkas dort 1907 aufgeführtem »Das getupfte Ei«, in Verbindung. Die harmlose Geschichte von einem Hirten und einer Tänzerin erhält in der Postkarte durch die messerzückenden Räuber einen eminenten Bedrohungscharakter.[4] Bei Negierung jeglicher Raumperspektive sind die Figuren in ein rein flächig-grafisches Ordnungssystem eingeschrieben. Ähnlich flächig ist auch das Sujet der »Mutter mit drei Kindern« arrangiert. Die Entwicklung vom schönlinigen Jugendstil, hin zu einer expressiv gebrochenen Linienführung weist schon auf Kokoschkas Illustrationen seines Märchens »Die träumenden Knaben« (1908) hin. Die derbe Konturierung erinnert an volkstümliche Holzschnitte, wie auch die Ornamente nicht aus dem secessionistischen Fundus schöpfen, sondern aus der bäuerlichen Kultur entnommen scheinen. Die Volkskunst war nicht nur für Kokoschka eine Inspirationsquelle, da man im kreativen Aufgreifen des scheinbar Authentischen, Primitiven einen gleichsam kathartischen Weg zur Erneuerung der Kunst sah. (BR)

1 Die Ansichts- und Grundriss-Skizze befindet sich im Kupferstichkabinett der Akademie der bildenden Künste Wien, IN 26298; vgl. Sekler 1982, 416f.; Noever 2003.

2 Die Datierung »1. X. 1929« lässt darauf schließen, dass Hoffmann möglicherweise eine wechselnde Beschriftung, ähnlich den in der heutigen Architektur so beliebten digitalen Fassaden, vorgesehen haben könnte.

3 Strobl, Weidinger 2008, 58f.

4 Strobl und Weidinger sehen hierin Vorläufer für Kokoschkas Drama »Mörder Hoffnung der Frauen« 1908, Strobl, Weidinger 2008, 64f.

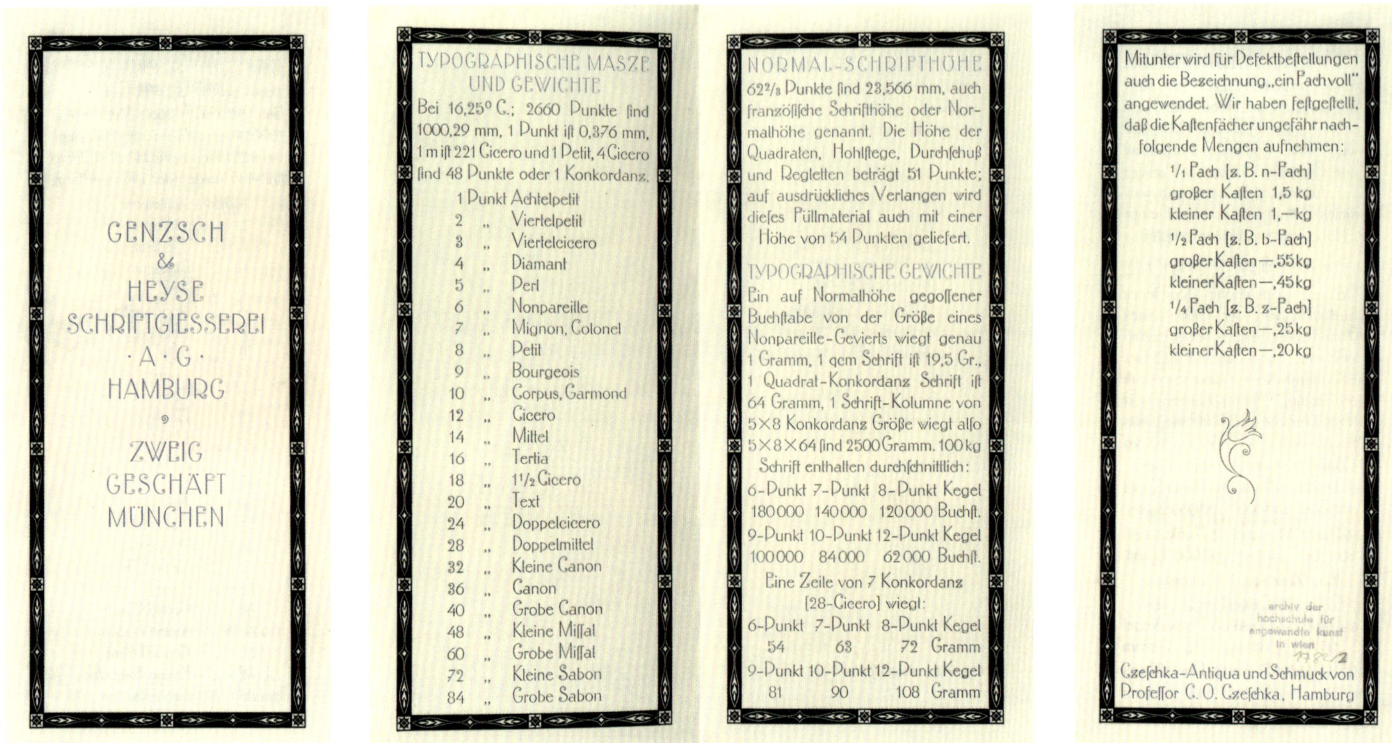

GENZSCH & HEYSE SCHRIFTGIESSEREI · A · G · HAMBURG

ZWEIG GESCHÄFT MÜNCHEN

TYPOGRAPHISCHE MASZE UND GEWICHTE

Bei 16,25° C.: 2660 Punkte ſind 1000,29 mm, 1 Punkt iſt 0,376 mm, 1 m iſt 221 Cicero und 1 Petit, 4 Cicero ſind 48 Punkte oder 1 Konkordanz.

1 Punkt Achtelpetit
2 „ Viertelpetit
3 „ Viertelcicero
4 „ Diamant
5 „ Perl
6 „ Nonpareille
7 „ Mignon, Colonel
8 „ Petit
9 „ Bourgeois
10 „ Corpus, Garmond
12 „ Cicero
14 „ Mittel
16 „ Tertia
18 „ 1½ Cicero
20 „ Text
24 „ Doppelcicero
28 „ Doppelmittel
32 „ Kleine Canon
36 „ Canon
40 „ Grobe Canon
48 „ Kleine Miſſal
60 „ Grobe Miſſal
72 „ Kleine Sabon
84 „ Grobe Sabon

NORMAL-SCHRIFTHÖHE

62⅔ Punkte ſind 23,566 mm, auch franzöſiſche Schrifthöhe oder Normalhöhe genannt. Die Höhe der Quadraten, Hohlſtege, Durchſchuß und Regletten beträgt 51 Punkte; auf ausdrückliches Verlangen wird dieſes Füllmaterial auch mit einer Höhe von 54 Punkten geliefert.

TYPOGRAPHISCHE GEWICHTE

Ein auf Normalhöhe gegoſſener Buchſtabe von der Größe eines Nonpareille-Gevierts wiegt genau 1 Gramm, 1 qcm Schrift iſt 19,5 Gr., 1 Quadrat-Konkordanz Schrift iſt 64 Gramm, 1 Schrift-Kolumne von 5×8 Konkordanz Größe wiegt alſo 5×8×64 ſind 2500 Gramm. 100 kg Schrift enthalten durchſchnittlich:

6-Punkt	7-Punkt	8-Punkt Kegel
180000	140000	120000 Buchſt.
9-Punkt	10-Punkt	12-Punkt Kegel
100000	84000	62000 Buchſt.

Eine Zeile von 7 Konkordanz [28-Cicero] wiegt:

6-Punkt	7-Punkt	8-Punkt Kegel
54	63	72 Gramm
9-Punkt	10-Punkt	12-Punkt Kegel
81	90	108 Gramm

Mitunter wird für Defektbeſtellungen auch die Bezeichnung „ein Pack voll" angewendet. Wir haben feſtgeſtellt, daß die Kaſtenfächer ungefähr nachfolgende Mengen aufnehmen:

¹/₁ Pack [z. B. n-Pack]
großer Kaſten 1,5 kg
kleiner Kaſten 1,—kg
½ Pack [z. B. b-Pack]
großer Kaſten —,55 kg
kleiner Kaſten —,45 kg
¼ Pack [z. B. z-Pack]
großer Kaſten —,25 kg
kleiner Kaſten —,20 kg

Czeſchka-Antiqua und Schmuck von Profeſſor C. O. Czeſchka, Hamburg

Carl Otto Czeschka, Prospekt der Genzsch & Heyse Schriftgießerei Hamburg, um 1914, Lithografie, 22,6×10,4 cm, IN 1782/2

Die Schriftgießerei Genzsch & Heyse AG in Hamburg (1833–1963) brachte 1914 die Bleisatzschrift Czeschka-Antiqua heraus,[1] der eines der seltenen Schriftendesigns österreichischer Gestalter zugrundeliegt – Schriften, nicht als Bestandteil eines Werbemittels, sondern im Sinne einer Satzschrift, die als komplettes Alphabet mit allen notwendigen Zeichen durchgestaltet ist. Die Czeschka-Antiqua ist eine Groteskschrift mit kleinen Voluten als Ornament an den An- und Abstrichen bei Buchstaben mit Rundungen wie S, G, C und R. Die im Schriftbild sehr helle und luftige Schrift ist mit ihren großen geschlossenen Punzen (umschlossenen Innenflächen bei B, D, P, R etc.) und stark unterschiedlicher Versal- und Gemeinhöhe eher als Schmuckschrift für wenig Text denn als Satzschrift einsetzbar. (AK)

Carl Otto Czeschka, Faltprospekt Tekko & Salubra, um 1922, Offset, 14×12 cm, IN 1847/1,2

Einlegekarten mit Tapetenmustern für Faltprospekt Tekko & Salubra

Carl Otto Czeschka, Universalkünstler des Wiener Jugendstils, Lehrer an der Wiener Kunstgewerbeschule, Mitglied von Secession, Werkbund und Wiener Werkstätte, wurde im Anschluss an einen erfolgreichen Bühnenbild-Auftrag von Max Reinhardt am Deutschen Theater in Berlin, der ihn in Deutschland bekannt machte, 1907 als Professor an die Kunstgewerbeschule in Hamburg berufen.[2] Dort verwirklichte er neben künstlerischen auch zahlreiche gebrauchsgrafische Aufträge und setzte seine Tätigkeit für Wiener Unternehmen fort.

Für den Tapetenhersteller Tekko & Salubra in Wien entwarf er einen aufwendig gefalteten Werbeprospekt mit Mustereinlagen aus dem Originalmaterial. Im Werbetext wird der Bogen von den Höhlenbewohnern und ihrem Gestaltungsbedürfnis bis zu den waschbaren Wandbekleidungen der Firma Tekko gespannt, die »in herrlichsten Schlössern und der einfachen Wohnung« zum Einsatz kommen können. (AK)

1 Genzsch & Heyse, in: www.klingspor-museum.de/KlingsporKuenstler/Schriftgiessereien/Genzsch_Heyse/Genzsch_Heyse.pdf (05.06.2009).

2 Carl Otto Czeschka, Aspekte seines Lebenswerkes, 77. Austellung im B.A.T.-Haus Interversa, Hamburg 1978, o. S.

Schule Rudolf von Larisch, Schriftstudie, o. J. 16,1×18,2 cm, IN 1821/24

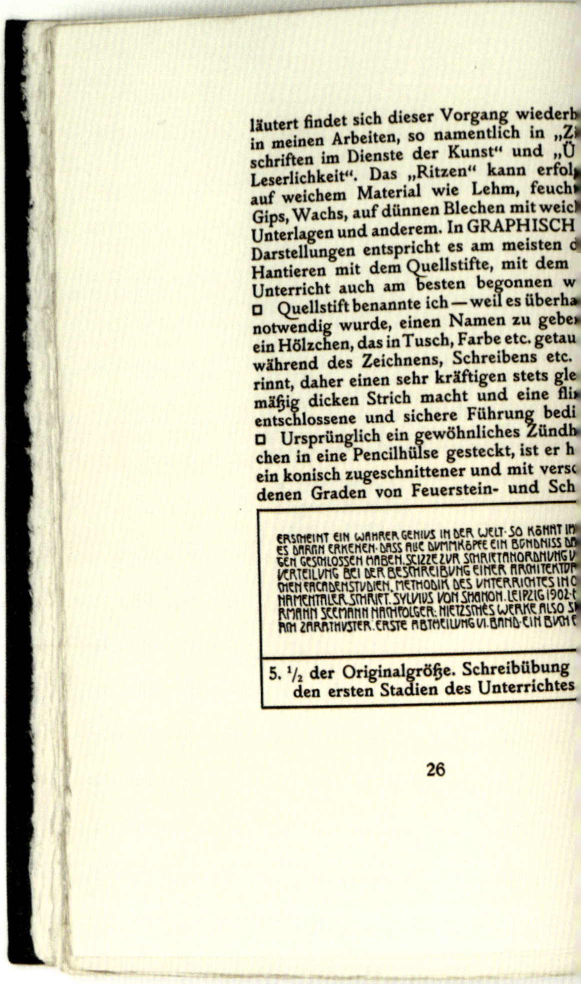

läutert findet sich dieser Vorgang wiederh
in meinen Arbeiten, so namentlich in „Z
schriften im Dienste der Kunst“ und „Ü
Leserlichkeit“. Das „Ritzen“ kann erfol
auf weichem Material wie Lehm, feuch
Gips, Wachs, auf dünnen Blechen mit weic
Unterlagen und anderem. In GRAPHISCH
Darstellungen entspricht es am meisten d
Hantieren mit dem Quellstifte, mit dem
Unterricht auch am besten begonnen w
□ Quellstift benannte ich — weil es überha
notwendig wurde, einen Namen zu gebe
ein Hölzchen, das in Tusch, Farbe etc. getau
während des Zeichnens, Schreibens etc.
rinnt, daher einen sehr kräftigen stets gle
mäßig dicken Strich macht und eine fli
entschlossene und sichere Führung bedi
□ Ursprünglich ein gewöhnliches Zündh
chen in eine Pencilhülse gesteckt, ist er h
ein konisch zugeschnittener und mit vers
denen Graden von Feuerstein- und Sch

5. ½ der Originalgröße. Schreibübung
den ersten Stadien des Unterrichtes

26

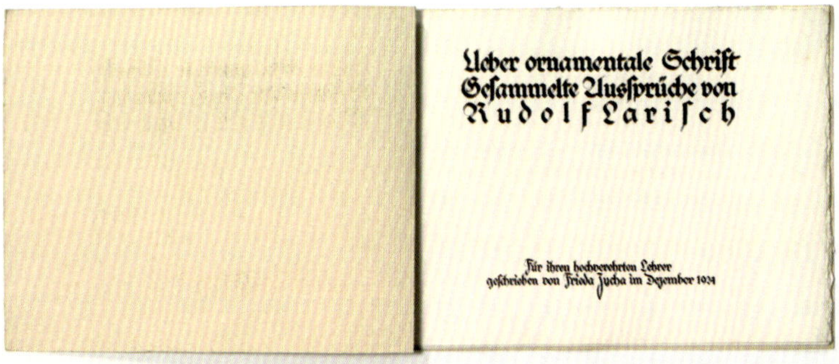

Frieda Zycha, Schule Rudolf von Larisch, Schriftstudie »Ueber ornamentale Schrift. Gesammelte Aussprüche von Rudolf von Larisch«, 1924, Kalligrafie, 23,7 x 32 cm, IN 1797

»Schrift kommt von Schreiben«, lautet der vielleicht wichtigste Lehrsatz Rudolf von Larischs, Pionier der modernen Schriftgestaltung in Österreich, der das Wesen von Schrift als Ergebnis einer handwerklichen Tätigkeit beschreibt. »Die deutliche Werkzeug- und Materialsprache«[1] führe zum Stil einer Schrift.

Doch nicht um Formales allein ging es Larisch – durch dessen Lehre Schrift eine autarke Kunstform um 1900 wird – er entdeckte den profund erzieherischen Gehalt von Schrift.[2] Er war davon überzeugt, dass das Schreiben von künstlerischer Schrift zur »Geschmacksbildung«, zur Entwicklung, zur Pflege und Vertiefung des Kunstempfindens maßgeblich beiträgt. Buchstaben an sich, die Beziehung von Buchstaben zueinander, damals künstlerische Fragestellungen wie Linie, Maße, Proportionen bildeten die Unterrichtsschwerpunkte.

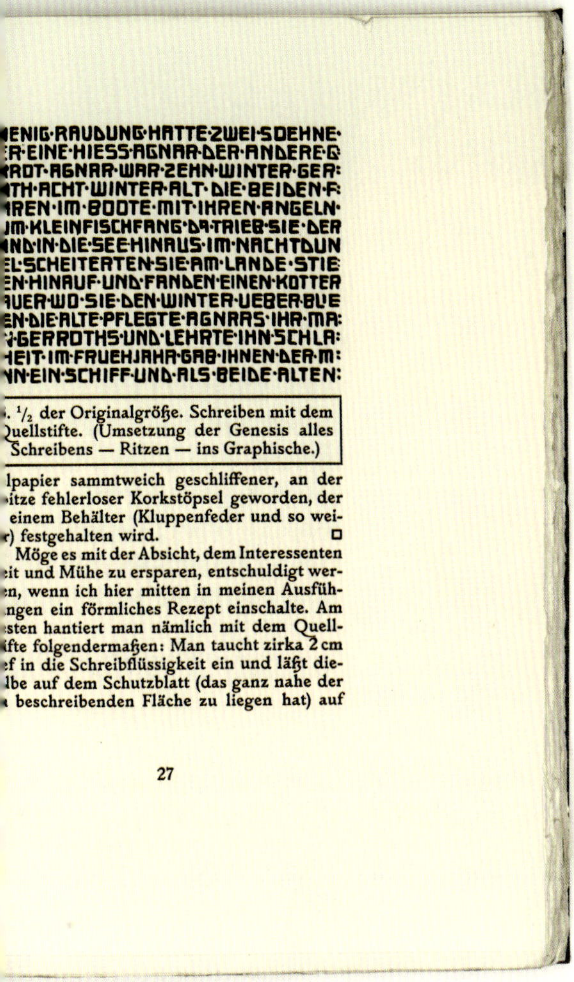
ENIG·RAUDUNG·HATTE·ZWEI·SOEHNE·
R·EINE·HIESS·AGNAR·DER·ANDERE·G
ROT·AGNAR·WAR·ZEHN·WINTER·GER:
TH·ACHT·WINTER·ALT·DIE·BEIDEN·F:
REN·IM·BOOTE·MIT·IHREN·ANGELN·
M·KLEINFISCHFANG·DA·TRIEB·SIE·DER
ND·IN·DIE·SEE·HINAUS·IM·NACHTDUN
EL·SCHEITERTEN·SIE·AM·LANDE·STIE
EN·HINAUF·UND·FANDEN·EINEN·KOTTER
AUER·WO·SIE·DEN·WINTER·UEBER·BLIE
EN·DIE·ALTE·PFLEGTE·AGNAAS·IHR·MA:
·GERROTHS·UND·LEHRTE·IHN·SCHLA:
HEIT·IM·FRUEHJAHR·GAB·IHNEN·DER·M:
N·EIN·SCHIFF·UND·ALS·BEIDE·ALTEN:

. ½ der Originalgröße. Schreiben mit dem Quellstifte. (Umsetzung der Genesis alles Schreibens — Ritzen — ins Graphische.)

lpapier sammtweich geschliffener, an der itze fehlerloser Korkstöpsel geworden, der einem Behälter (Kluppenfeder und so weiter) festgehalten wird.

Möge es mit der Absicht, dem Interessenten it und Mühe zu ersparen, entschuldigt wern, wenn ich hier mitten in meinen Ausführngen ein förmliches Rezept einschalte. Am sten hantiert man nämlich mit dem Quellifte folgendermaßen: Man taucht zirka 2 cm f in die Schreibflüssigkeit ein und läßt dielbe auf dem Schutzblatt (das ganz nahe der beschreibenden Fläche zu liegen hat) auf

27

Schule Rudolf von Larisch, Schriftstudie, 1904–1914, 10,9×11,5 cm, IN 1816/10

Josef Divéky, Exlibris Rudolf von Larisch, 1913, 12,3 x 7 cm, IN 2254/15

Rudolf von Larisch, Unterricht in ornamentaler Schrift, Wien 1905, 24×16,3 cm, IN 2797/Q/3

Die kalligrafischen Studien, die nicht nur ein tieferes Verständnis vom architektonischen Bauplan der Schrift ermöglichen, das Schreiben mit der Breitfeder oder dem breiten Pinsel, zeigen dem Schreibenden, wie Schrift funktioniert – Schriftformen sind das Ergebnis der Funktion des Werkzeugs – haben eine weitere, übergeordnete Wirkung: Die »Musik des Schreibens«, die Erfahrung von Rhythmus, das Erlebnis beim Schreiben, bilden das Herzstück von Larischs Lehre, die über die Grenzen Österreichs hinaus weitergegeben wurde.

Robert Haas etwa, Wiener Typograph der 1920er und 30er Jahre und einer der wichtigsten Schüler Larischs, unterrichtete dessen Prinzipien der Schriftgestaltung in der Emigration, an der Cooper Union School of Art in New York. Dafür, dass er Larischs Lehre in die USA gebracht hatte, wurden Haas 1972 und 1993 verspätet verschiedene Ehrenbezeugungen des österreichischen Staates zuteil.[3]

1 Schule Larisch-Ramsauer, Schriftblatt, o. J., IN 1817/3.
2 Vogelsberger 1986, 296.
3 Vgl. Kern 2008, 89–91.

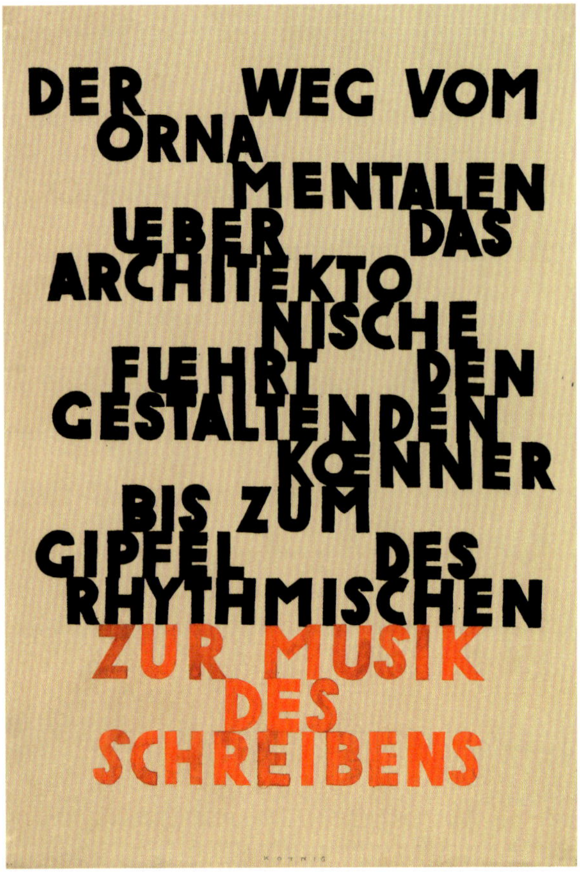

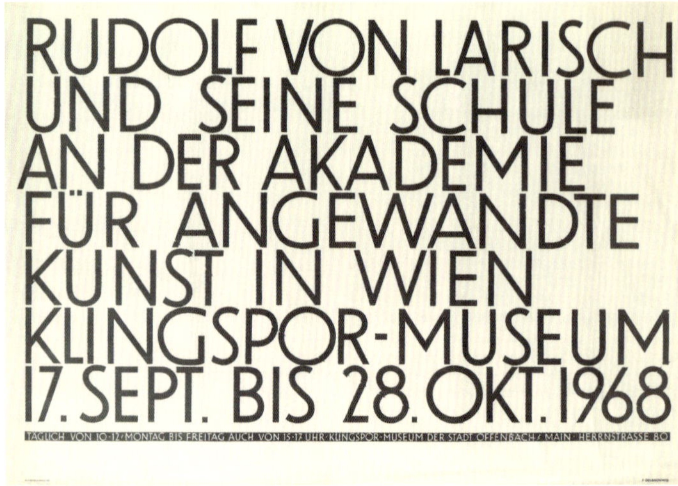

Schule Rudolf von Larisch, Schriftstudie »Der Weg…«, 66×46 cm, IN 1542

Elfriede Goldschmid, Plakat »Rudolf Larisch und seine Schule…«, 1968, 58,5×83,5 cm, IN Lar 68/1/Pl

Larischs Lehre von der umfassenden Wirkung von typografisch-handwerklicher Bildung findet sich wieder in der Überzeugung Willi Bahners, Professor für Schrift und angewandte Schriftgestaltung an der Wiener Angewandten in den 1970er Jahren: Jeder guten Gestaltung etwa von Grafikdesign oder von Architektur liegen die Prinzipien von gut gestalteter Schrift zugrunde. Mehrere Jahrzehnte später vertrat Bahners Schüler Joey Badian, Corporate Design-Spezialist und Typografie-Virtuose dieselbe Ansicht: Wer kein Alphabet zeichnen kann, könne auch sonst nichts.[3]

»(…) Die übliche unpräzise Frage: ›Ist diese Schrift leserlich?‹ müßte eigentliche lauten: ›Für wen ist diese Schrift leserlich?‹« schreibt Larisch[4] und fordert bewusst nicht die Lesbarkeit als oberste Prämisse bei der künstlerischen Schriftgestaltung (Schrift, die Teil eines Kunstwerkes ist). Larisch will den Beschauer zum Enträtseln der Schrift zwingen, ihn beschäftigen, ihn fesseln. Außerdem will er die »Zielgruppe« genau definieren, je nach »Lesefähigkeit«, der Individualität, der Sozialisation des Lesers – was seinen Beobachtungen zufolge bedeuten kann, daß sehr stark verfremdete Buchstaben von wenig belesenen Menschen leichter entziffert werden können als von »gebildeten« Viellesern, da diese gewohnt sind, ganze Wörter zu erfassen und sie so die Charakteristika eines einzelnen Buchstabens allmählich »vergessen«.[5]

Im Herbst 1968 fand eine Ausstellung der Wiener »Schule Larisch« im 1953 eröffneten Klingspor-Museum für internationale Buch- und Schriftkunst in Offenbach am Main statt. Das Plakat dazu wurde von Elfriede Goldschmid, Professorin für künstlerische Schrift und Buchgestaltung an der Angewandten, in versaler, handgezeichneter Groteskschrift geschrieben und ist ein Beispiel der Wiederkehr des Wiener Jugendstils in den 1960er und 70er Jahren.

Rudolf von Larischs Vorstellung des selbstverfassten, handgeschriebenen, selbstgeschmückten, selbstgebundenen »persönlichen« Buches als eine Art künstlerischer Höchstleistung erlebt nach 100 Jahren eine regelrechte Renaissance: In den 2000er Jahren stellen unter neuen technischen Parametern gesamtkonzipierte und selbst umgesetzte (Künstler-)Bücher ein großes Feld der Studenten-, oft Abschlussarbeiten dar. (Vgl. S. 200–203) (AK)

Karin Aue, Diplomarbeit »Die letzten Tage der Menschheit«, Posterserie anlässlich des 70. Todestages von Karl Kraus, 2006, Siebdruck, 119×84 cm, IN 14.976/7/DA, IN 14.976/8/DA

»Man muß dem Publikum Appetit machen auf den Krieg und auch auf das Blatt, das geht in einem«, zitiert Karin Aue auf einem ihrer Plakate den Schriftsteller Karl Kraus, der seinerseits einen Journalisten seiner Zeit zitiert. Kraus bringt in seiner Tragödie um den Ersten Weltkrieg, »Die letzten Tage der Menschheit« von 1919, in über 200 kurzen Szenen zu einem großen Teil unbearbeitete Zitate von Zeitungsschreibern, Händlern oder Militärs, die den Krieg mit Phrasen und Worthülsen beschönigen und rechtfertigen – und entlarvt sie so mit ihrer eigenen Sprache.

Die junge Studentin der Klasse Fons Hickmann, Karin Aue, entwarf 2006 anlässlich des 70. Todestages des Autors eine Plakatserie zum Stück und illustrierte zahlreiche der Figuren in einer Art, die auf politische Karikaturen der Satirezeitschriften der vorvergangenen Jahrhundertwende verweisen.

Dass die Textzitate frappant an aktuelle (Kriegs-)Berichterstattung etwa aus dem Krieg der USA gegen den Irak erinnern, macht die Aktualität und Brisanz der grafischen Arbeit Aues evident. (Vgl. dazu auch S. 20.) (AK)

3 Vgl. auch das Kapitel zu Joey Badian, in: Kern 2008, 342–365.

4 Larisch 1904, 3.

5 Ebenda, 9.

Richard Teschner, Exlibris Hermy Ottawa, o. J., Handtonätzung, 6,8×5,8 cm, IN 12.579/8

Oskar Kokoschka, Exlibris Emma Bacher, 1909, Lithografie, 7,4×5,8 cm, IN 10.155

Carl Otto Czeschka, Exlibris Emma Bacher, 1909, Druck, 16,5×12,5 cm, IN 12.043

Richard Teschner, Exlibris Hans Ankwicz-Kleehoven, 1926, Handtonätzung, 6×6 cm, IN 12.579/2

Richard Teschner, Exlibris Hugo und Dely Perutz, 1924, Handtonätzung, 9×4,7 cm, IN 12.579/1

Mileva Roller, Exlibris Nora von Zumbusch, nach 1906, Radierung, 20,5×16 cm, IN 11.780/1

Das Exlibris fand Ende des 19. Jahrhunderts einen enormen Aufschwung. Von Künstlern gestaltet, wurde es ein Must have groß- und bildungsbürgerlicher Haushalte und entwickelte sich bald zu einem beliebten Sammelobjekt. Sammler ließen sich oft von mehreren Künstlern Exlibris anfertigen, so etwa Fritz Waerndorfer, der mit Kolo Moser und Josef Hoffmann 1903 die Wiener Werkstätte gegründet hatte. Neben Moser hatte ihm der bekannte deutsche Illustrator Marcus Behmer um 1902 ein Exlibris bzw. einen Briefkopf mit Basilisken kreiert. (S. 13)

Ikonografisch finden sich ab dieser Zeit oft symbolische und allegorische Darstellungen, die auf die Persönlichkeit und Vorlieben des Besitzers eingehen, und zu »sprechenden Exlibris« werden.[1]

So etwa das Exlibris für Sigmund Freud von Bertold Löffler, das von einem Freud-Schüler in Auftrag gegeben wurde. Es zeigt Ödipus vor der Sphinx und ist, abgesehen von der griechischen Beischrift[2], ein direkter Hinweis auf Freuds 1897 entwickelte These des Ödipuskomplexes. Der edle Golddruck, stilistisch der Secession verpflichtet, muss Freud angesprochen haben, da er das Exlibris, trotz des Schreibfehlers im Vornamen, nachweislich verwendete.[3]

Löffler entwarf auch für Mitglieder der Industriellenfamilie Zacherl, die durch ihre weltweit vertriebenen Insektizide bekannt war.

Das Exlibris des Chemikers Michael Karl Zacherl zeigt die Figur des Erzengel Michael nach einer Skulptur von Ferdinand Andri. Diese steht sinnbildlich für die Familie Zacherl, gehört sie doch zum bauplastischen Schmuck des 1903 vom Architekten Jože Plečnik errichteten Zacherl-Hauses, das unbestritten als ein Schlüsselbau der Wiener Moderne gilt.

Symptomatisch für die persönlichen Verflechtungen der Kunst- und Intellektuellen-Kreise in Wien um 1900 sind die Exlibris für Emma Bacher. Sie hatte nach dem Tod ihres Mannes dessen Galerie Miethke übernommen, die mit dem Maler Carl Moll als Geschäftsführer zu einem Zentrum der progressiven Kräfte geworden war. 1909 ließ sie sich vom arrivierten Carl Otto Czeschka und dem jungen Oskar Kokoschka ein Exlibris entwerfen. Während Czeschka schönlinig, elegant ein klassisch-anitikisierendes Motiv (Jagdgöttin Diana) aufgriff, bediente sich Kokoschka einer

Bertold Löffler, Exlibris Si(e)gmund Freud, 1901, Golddruck, 14,9×10,3 cm, IN 3408

Richard Teschner, Exlibris Hannah Kurz, 1926, Handtonätzung, 9,7×6,8 cm, IN 12.579/4

Richard Teschner, Exlibris Dr. Friedrich Kraissl, 1942, Handtonätzung, 9,5×7 cm, IN 12.579/9

Bertold Löffler, Exlibris Michaelis Caroli Zacherl, nach 1929, Radierung, 18×8,7 cm, IN 2312/7

derben, volkstümlich-expressiven Formensprache, die an seine Postkarten der Wiener Werkstätte erinnert. Eine Bezugnahme auf die Person Bacher ist nicht erkennbar. Anders beim Exlibris für Nora von Zumbusch, geb. Exner (vgl. S. 36), das von ihrer früheren Studienkollegin und Ehefrau des gemeinsamen Lehrers an der Wiener Kunstgewerbeschule, Mileva Roller[4], gestaltet wurde: romantisch verträumt steht von tosenden Meereswogen umgeben ein Liebespaar auf einem inselgleichen Rosenbusch. Liebevoll umarmt die Frau ihren Geliebten und reflektiert in dieser kleinen Geste das Selbstbewusstsein der Künstlerinnen Roller und Exner.

Bekannt für seine Exlibris-Entwürfe ist auch Richard Teschner, der v. a. mit seinem Puppentheater »Der Figurenspiegel« berühmt wurde. Seine in einem speziellen Tiefdruckverfahren (Handtonätzung) produzierten Bucheignerzeichen zeichnen sich durch eine jeweils für die Auftraggeber entwickelte Symbolik aus: als Namesbildrätsel für den bekannten Exlibris-Sammler Hans Ankwicz-Kleehoven, als eine Art Miniatur-Gobelin für seine langjährige Assistentin, die Gobelinweberin Hermy Ottawa, als Wien-Vedute für den konservativen Kulturphilosophen Aurel Wolfram[5] oder als »Beseelter Krystall« für den Dichter Friedrich Kraissl[6] sind Teschners Exlibris von erzählerischer Dichte bei konstant konventioneller Formsprache. (BR)

1 Denscher 1988, 61, zuvor noch eine Domäne des Adels waren Exlibris v.a. mit Wappendarstellungen geziert.

2 Sinngemäß heißt es: wer das berühmte Rätsel kannte [lösen konnte, Anm. BR] und der Stärkste der Menschen war, vgl. Bowlby 2007, 16. Dank an Mag. Ulrike Nimeth, Maria Bodzenta und Prof. Dr. Theodor Brückler für die Übersetzungshilfe.

3 Pichler 2005, 11f. Vgl. auch Adamek 2000.

4 Karolyi, Smetana 2004, 146; Wagner 1996, 193–197.

5 Der engagierte Deutschnationale Wolfram hatte 1943 sein »Glaube an Wien« publiziert, das im konservativen Klima der Nachkriegszeit 1947 in Neuauflage erschien.

6 Kraissl ist durch seinen gleichnamigen Gedichtband 1936 publizistisch in Erscheinung getreten, vgl. Cernajsek 1997.

Josef Hoffmann, Umschlagentwurf für die Zeitschrift »Die schönen Künste«, o. J., Tusche, Wasserfarben auf kariertem Papier, 30,5×27 cm, IN 11.026/2

Josef Hoffmann, Umschlagentwurf für die Zeitschrift »Die schönen Künste«, o. J., Tusche, Feder, Deck- und Wasserfarben, 31×23,5 cm, IN 11.026/4

Josef Hoffmann, Umschlag für die Zeitschrift »Die schönen Künste«, Agathon Verlag Wien, Band I, II, III, 1946, Offset, 32,1×23, 9, IN 4493/Q

1946 gab der Wiener Agathon-Verlag einen nur zwei Jahre wiederkehrenden Literatur-Almanach heraus, der unter der Federführung von Ludwig Rochowanski österreichische Literaturgeschichte von der 2. Hälfte des 19. Jahrhunderts bis zur »gegenwärtigsten Gegenwart« (Arbeiter-Zeitung)[1] dokumentiert. Veröffentlicht wurden Dichtungen, Autobiografisches, Briefe von Autoren wie Karl Kraus, Egon Friedell, Hugo v. Hoffmansthal, Adolf Loos, Robert Musil, Rainer Maria Rilke, Stefan Zweig und Franz Werfel und anderen. Illustriert ist der Almanach mit Zeichnungen, oft Erstdrucken zeitgenössischer Künstler wie etwa Egon Schiele, Oskar Kokoschka, Alfred Kubin, Otto Exinger, Oskar Laske, Dagobert Peche, Hans Fronius und vielen anderen. Notenbeilagen von Josef Matthias Hauer, Ernst Krenek und Anton von Webern ergänzen das »Bild Österreichs«[2] nach dem Zweiten Weltkrieg, wie der Verlag seine Publikation beschreibt.

Als »feinsinnigste Vereinigung aller Elemente des Österreichischen (…), die uns seit der Befreiung bekannt wurde« (Der Turm)[3], in einer »höchst geschmackvollen und für unsere Zeit auch materialmäßig staunenswerten Ausstattung« (Die Bastei)[4] sieht die aktuelle Berichterstattung die kleinen Bände. Der monochrome Papiereinband wurde von Josef Hoffmann entworfen.

Im Agathon-Verlag erschien ebenfalls 1946 das Periodikum »Die schönen Künste«, für deren Umschlag Josef Hoffmann u. a. geometrisierende Entwürfe machte. Ausgewählt wurde letzlich eine florale, stark an die Jugendstil angelehnte Ornamentik. Während die Agathon Galerie, die ebenfalls von Rochowanski geführt wurde (und bis 1951 bestand), ein Treffpunkt der Nachkriegs-Avantgarde war[5], präsentiert sich die Kunstzeitschrift in Auftritt und Inhalt konservativ. (AK)

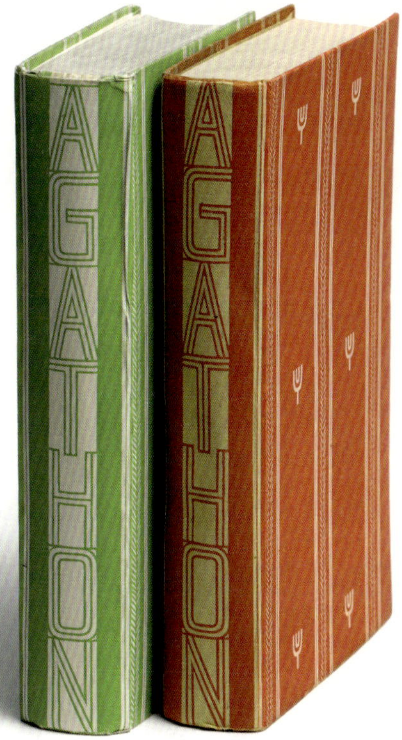

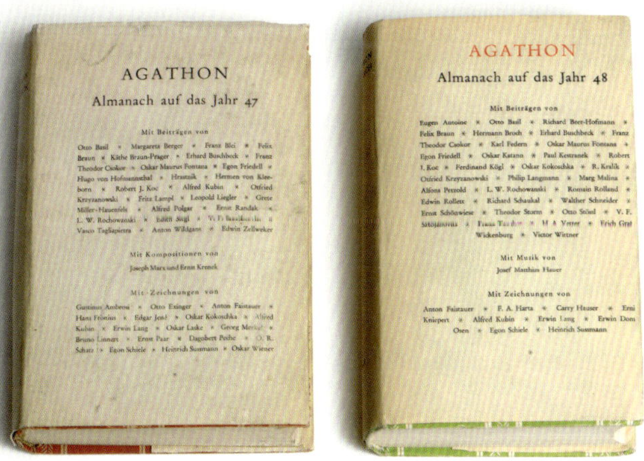

Josef Hoffmann

Bucheinband, Agathon, Almanach auf das Jahr 47, 1948, 17,6×12,1 cm, IN 11.222/Q

Bucheinband, Agathon, Almanach auf das Jahr 48, 1949, 17,7×11,3 cm, IN 13.461/Q

1 Otto Koenig, Arbeiter-Zeitung, Wien, o. J., zit. in: Agathon Almanach auf das Jahr 47, Klappentext.
2 Agathon Almanach auf das Jahr 47, Klappentext, Wien 1947.
3 Schr. [Autorensigle], Der Turm, o. J., zit. in: Die schönen Künste 1946/III, 97.
4 Nestor, Die Bastei, o. J., zit. in: Die schönen Künste 1946/III, 97.
5 Jüdisches Museum: »Displaced. Paul Celan in Wien 1947/1948«, Avantgarde im Nachkriegs-Wien, Wiener Zeitung, 14. 11. 2001, www.basis-wien.at/avdt/htm/018/00052754.htm (09. 07. 2009).

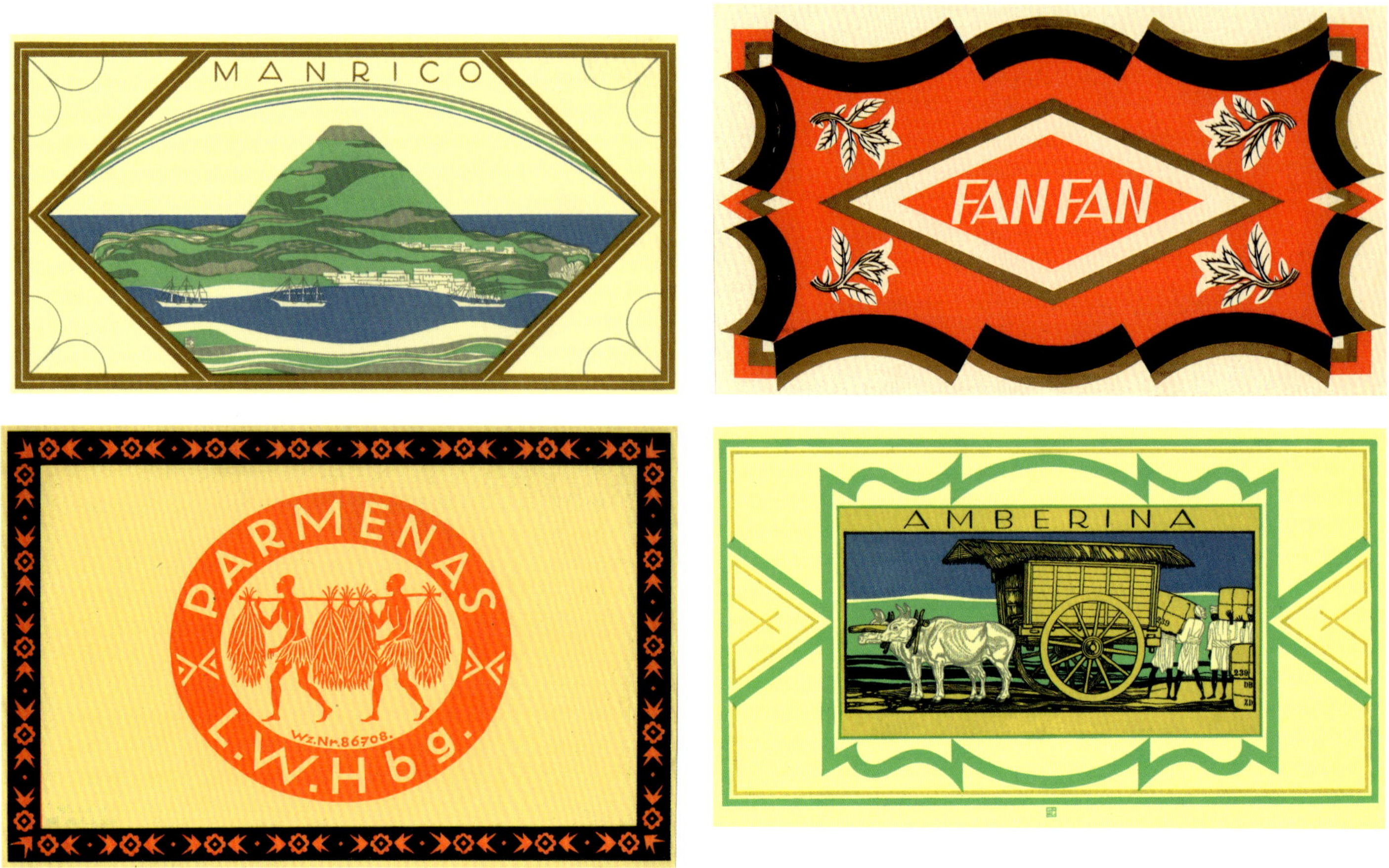

Carl Otto Czeschka, Zigarrenkisten-Etiketten,
Lithografien, o. J.

»Manrico«, 10,7×20,5 cm, IN 1787/11
»FanFan«, 12,7×22,5 cm, IN 1787/3
»Parmenas«, 14,5×22,9 cm, IN 1787/27
»Amberina«, 13,4×23 cm, IN 1707/44

Tabakwaren, insbesondere Zigaretten, gehören an dritter Stelle nach Waschmitteln und Pharmazeutika zu den werbeintensivsten Konsumgütern.[1] Der Wettbewerb in diesem Bereich findet aufgrund der beschränkten Produktpalette nicht über Produktdifferenzierung, sondern im Bereich des Marketings statt.[2] Die Werbestrategie ist dabei von der Trias der Steigerung des Bekanntheitsgrads der Marke, der Erzeugung von Charaktermerkmalen und der Identifikation des Rauchers mit der Marke bestimmt.[3] Ist eine bestimmte Marke einmal von Konsumenten akzeptiert worden, ist Kontinuität vor allem in ihrem Grafikdesign ein Garant für Erfolg. Die in den Gebrauchsgrafiken umgesetzten, psychologisch ausgefeilten Assoziationsketten machen diese zu einem Parameter der Kulturgeschichte und stellen damit Zeitzeugen des vorherrschenden Geschmacks[4] dar.

Carl Otto Czeschka, Prospekt »Tabak Anekdoten«, o. J., Lithografie, 14,8×8 cm, IN 1787/78

Ab der Wende vom 19. zum 20. Jahrhundert versuchte die Tabakwerbung über Bezeichnungen und bildnerische wie grafische Mittel eine Assoziation von Tabak mit dem Exotischen, Abenteuerlichen und Fremden herzustellen.[5] So zeigen die von Carl Otto Czeschka gestalteten Verpackungsetiketten Tabakblätter, exotische Tiere wie Elefanten oder Leoparden, an außereuropäische Kulturkreise erinnernde Ornamente, sowie Südseeinseln und ihre Bewohnerinnen. Diese Beispiele verweisen inhaltlich wie auch stilistisch auf jene fernen Regionen der Erde, wo die Tabakpflanze wächst und verarbeitet wird. Die Beliebtheit solcher Assoziationen mag zum einen in der gleichzeitig stattfindenden Erforschung weitgehend unbekannter Gebiete[6] liegen, zeugt aber andererseits auch von der Exklusivität der Zigarren.

1 Jordan 2003, 49.
2 Ebenda, 50.
3 Haberl 1998, 22.
4 Taucher 2004, 100.
5 Haberl 1998, 20.
6 Ebenda.

Carl Otto Czeschka, Zigarrenkisten-Etiketten, Lithografien, o. J.

»Carpe diem«, 11,7×20,7 cm, IN 7618/9
»Crivello«, 13,9×16,4 cm, IN 1787/32
»Dario«, 9,2×13,3 cm, IN 1787/35
»Stadtwunder«, 14,7×23,2 cm, IN 1787/28

Carl Otto Czeschka wurde neben seiner Mitarbeit bei der Wiener Werkstätte 1902 als Hilfslehrer und 1905 als Leiter der Mal- und Zeichenklasse an die Wiener Kunstgewerbeschule berufen.

Im Oktober 1907 wechselte er an die Kunstgewerbeschule in Hamburg, wo er von 1918 bis in die 1950er Jahre für die Zigarrenfabrik L. Wolff Verpackungen, Ladeneinrichtungen und Plakate gestaltete.[7] Mit den dadurch erlangten Mitteln konnte er eine umfangreiche völkerkundliche Sammlung aufbauen[8], die sich besonders in seinen Verpackungs-Designs widerspiegelt.

Der Einfluss des Wiener Jugendstils und der Wiener Werkstätte ist in seinen Gestaltungen deutlich zu spüren. Die zahlreichen Zigarrenbanderolen zeichnen sich durch goldene, ornamentale Umrandungen aus, die durch Prägedruck und das Rot des Hintergrunds den Eindruck von Exklusivität vermitteln.

Carl Otto Czeschka, Zigarrenkisten-Etiketten, Lithografien

»Quendo«, , o. J., 12,5 × 24,3 cm, IN 1787/45
»Indra«, 1925/35, 10,4 × 21,1 cm, IN 7618/11

Zigarrenkisten-Verpackungen wie »Carpe Diem« und »Stadtwunder« zieren stark an orientalische Muster erinnernde Umrahmungen.

Andere Beispiele, wie »Dario« und »FanFan«, halten an streng geometrisierenden Ornamenten fest.

Bildliche Darstellungen können wie bei »Manrico« in Landschaft und Architektur flächig-ornamental oder wie bei »Amberina« und »Indra« sehr detailreich gezeichnet sein.

7 Spielmann 1978, 5.
8 Ebenda.

Unbekannt, Fachklasse Paul Kirnig, Plakatentwurf »Die neue Ostmark«, um 1939, Tempera auf Papier, 96×64 cm, IN 7458/1

Ideologisch begründete Germanisierungstendenzen führten unter dem NS-Regime zur Umbenennung der oft englischen oder an außereuropäische Kulturkreise erinnernden Tabakwarenbezeichnungen in deutsche Namen.[9] Der Gesundheits-, Sport- und Rassenwahn der Nationalsozialisten scheint mit Tabakkonsum kaum vereinbar, was die Existenz von Zigarettenwerbung verwunderlich erscheinen lässt. So verband der Mediziner Georg Boehncke die Zigarettensucht mit Geisteskrankheiten und dem nationalsozialistischen Bild der Frau und stellte deren Bekämpfung unter NS-Schlagwörter wie »Erb- und Rassenpflege«.[10]

Unbekannt, Meisterklasse Kurt Schwarz, Plakatentwurf, Tempera auf Papier, 12,2×9,5 cm, um 1980, IN MKL Schwarz 8

Ernst Insam, Plakat »Smart Export für kluge…«, 1965, Offset, 117,5×83,5 cm, IN Ins 65/1/Pl

Da im Nachkriegsdeutschland die Zigarettenproduktion der Nachfrage nicht gerecht werden konnte, tauchten Gebrauchsgrafiken für Tabakgüter erst in den 1950er Jahren wieder verstärkt auf.[11] Die in Österreich beliebte Marke »Smart« zeugt von einer neuerlichen amerikanisierenden Umbenennungswelle.[12] Das Plakat von Ernst Insam belegt einen deutlichen Stilwandel in der Gebrauchsgrafik. So werden verstärkt Fotomontagetechniken wie hier bei den aus der Packung ragenden Zigaretten und klare, strenge Linienführung im Kontrast zu malerischen Elementen eingesetzt. Die Eule steht für den neu kreierten Assoziationszusammenhang zwischen Tabakkonsum und Weisheit. (RS)

9 Haberl 1998, 20.
10 Boehnke 1939, 6ff.
11 Haberl 1998, 20.
12 Ebenda, 27.

Joseph Binder, Plakat »The most important Wheels in America« (Ausschnitt, S. 94), 1952

Julius Klinger, Joseph Binder – Pioniere des Grafikdesigns

Julius Klinger, Plakat »Der Krieg in Wort und Bild«, Lithografie, o. J., 116×83 cm, IN 894/Pl

Julius Klinger, Plakat »Soldatenbibliothek«, o. J., Linolschnitt auf Karton, 52,5×36,5 cm, IN 895/Pl

Julius Klinger (1876–1942), jener »führende Geist der Wiener Plakatgestalter«[1], der bereits ab 1905 gemeinsam mit der Berliner Druckerei Hollerbaum & Schmidt die deutsche Plakatkunst revolutioniert hatte, kehrte in den Kriegsjahren wieder zu klassisch secessionistischer Gestaltung zurück: Das Plakat für die Vortragsreihe »Der Krieg in Wort und Bild. An Sonntagen nachmittags um ½ 5 Uhr im kleinen Musikvereinssaale« kündigte Vorträge der Kriegsberichterstatter Deutschlands und Österreich-Ungarns zugunsten des Witwen- und Waisenfonds an.

Der heroisch-kämpferische Nimbus ist geschwunden, ein nachenklicher Hermes mit Schreibfeder und Graphithalter als Allegorie des Kriegsberichterstatters wirkt wie ein Mahnmal. Hier wollte Klinger beim besten (humoristischen) Willen seinen schwarzen, bissigen, oft skurrilen Humor nicht einsetzen.

Das Plakat wirbt für die Bände 11 und 12 der »Soldatenbibliothek«, einer Reihe, die vom Leiter des k.u.k. Kriegspressequartiers, Generalmajor Max Ritter von Hoen, herausgegeben wurde. Diese Dienststelle des Armeeoberkommandos war für alle Presseinformationen und Propagandatätigkeiten der Habsburgermonarchie während des Ersten Weltkrieges – unter Einbeziehung sämtlicher damals verfügbarer Massenmedien – verantwortlich. Zahlreiche Künstler und Literaten wie etwa Egon Schiele, Hugo von Hoffmannsthal, Franz Werfel und eben auch Julius Klinger, standen als Militärpersonen oder Zivilisten in ihren Diensten.

Die in der Soldatenbibliothek veröffentlichte Literatur sowie auch die Aufführungen des »Fronttheaters und -kinos« sollten dazu dienen, die Disziplin und den Patriotismus der Truppen in einem »totalen Krieg«, der der Erste Weltkrieg war, zu erhalten.[2]

Julius Klinger, Plakat »8. Kriegsanleihe«, 1918,
Druck: J Weiner in Wien, 95×63 cm, 14.934/Pl

1 Wisotzki 1923, o. S.
2 Herzlichen Dank an Mag. Richard Hufschmied, Historiker Wien, für seine Auskunft zur »Soldatenbibliothek«.
3 Zit. n. Denscher 1992, 147.
4 Denscher 1992, 146–152.

Mangelwirtschaft und Materialsammelaufrufe prägten die visuelle Kommunikation während des Ersten Weltkrieges, das Wichtigste aber wurde das Sammeln von Geld. Das Geld zur Finanzierung der Kriegsausgaben sollte von der österreichischen Bevölkerung bezahlt werden, »der höchste Zweck« (Peter Rosegger in einem literarischen Aufruf im Neuen Wiener Tagblatt vom 19. November 1914)[3] heiligte die Mittel, die aber erst aufgebracht werden mußten. Zahlreiche künstlerisch gestaltete Kriegsanleihe-Plakate sollten das Misstrauen der Bevölkerung bekämpfen, welches diese zurecht den Banken gegenüber hatte: Nach dem Krieg verloren die Anleihe-Zeichner durch die starke Inflation ihren gesamten Einsatz.[4]

Renommierte Grafiker arbeiteten für die Bewerbung der Kriegsanleihen; vom Secessionisten Adolf Karpellus über Josef Divéky zu Heinrich Lefler und Alfred Roller. Eines der berühmtesten Plakate dieser Serie wurde von Julius Klinger 1918 für die 8. Kriegsanleihe entworfen. Vom Historismus nach wie vor beeinflusst, tummelten sich mittelalterliche Helden zu Pferd in den Entwürfen der Kollegen, die den Krieg romantisch verharmlosend darstellten. Klinger wählt hier das ebenfalls dem Mittelalter entlehnte Drachenmotiv, das den »bösen Feind« symbolisiert. Allerdings stellt er das von Pfeilen durchbohrte zeichenhaft reduzierte Fabeltier freigestellt vor weißen Hintergrund, den Kopf in der Schlinge der Zahl Acht gefangen. (AK)

Julius Klinger, »Völkerbund-Anleihe«, 1923, Druck auf Karton, 30×23 cm, IN 12.040/1

Julius Klinger, Plakat »MEM«, 1922, 31,3×23,2 cm, IN 12.038/7/Ma

Nach dem Ersten Weltkrieg herrschte Mangel an Gütern und Rohstoffen, die Wirtschaft lag darnieder, sodass kein großer Bedarf an Wirtschaftswerbung gegeben war. Politische Plakate und Werbung für Unterhaltungsetablissements beherrschten das Straßenbild österreichischer Städte der Zwischenkriegszeit. Erst langsam erholte sich die Wirtschaft und mit ihr die Werbung, die damals ausschließlich von »Reklamekünstlern« in direktem Auftrag der Unternehmen gemacht wurde. Zu den ersten Konsumartikeln, für die geworben wurde, zählten Zigarettenpapier und Tabakwaren sowie Finanzprodukte. Mangels großer Konkurrenz, angesichts derer man sich inhaltlich unterscheidbar hätte machen müssen, setzten die Werbesujets meist nur den Firmennamen groß und ohne viel Beiwerk in Szene.

Zur Bekämpfung der Nachkriegsinflation erhielt Österreich 1922 eine von den Regierungen Großbritanniens, Frankreichs, Italiens und der ČSR garantierte Anleihe von 650 Millionen Goldkronen – die Völkerbundanleihe – für die Österreich die Erlöse aus Zöllen und aus dem Tabakmonopol verpfänden musste und sich zur Aufrechterhaltung seiner Unabhängigkeit, also gegen einen Anschluss an Deutschland, verpflichtete.[1] Die österreichische Bevölkerung wurde aufgefordert, Anteile zu kaufen, Renditen von 8% wurden versprochen. (Die Anleihe brachte schließlich weder den Anlegern noch dem Staat bzw. den österreichischen Steuerzahlern den avisierten Nutzen.[2]) Julius Klingers sachlich-konstruktivistischer Stil wurde für die Werbemittel von Finanzprodukten bevorzugt herangezogen.

Der Auftritt des Wiener Rasierklingenherstellers Martin Emil Mayer, kurz MEM – das Fabriksgebäude stand in der Leebgasse in Wien-Favoriten – machte in den 1910er und 20er Jahren Furore. Die Designer, die Mayer engagierte, waren durchwegs der Moderne zugetane Grafiker, die sich heute wie das »Who is Who« der Gestalter der Zwischenkriegszeit lesen: Julius Klinger und Otto Löbl, die damals noch jungen Hermann Kosel (signierte damals Cosl), Erwin Frey, Hans Neumann und Victor Theodor Slama. Wie die Körperhygiene zu Beginn des 20. Jahrhunderts stark von der Werbung für Toiletteartikel und Zahnpasta profitierte, so ist auch der Bartlos-Trend dieser Zeit zum Teil auf die forcierte Reklame für Rasierutensilien und Klingen zurückzuführen[3] – oder umgekehrt, will man der Wirkung der Werbung nicht allzuviel zutrauen.

Ein eindrucksvolles Dokument des ikonografischen Wandels von Darstellungen der Industrie ist Klingers Sujet aus 1922, bei dem der MEM-Schriftzug auf dicken schwarzen Wolken schwebt, die aus den rauchenden Schloten des Fabriksgebäudes quellen. Rauchende Schlote als Zeugnisse von Prosperität und Wirtschaftsaufschwung waren zu Beginn des Industriezeitalters höchst positiv belegt und blieben es bis in die 1950er Jahre hinein, was auf Plakaten zum Wiederaufbau abzulesen ist.

Julius Klinger, Plakat »Tabu Cigarettenpapier«, 1919, Lithografie, 126,5×95,1 cm, IN 4801/Pl

Ein Beispiel radikal neuer Erscheinungsformen übergreifender visueller Gestaltung von Unternehmen und deren Produkten – ein frühes Beispiel von österreichischem Corporate Design – ist die Werbekampagne für das österreichische Zigarettenpapier Tabu. Die von 1919 bis 1922 laufende Kampagne war bahnbrechend in ihrer Werbestrategie und visuellen Innovationskraft. Julius Klinger lancierte die erste Kampagne ohne die Darstellung des Produkts, ohne das Produkt konsumierende Personen, meist sogar ohne die Produktgruppe zu nennen.

Klinger etablierte das Markenzeichen, eine Logotype, und machte den Namen des Produktes zum Design-Programm: in immer neuen Formen tauchte das einprägsam kurze Wort mit der vielschichtigen Bedeutung in der Öffentlichkeit auf, und auch das auf unkonventionelle Weise: als Marke, die sich auf Plakaten und Inseraten immer wieder veränderte, aber auch als Schutzmarke, die sich selbst immer wieder neu präsentierte. Ein Signet aus den vier Lettern, das einmal ein maskenhaftes Gesicht oder einen indianischen Totempfahl ergab – Assoziationen der Exotik passten zu der fernen Herkunft der Tabake und waren häufig eingesetzte Mittel zu Werbezwecken.

Auch bildhafte Sujets wechselten sich mit den signethaften ab: Der schlichte Tabu-Schriftzug prangt am Dach eines Wolkenkratzers, der als Sinnbild der Moderne aus einem Städtchen mit mittelalterlichen Stadtwächter herausragt – zwölf Jahre bevor das erste Hochhaus Wiens von den Architekten Hans Theiss und Siegfried Jaksch 1931 gebaut wurde. (AK)

1 H. Strauss, Die Verträge von Genf und Lausanne in ihrem wirtschaftlichen, politischen und sozialen Umfeld, Diplomarbeit, Wien 1988, zit. n. www.aeiou.at/aeiou.encyclop.g/g250642.htm (22. 06. 2009).
2 Denscher 1981, 154–155.
3 Denscher 1992, 160.

Julius Klinger, Umschlagmappe »12 Klinger Plakate«, 1923, 31,3 × 23,2 cm, IN 12.038/1–12/Ma

Julius Klinger, Plakatentwurf »Tabu, Cigarettenpapier«, 1921, Blatt aus der Mappe »12 Klinger Plakate«, 31,3 × 23,2 cm, IN 12.038/3/Ma

Julius Klinger, Plakatentwurf »Der Liebe Augustin«, 1905, Blatt aus der Mappe »12 Klinger Plakate«, 31,3 × 23,2 cm, IN 12.038/8/Ma

Julius Klinger knüpfte nach dem Ersten Weltkrieg in Wien wieder an seine radikale Vereinfachung der Form an, zu der er bereits vor 1914 in Deutschland gefunden hatte. Die Mappen »12 Klinger Plakate« (1923) und »12 Blätter Julius Klinger Frey Willrab Cosl Ekes« (1925), sind Sammelwerke, wie das auch in den USA bekannt gewordene Buch »Poster Art in Vienna«. Die Plakate-Mappe zeigt Entwürfe und verwirklichte Arbeiten, auf Karton gedruckte Einzelblätter, grafisch reduziert auf Schwarz und Rot, eine Technik, die das letzte noch vorhandene Bildhafte in ein logoartiges Ikonogramm verwandelt.

Hier ist bewußt die absolute Zweidimensionalität gewahrt, es ist keine perspektivische Illusion erwünscht, es wird keine Geschichte erzählt. Vielfach haben diese Darstellungen den typisch Klingerschen Humor, etwas Freundliches, Liebenswertes, das Schmunzeln lässt.

Julius Klinger, Plakat »Flugplatz Berlin Johannisthal«, 1908, Blatt aus der Mappe »12 Klinger Plakate«, 31,3×23,2 cm, IN 12.038/4/Ma

Ein Meisterwerk der modernen Werbung ist das Plakat für den Flugplatz Berlin Johannisthal (1908), dessen vier in mittelalterlicher Ratsherrentracht gekleidete Männchen staunend ihre Köpfe in die Höhe recken, sodass man nur ihre Nasenspitzen sieht. Das Sujet wurde 1910 für die Wettbewerbe der Herbst-Flugwoche plakatiert. »Der Witz besteht darin, dass man das Angekündigte – die Flugzeuge selbst – gar nicht sieht, sondern nur die Wirkung auf die Zuschauer; das abstrakte Gefühl des Erstaunens ist in die sehr konkreten Nasen umgewandelt«, schreibt 1915 die Kritik.[1]

Die Kombination aus anachronistisch anmutenden Figuren mit ihren Spazierstöcken und der modernen Technik des Fliegens erzeugt diese Art von »Abweichung«, die in der Werbung seit den 1970er Jahren als Mittel zur Erreichung von Aufmerksamkeit und dem Zustandekommen einer Pointe herangezogen wird und bis heute gültig ist. Julius Klinger nahm diese Technik Jahrzehnte früher vorweg.

1 Hans Sachs, Unsere Plakatsammlungen, in: Das Plakat 7, 1916, 130. Zit. n. Kühnel 1997, 57.

Julius Klinger,
Plakatentwürfe, Blätter aus der Mappe
»12 Klinger Plakate«, 1923, 31,3×23,2 cm

»Lustige Blätter«, 1906, IN 12.038/10/Ma

»MEM Klingen Extra-Super-Deluxe«, 1923,
IN 12.038/6/Ma

»Zigarettenfabrik A.M. Eckstein u. Söhne Dresden«,
1922, IN 12.038/11/Ma

»Tinten Kuli«, 1921, IN 12.038/9/Ma

Die illustrativen Grafiken der Berliner Frühzeit sind kleinteiliger, aber um nichts weniger unterhaltsam, arbeitete Klinger doch zuerst als Karikaturist bei den Blättern, für die er später warb. In den Werbungen für die Berliner »Lustigen Bätter« (1906) und das österreichische, von Gustav Meyrink herausgegebene Satiremagazin »Der Liebe Augustin« (1905), symbolisieren die meist dicken, rotwangigen Protagonisten Literaten, Journalisten oder Militärs. Ihnen sitzen Schmetterlinge auf der Nase, überdimensionale Slamander auf dem Bauch oder riesige Raupen auf dem Rücken. Diese Tiere scheinen den Menschen aufzustacheln, im bildlichen Sinn mit den Scheren eines Hummers in den Allerwertesten zu kneifen, ihn jedenfalls nicht in der ersehnten Ruhe zu lassen.

Julius Klinger, Mappe »12 Blätter. Julius Klinger, Frey, Willrab, Cosl, Ekes«, Publisher F. K. Ferenz, New York 1925, 31,3×23,2 cm, IN 12.039/1–12/Ma

Wilhelm Willrab, Illustration, Dame mit Hut im Profil, 1920, Blatt aus der Mappe »12 Blätter«, IN 12.039/4/Ma

Cosl (Hermann Kosel), Illustration, Mädchen und Rehbock, 1920, Blatt aus der Mappe »12 Blätter«, IN 12.039/11/Ma

Die elegante Modeillustration, der man in der zweiten Mappe mehrfach begegnet, weist den Weg zurück zu Klingers Herkunft: seine Mutter war »Wiener Kleiderkünstlerin«, er arbeitet 1895 bei der Zeitschrift *Wiener Mode* als Illustrator. Auch war Klinger in seiner Frühzeit stark von den eleganten schwarz-weißen Illustrationen Aubrey Beardsleys beeinflusst. Diesen linearen, feingliedrigen Zeichenstil zelebrieren auch seine Schüler und Mitarbeiter seiner Wiener Grafikdesign-Privatschule Wilhelm Willrab, Hermann Kosel und Rolf Frey (beide bilden später das Atelier Cosl-Frey), die gemeinsam mit ihrem Lehrmeister und Mentor Klinger die zweite Mappe füllen.

Mit den beiden Mappen, wie schon mit dem Musterbuch »Poster Art in Vienna« von 1923, verbreitete Klinger erneut seine Formenwelten aus verschiedenen Phasen seines Schaffens.

Klinger erkannte »nur eine einzige unreaktionäre bildende Kunstform an: Die Kunst durch das Medium der mechanisierten Kraft.«[3] Nur ein gedrucktes, unbegrenzt vervielfältigbares Plakat war für Klinger adäquates Ausdrucksmittel. Die strikte Trennung von Kunst und Werbegestaltung erschien ihm unabdingbar. (AK)

3 Klinger 1925, 10–11.

Julius Klinger, Illustration, Fische, 1923, Blatt aus der Mappe »12 Blätter«, IN 12.039/2/Ma

Julius Klinger, Auslagendekoration, Elefant, um 1925, Holz, 23×21×26 cm, IN 7893/O

Julius Klinger, Anzeige »Betterway Grotesken«, 1933, Offset, 24×16,5 cm, Foto: ©MAK Österreichisches Museum für angewandte Kunst | Gegenwartskunst, Wien

Wie hat sich der orange lackierte Holzelefant in die Grafikdesign-Ausstellung verirrt? Er ist ein Produkt des Pioniers der modernen Werbegestaltung und Teil derselben. Julius Klinger führte seit 1919 »Schule und Atelier für Gebrauchsgraphik« in seinem Wiener Atelier in der Schellinggasse. Dort wurde über Grafikdesign hinaus Laden- und Portalbau, Schaufensterdekoration und Warenordnung, Ausstellungsbau und Bau von Messekojen unterrichtet.

Die von Alfred Birnbaums »Betterway Company«[1] hergestellten »Blickfang-Grotesken«[2], sind von Julius Klinger, Wilhelm Willrab u.a. konzipierte und aus Tropenhölzern gefertigte Tierfiguren, die die Aufmerksamkeit auf sich ziehen und »günstige Gemütsstimmung«[3] hervorrufen sollten. Die Firma Betterway Company in der Währingerstraße warb in Fachzeitschriften mit einem von Julius Klinger entworfenen Inserat[4] für die Giraffen, Nilpferde, Raupen und Elefanten.

Das innovative Unternehmen, seit 1929 von Ernst Gruenberg geführt, wurde 1939 »aufgrund der Verordnung über den Einsatz des jüdischen Vermögens« de facto enteignet und 1940 zugesperrt.[5] (AK)

1 Klinger 1999, o. S.
2 Gruenberg 1929, 31.
3 Ebenda.
4 Ganzseitige Schaltung in: Der Tierfreund, 81. Jg., Heft 3/4, 1933.
5 Klinger 1999, o. S.

Joseph Binder, Plakat »The most important wheels in America«, 1952, 43×35,5 cm, IN 2373/Pl

Joseph Binder, Plakat »Answer the call. Red Cross Fund«, 1952, 48×38cm, IN 9440/2/Pl

Joseph Binder war in den 1950er Jahren bereits in den USA etabliert, die Auftragslage aus der Wirtschaft war aber auch dort nach dem Krieg rückläufig. Binder ging seinem Konzept, moderne Plakate für die amerikanische Regierung[1] zu machen, nach, und erhielt zahlreiche Aufträge aus öffentlicher Hand. Das Plakat für die Association of American Railroads, Washington D.C., ist Teil einer Kampagne zur Unterstützung des amerikanischen Eisenbahnsystems und zeigt starke Verwandtschaft mit den berühmten Transporttechnologie-Plakaten des Franzosen A.M. Cassandre, mit dem Binder in New York auch Kontakt pflegte.

Die Bindersche Version der Darstellung von Rädern der Eisenbahn in Bewegung ist bereits weniger Futurismus-Zitat als die des Cassandre für den Nord Express aus 1927. Auch der Einsatz der Schrift Futura von Paul Renner deutet bereits in die 2. Hälfte des 20. Jahrhunderts, in der die Schriften nicht mehr integrierter Teil des Gesamtbildkonzeptes sind, die vom Grafiker selbst entworfen wurden, sondern Satzschriften, die auf ein Bild aufgesetzt werden.

Das Plakat für das Amerikanische Rote Kreuz (mit der Aufforderung, beim Red Cross Fund anzulegen), ist ebenfalls Ergebnis der Teilnahme an einem Wettbewerb 1952. Binder nimmt Anleihen aus dem Surrealismus:

Eine geöffnete Tür, die aus einem unwirklichen Innen in ein himmelartiges Außen zu führen scheint, gibt den Blick auf das dominierende Rote Kreuz frei. Blaugraue Wölkchen, die die Illusion des Himmels verstärken, haben sich allerdings ins Innere des Raumes geschoben, verbinden das Innen und Außen wieder, lassen die Wände transparent erscheinen. Die Szene, die an René Magritte erinnert, ist in eleganten Blaugrau-Tönen gehalten, von denen sich das Rot des Kreuzes warm abhebt.

Joseph Binder, Plakat »New York World's Fair 1939«, 1939, Offset, 76,5×51 cm, IN 2372/Pl

1 Binder 1976, 79.
2 Binder 1976, 47.

Joseph Binder verließ Europa 1936 und übersiedelte nach New York, um am Puls der Moderne zu sein, wo er auch durch seine Vortragsreisen und seinen Gastunterricht an zahlreichen Kunstschulen Amerikas schon relativ große Bekanntheit erlangt hatte. Binders Botschaft wird im *Milwaukee Journal* vom 20.01.1935 zitiert: »Commercial Art ist eine Sache für sich, sie ist nicht ein Zweig der Malerei, sie ist eindeutig eine klar erkenntliche Kunstform im Dienste der Industrie.«[1]

Amerikanische Grafikdesigner waren grundsätzlich an Naturalismus orientiert, Binders Lehre von der konstruktiven Reduktion, der Kraft der Stilisierung, dem kontrastreichen Farbeinsatz, der bewussten Raumaufteilung war neu und fand großen Widerhall. Stets figural und gegenständlich, bezog er die aktuellen Strömungen der Kunst von Kubismus, Futurismus und Konstruktivismus mit ein.

Im Plakat für die Weltausstellung 1939 in New York, in dem Binder »The World of Tomorrow« thematisiert und mit dem er den Wettbewerb gewann, vermittelt Amerikas Streben nach Modernismus, Technologie und weltumspannender Macht. Die formalen Merkmale der axialen Teilung der Fläche aus Kubismus und Futurismus, die Diagonalen der Lichtstrahlen und die Reduktion auf geometrische Formen des Konstruktivismus sind gut sichtbar. Schließlich findet auch die Essenz seiner Farbenlehre *Harmony of Contrasts* (London 1934) Eingang in die Gestaltung.

Bei aller Konstruktivität, kosmischen Sphärenhaftigkeit und Wolkenkratzerästhetik bleibt Binders österreichische (Kunst-)Sozialisierung sichtbar: Binder ist ein Erzähler, die Science-Fiction-Szenerie vermittelt »gemütliche« Stimmung.

Joseph Binder, Plakat »Seafaring in the World's Mightiest Navy«, 1950, Offset, 102×71 cm, IN 2376/Pl

Joseph Binder, Plakat »Cruise this Summer with Naval Reserve«, um 1950, Offset, 71×56 cm, IN 9440/1/Pl

Joseph Binder, Plakat »Passport to Action«, 1950, Offset, 101×71 cm, IN 2377/Pl

»Modern mobile mighty.«[1] Bereits 1941 beteiligte sich Joseph Binder an einem Plakatwettbewerb, den das neugegründete Museum of Modern Art in New York ausgeschrieben hatte, und bei dem er den ersten Preis für ein »U.S. Aircorps«-Plakat gewann, das in kühner Perspektive und Proportion stark abstrahiert Kampfflugzeuge im Flug zeigt, aber auch den dritten Preis für das » U.S. Defense Saving Bonds«-Plakat. Schon damals könnte die U.S.-NAVY auf den österreichischen Grafiker aufmerksam geworden sein.

Ab 1948 arbeitete Binder – gemäß seinem Wunsch, das »Government« als Auftraggeber zu haben – als Art Director und Grafikdesigner des U.S. NAVY Departments in Washington D.C., für das er bis zu seiner Pensionierung 1963 zahlreiche Werbekampagnen realisierte. Binder sollte die amerikanische Flotte und ihre moderne Technologie in modernen Plakaten darstellen. Er entwickelte auch ein neues U.S. NAVY-Logo: eine Logotype in einer stilisierten Schablonenschrift, die üblicherweise auf Kisten zur Kennzeichung der zu verschiffenden Waren angebracht wird. Dieser Schrift haftet die Assoziation von Schiffsreise, Exotik und Abenteuer an. Das Logo ist mit Überschriften in ebenso nüchterner, schlanker Groteskschrift in Kleinschreibung kombiniert. Diese Plakate wurden aber aufgrund ihrer Dramatik in der Komposition, in den starken Farben, in den kühnen Proportionen – die das Gigantomanische der mächtigsten Kriegsflotte der Welt vermittelten – zu den bekanntesten und meistveröffentlichten Arbeiten Binders.

Subtil sind die humorvollen Headlines wie aus Reiseprospekten, die diese Demonstration der militärischen Kraft kommentieren: »Cruise this Summer with Naval Reserve«, »Passport to Action on the Sea«, »Seafaring in the World's Mightiest NAVY«. – Nachdem einige Matrosen in Washington Autogramme von Binder verlangt hatten, fühlte dieser sich erstmals als »celebrity«[2].

Joseph Binder, Navy Season's Greetings, 1976, Offset, 102×71 cm, IN 2375/Pl

Das Weihnachtssujet »Season's Greetings from the Men of the NAVY« von 1950 spricht noch die Bildsprache von Binders Arbeiten aus der Zwischenkriegszeit, als er – von den modernen Kunstströmungen stets stark beeinflußt – das Bauhaus-Manifest von 1919 in die USA transferiert: die sich überschneidenden Lichtkegel der Scheinwerfer der Schiffe, die den kosmischen Nachthimmel in einen polygonalen Raum zerteilen, bilden – abgesehen von dem vordergründig erkennbaren (Weihnachts-)stern – eine prismenhafte, kristalline Struktur (die nahezu allen Binder-Arbeiten innewohnt) und die dem frühen Bauhaus als *die* vollkommene Form galt. Sie war Sinnbild der Sozialutopien einer glücklichen Gesellschaft.[3] (AK)

1 Headline eines der Plakate Joseph Binders für die U.S.-NAVY 1954.
2 Binder 1976, 79.
3 Pauser 2001.

Erika Giovanna Klien, Buchumschlag »Streiflichter auf die Österreichischen Eisenbahnen«, 1924, IN 1409/Q

Erika Giovanna Klien, Briefmarkenserie, kompletter Satz, 1925, 16–20 × 22–25 mm, IN 5291/1–27

Die gebrauchsgrafischen Beispiele von Erika Giovanna Klien und Elisabeth Karlinsky bezeugen die Hochblüte des von ihrem Lehrer und Mentor Franz Cižek entwickelten didaktischen Konzepts zur Ausbildung von Künstlern und Pädagogen. Im Rahmen seines Kurses für Ornamentale Formenlehre an der Wiener Kunstgewerbeschule sollte individuelles künstlerisches Gestalten auf der Basis von Übungen zu Expressionismus, Kubismus und Futurismus im Unterricht gefördert werden.[1] Während sich der dabei entstandene Wiener Kinetismus mit dynamischen Bewegungsabläufen[2] beschäftigte, erfolgte 1923, ausgelöst durch den Besuch einer Ausstellung des ungarischen Konstruktivisten Béla Uitz im Österreichischen Museum für Kunst und Industrie, eine künstlerische Neuorientierung der Cižek-Schülerinnen hin zu einem »abstrakt-konstruktivistischen Formenrepertoire«.[3]

So wird in der Buchumschlaggestaltung Kliens ein tektonisches Formengefüge aus Kreisen, Rechtecken, Buchstaben und Wörtern sowie an Eisenbahnsignale und Lokomotivräder erinnernde Kürzel aufgebaut. Besonders die Briefmarkenserie Kliens zeigt im gekonnten Einbinden der Schrift in den Bewegungszug der abschattierten Farbstreifen den Einfluss des für eine neue Schriftgestaltung bekannt gewordenen Rudolf Larisch.[4] Auch die Auslagendekoration Karlinskys zeigt eine intensive Auseinandersetzung mit konstruktivistischer Formensprache und neuer Schriftgestaltung.

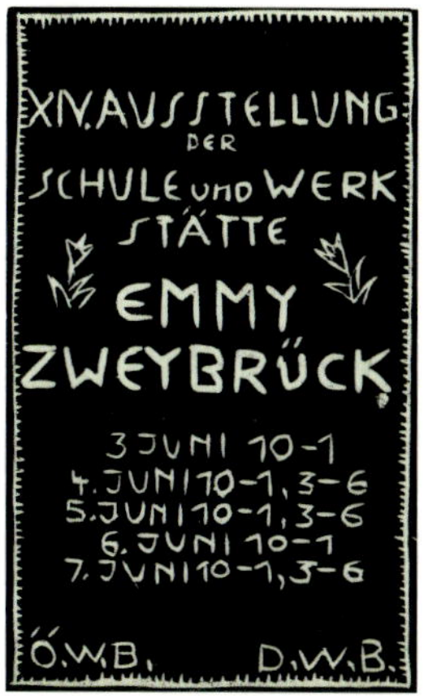

Werkstätte Emmy Zweybrück-Prochaska (Maria Krauss), Einladung zur »XIV. Ausstellung der Schule und Werkstätte Emmy Zweybrück«, um 1920, 14×8,7 cm, IN 14.572/1/Q

Einladungskarte, um 1920, 14×9,1 cm IN 14.572/6/Q

Einladung zur »XIX. Ausstellung der Schule und Werkstätte Emmy Zweybrück-Prochaska«, 1924, 14,4×9,2 cm, IN 14.572/5

Einladung zur »XVI. Ausstellung der Schule und Werkstätte Emmy Zweybrück-Prochaska«, 1924, 14,4×9,2 cm, IN 14.572/5

Elisabeth Karlinsky, Entwurf für Auslagendekoration »Fall Opening Oct. 7«, 1929/30, Scherenschnitt, Collage, Bleistift, Gouache, 38,5×33 cm, IN 14.787/2

Die zu Unrecht fast vergessene Emmy Zweybrück führte in Wien ab 1913 eine erfolgreiche Werkstatt, wo Textilien, Keramik, Spielzeug und Grafik erzeugt wurden und schloss ihr 1915 eine ebenso erfolgreiche kunstgewerbliche Privatschule an. Teils in Kooperation mit dem Werkbund[5] fanden viele Ausstellungen statt. Die zugehörigen Einladungen zeigen eine vielfältige, oft reduzierte Formensprache, die von der Volkskunst, dem Art déco oder auch rayonistischen Tendenzen inspiriert sind.

Lange vor ihrer Emigration 1939 arbeitete sie wiederholt in den USA, wo sie die gestalterischen Grundzüge von Corporate Design kennenlernte. Erfolgreich verband sie kommerzielle Ansätze mit künstlerischem Anspruch und Charme, der ihr aus der Wiener Kultur selbstverständlich war.[6] (RS, BR)

1 Platzer 2006, 11ff.
2 Ebenda, 16.
3 Ebenda, 22.
4 Storch 2006, 119.
5 Bei der XIV. Ausstellung (IN 14.572/1/Q) traten der Österreichische und der Deutsche Werkbund (ÖWB und DWB) als Mitveranstalter auf.
6 Herzlichen Dank für wesentliche Informationen zu Zweybrück an Prof. Friedrich C. Heller, der an einer umfassenden Zweybrück-Monografie arbeitet; vgl. auch Karolyi, Smetana 2004, 181f.; Werner J. Schweiger, Malschule von und für Frauen, siehe: www.onb.ac.at/ariadne/vfb/bt_fk_malschulen.htm (06.07.2009).

Mathilde Flögl, Plakat »Werkbund-Ausstellung Wien 1930«, 1930, Lithografie, 89×59 cm, IN 4802/Pl

Aus Anlass der Tagung des Deutschen Werkbunds 1930 in Wien wollte man den Gästen unter anderem mit der seit dem Gründungsjahr ersten großen Ausstellung des Österreichischen Werkbunds einen würdigen Empfang bereiten.[1] Neben den traditionellen Thematiken wie Produkten aus Industrie und Kunstgewerbe wurden unter Einflussnahme Josef Franks eine Reihe moderner Gaststätten vorgeführt. Ebenso wie die Wahl des Ausstellungsortes, des Österreichischen Museums für Kunst und Industrie als etablierter »Institution der österreichischen Stilkunst und Stilreform«[2], war die Übertragung der künstlerischen Leitung an Josef Hoffmann eine Geste gegenüber der Werkbundtradition.[3]

Das Plakat zu dieser Ausstellung von Mathilde Flögl fasst in typografischer Gestaltung die wichtigsten Inhalte des Programms zusammen. Die wesentliche Neuerung der Ausstellung, die städtische »Gebrauchs«-Architektur[4], wird mittels einer schematischen Wiedergabe der von Josef Hoffmann entworfenen Kaffeeterrasse hervorgehoben.

Unbekannt, Plakat »Internationale Ausstellung der Werkbundsiedlung Wien«, 1932, Offset, 120×90 cm, IN 2547/Pl

Neben dem Kunsthandwerk bildete Architektur den zweiten inhaltlichen Schwerpunkt des Österreichischen Werkbunds. 1929 wurde unter künstlerischer Leitung Josef Franks mit der Planung der Wiener Werkbundsiedlung begonnen, welche 1932 fertig gestellt und präsentiert wurde.[5] Die konzeptuelle Idee dieser Mustersiedlung bestand in der Forcierung des Gartenstadt- und Siedlungsgedankens innerhalb der städtebaulichen und wohnungspolitischen Tätigkeit der Gemeinde Wien.[6] Einunddreissig Architekten sollten unter dem Thema »Siedlungshäuser mit Wohnungen kleinster Art« einen Musterkatalog unterschiedlicher Haustypen zusammenstellen, die beim künftigen Wohnbau zur seriellen Anwendung gebracht werden könnten.[7]

So zeigt das Ankündigungsplakat die von Richard J. Neutra, Adolf Vetter und Ernst Plischke entworfenen Häuser. Dem Gedanken des seriellen Siedlungsbaus wird gestalterisch durch Aneinanderreihung der Fotografie des Doppelhauses von Ernst Plischke und jener des Einfamilienhauses von Adolf Vetter Rechnung getragen. Der grüne Hintergrund kann als Reminiszenz an den Gartenstadtgedanken gelesen werden. (RS)

1 Werkbund 1930, 7.
2 Gmeiner, Pirhofer 1985, 131.
3 Ebenda.
4 Ebenda, 138.
5 In Kapfinger 1985, 156: Die Ausstellung der Werkbundsiedlung im Sommer 1932 fand ein enormes Interesse und breites Echo im In- und Ausland. In acht Wochen besuchten über 100.000 Interessierte die 70 eingerichteten Musterhäuser.
6 Ebenda, 155.
7 Ebenda, 156.

Joseph Binder, Plakat »Lose Kleidung hat oft schlimme Folgen«, 59,5×42 cm, IN 6653/Pl

Joseph Binder, Plakat »Riemen nie mit der Hand auflegen« 1929, 59,5×42 cm, IN 6652/Pl

Atelier Binder, Plakat »Nicht so sondern so«, um 1929, 59,5×42 cm, IN 6651/Pl

Eine Anstrengung der Arbeiterbewegungen in Europa war es, die Industrieunternehmen dazu anzuhalten, dem Arbeiter bei der Arbeit mehr Schutz vor Unfällen zu bieten, die zur Arbeitsunfähigkeit führen konnten. Zu diesem Zwecke gab die Österreichische Zentralstelle für Unfallverhütung in den 1920er und 30er Jahren bei verschiedenen Künstlern Plakate in Auftrag, die richtige Verhaltensweisen bei der Arbeit zum Schutz der Arbeiter kommunizieren. Die Plakate, die für Vorsichtsmaßnahmen wie Schutzbekleidung warben, wurden in den Fabriken angebracht.

Das Österreichische Gesellschafts- und Wirtschaftsmuseum sammelte diese Plakate. Ein Konvolut von etwa fünfzig Plakaten in einer Mappe gebunden, ist in der Sammlung Angewandte Wien erhalten. In der Ausstellung werden drei Sujets von Joseph Binder, zwei anonyme Entwürfe aus den 1920er Jahren (Neurath-Ästhetik) und ein spanisches Plakat von Felix Alonso von 1929 gezeigt. Das Sujet aus Spanien zeigt ein flächig-reduziertes Close-up auf das erschrockene Gesicht eines dunkelhäutigen Mannes, dessen Augen geblendet sind – weiß mit einer Lichtaura leuchten sie gespenstisch aus dem dunklen Gesicht heraus. Die Überschrift mahnt »Wegen Unvorsichtigkeit bei der Arbeit: Blind!«

Binders Darstellungen sind komplexer und zeigen die Gefahren und deren mögliche Auswirkungen. Das Plakat »Nicht so/Sondern so« zeigt eine Vorher/Nachher-Situation (ohne und mit richtiger Ausrüstung) in einem linearen, comichaften Zeichenstil, der den Gedanken nahelegt, dass der Entwurf von einem Mitarbeiter Binders erstellt wurde. Mit größerer Wahrscheinlichkeit von Binder selbst ist das Sujet »Lose Kleidung hat oft schlimme Folgen«, in dem eine dramatische Situation an der Maschine, die den Arbeiter zu verschlingen droht, flächig abstrahiert und plastisch durch Licht und Schattensetzung in Szene gesetzt ist.

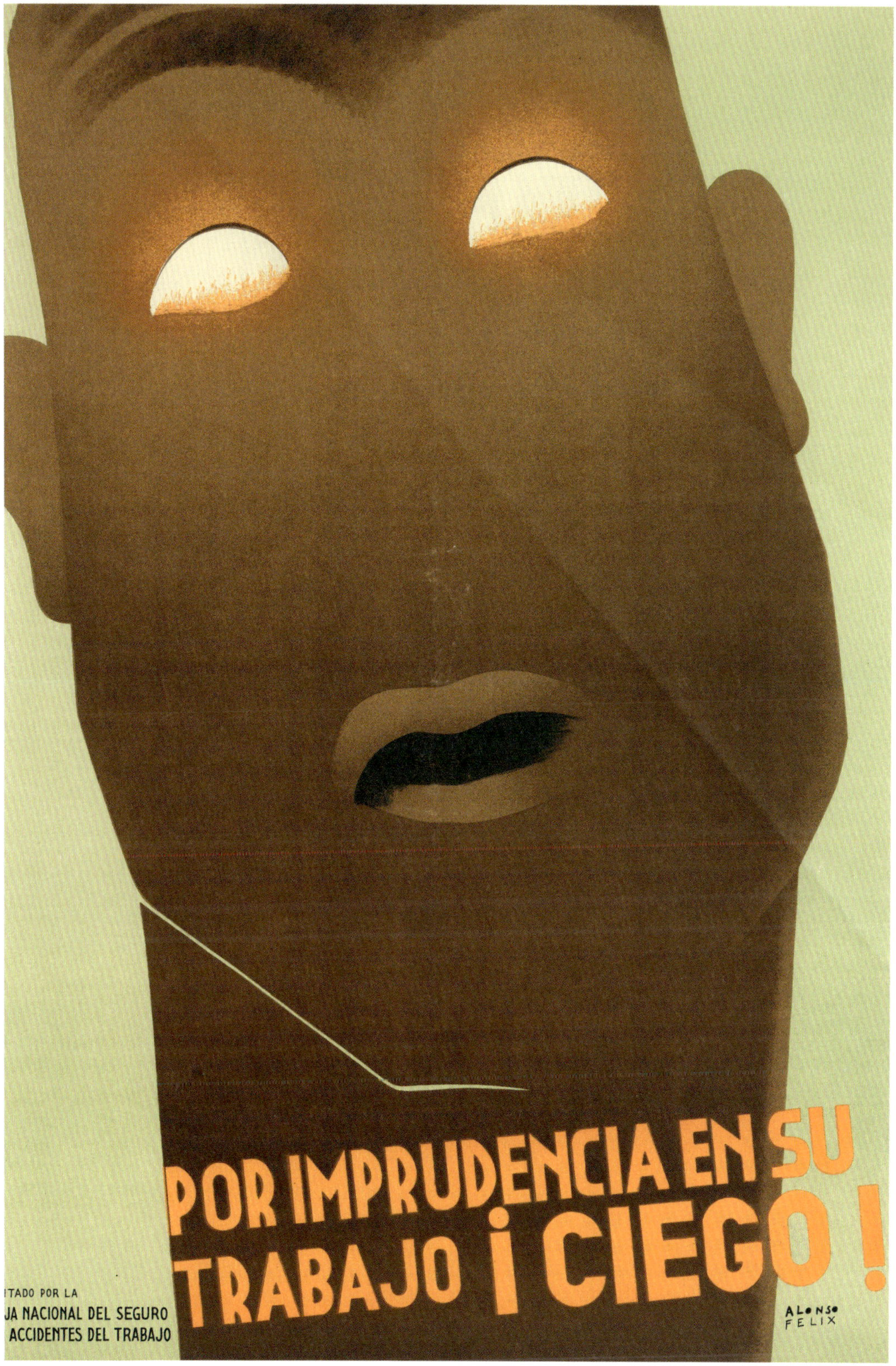

Felix Alonso, Plakat »Por imprudencia en su trabajo ¡Ciego!«, 1929, IN 6734/Pl

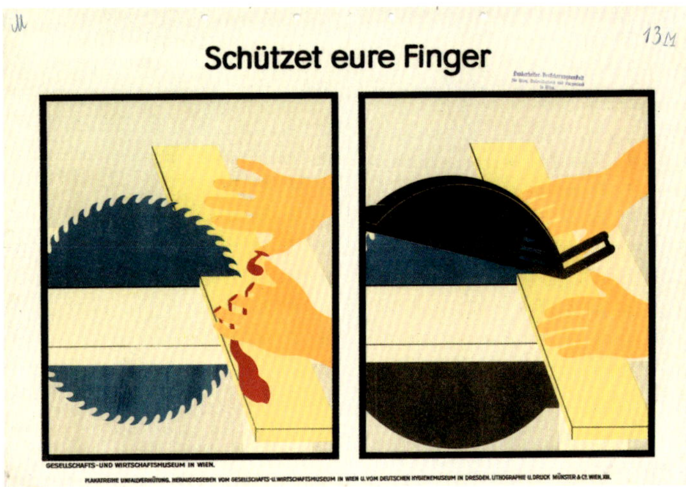

Unbekannt, Plakate

»Schützet Eure Haare vor der Spindel«,
40,5× 60,5 cm, IN 6658/Pl

»Schützet Eure Finger«,
40×61 cm, IN 6661/Pl

Die anoymen Sujets derselben Serie, aber vom Wiener Gesellschafts- und Wirtschaftsmuseum gemeinsam mit dem Deutschen Hygienemuseum in Dresden herausgegeben, sind querfomatige zweigeteilte Plakate, die ebenfalls eine »geschützt/ungeschützt«-Situation zeigen. Die Illustrationen sind iconhaft und flächig aufs Wesentliche reduziert, eine Bildsprache wie sie vom Ökonomen Otto Neurath und dem Grafiker Gerd Arntz für die Statistiken ebendieses Gesellschafts- und Wirtschaftsmuseum entwickelt wurde. Ziel dieser »Wiener Methode der Bildstatistik«, der Isotype von 1926, war es, komplexe soziale und ökonomische Zusammenhänge für die Bevölkerungsschichten mit eingeschränktem Lesevermögen verständlich zu machen.[1]

Heute hat sich der Piktogrammstil überall durchgesetzt, wo rasches Erfassen des Inhalts notwendig ist. (AK)

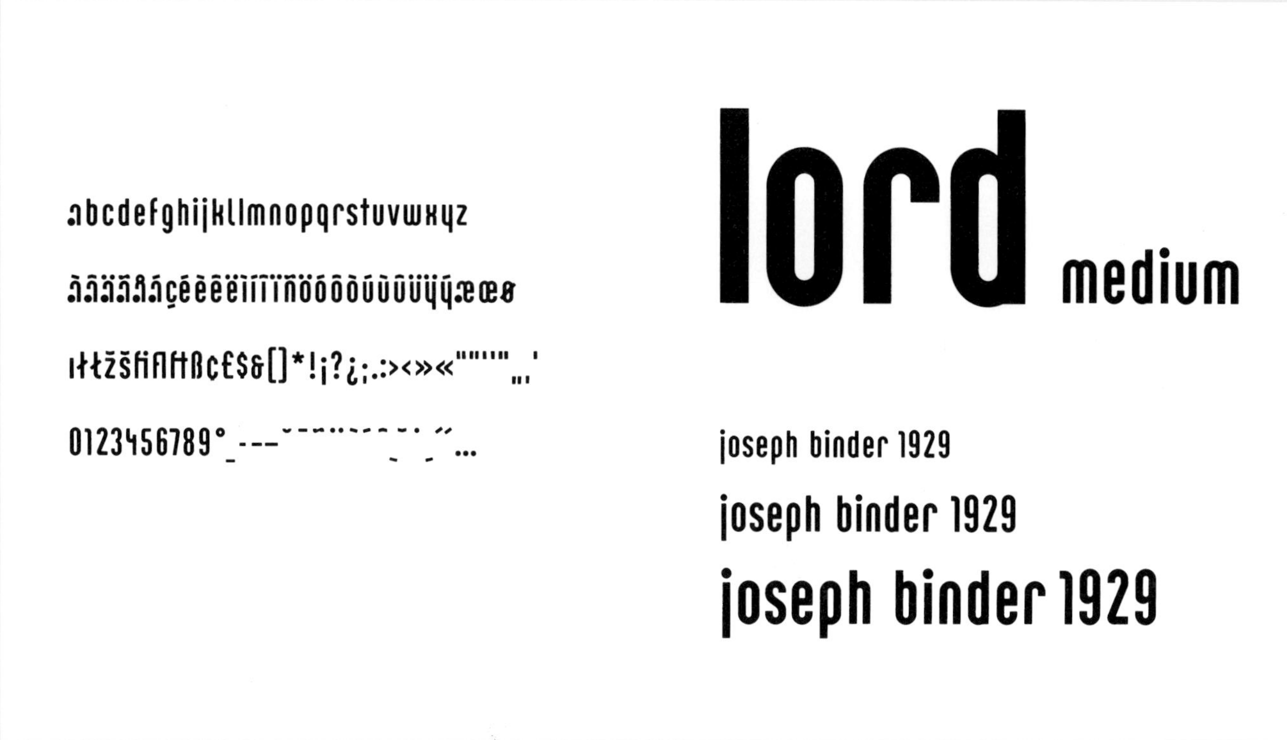

Martha Stutteregger, Meisterklasse für Graphik
Tino Erben, Vier Schriftentwürfe »closed suitcases«,
1996, 23,72×14,8 cm, IN DA 1060/1

Stilbildende Grafikdesigner der Zwischen- und Nachkriegszeit in Österreich, zu denen Joseph Binder, Hans Fabigan und Kurt Schwarz gehören, arbeiteten in einer Zeit, als Schrift noch vom Grafiker für das jeweilige Sujet entworfen und in das Bild, die Struktur, kurz: in die Fläche integriert wurde. Diese Vorgangsweise hatte den Vorteil, daß die Schrift niemals als fremdes Beiwerk empfunden, sondern vielmehr wichtiger Teil der Gesamtkomposition wurde. Die Schriften der 1920er und 30er Jahre erlebten in den 1980ern ein grenzenloses Revival, der britische Grafiker Neville Brody, Leitfigur einer ganzen Grafiker-Generation, verbreitete seine besonders originalgetreuen Redesigns international.

Die Typografin Martha Stutteregger, in den 1990er Jahren Studentin bei Tino Erben, entwarf vier Schriften mit dem Ziel, ein Paket moderner Typografie aus Wien in die Gegenwart zu transferieren. Die Schriften basieren auf Schriftzügen in Arbeiten der erwähnten »Vorväter«, die sie nachempfand und zu kompletten digitalen Zeichensätzen vervollständigte.

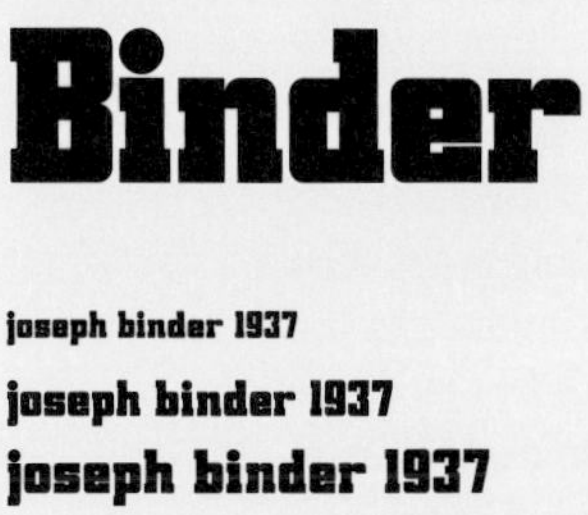

Ausgangsmaterial war für »lord« ein Plakat von Joseph Binder für den gleichnamigen Herrenausstatter (1929), dessen Schrift an die Universalschrift Bayers anknüpft. Die serifenbetonte fette Schrift »binder« kommt in mehreren Arbeiten Binders vor, darunter im Plakat »Österreichische Ausstellung Wirtschaft und Kultur Zürich« (1935). Die »fabigan« ist einer Arbeit des Studios Fabigan/Autherid von 1932 entlehnt. »magnum« war der von Kurt Schwarz entworfene Zeitungskopf der Zeitschrift magnum (1953). Dabei ging es Stutteregger nicht um die technische Frage der Digitalisierung, sondern um Rekonstruktion und aktuellen Zeitbezug.[2] (AK)

1 Hartmann, Bauer 2002.
2 Erben, Reder 2001, 24.

Walter Harnisch, Atelier Harnisch-Meisselmann, Plakatentwurf »1. Internationales Arbeiter-Sängerbundesfest 1934«, Kreide, Tempera auf Papier, 93,5×61,5cm, IN 6237

Walter Harnisch, Plakatentwurf »2. Wintersportolympiade der sozialistischen Arbeitersport Internationale 1931«, Tempera auf Papier, 92×62,3 cm, IN 6241

Walter Harnisch gestaltete diese drei Plakate für sozialdemokratische Kulturinstitutionen. Darin spiegelt sich das sozialistische Kulturprogramm der in der Ersten Republik zu politischer Macht gekommenen, organisierten und zahlreiche Errungenschaften erkämpfenden Arbeiterbewegung.

Die nach marxistischen Überlegungen zum Überbau gehörende Kultur einer Gesellschaft wird zu einem wesentlichen Kampfmittel der Arbeiterbewegung in der von politischen Extremen wie auch Kampfrhetorik und offenen Auseinandersetzungen beherrschten Zwischenkriegszeit. So dienten Kulturorganisationen wie Arbeitersängerbund, Arbeitersportvereine und Naturfreunde als Gegenpol zu den bisher von bürgerlichen bis deutschnationalen Ideologien durchdrungenen Sport-, Turn- und Gesangsvereinen[1]. Zum einen sollte der Arbeiter nicht der Gefahr einer rechten Indoktrinierung ausgesetzt werden und zum anderen sollte der kulturelle Bildungsanspruch der Sozialisten erfüllt werden.

Nach der Ausschaltung des Parlaments und der Bildung des austrofaschistischen Ständestaates durch Engelbert Dollfuß im Jahr 1933, wurden im folgenden Jahr die sozialdemokratische Partei wie auch ihre Kulturvereine verboten.

Walter Harnisch, Plakatentwurf »Mai-Festspiel im Wiener Stadion«, Kreide, Tempera auf Papier, 95×51,5 cm, IN 6232

Die politische Linke versuchte sich besonders in den 1920er Jahren mit zeitgemäßen, progressiven Formen künstlerischer Ausdrucksmittel zu identifizieren[2]. So greift Walter Harnisch auf die von Mihály Biró erstmals und von Victor Theodor Slama in Folge zur Hochblüte gestaltete Figur des roten Arbeiterhelden zurück[3]. Die rote, sportlich-vitale und von Selbstbewusstsein strotzende Figur veranschaulicht die Kardinaltugenden sozialistischer Kulturbegriffe wie körperliche Ertüchtigung, Kampfgeist[4] und kulturelle Befähigung der Arbeiterschaft. Dabei verbindet Harnisch sachlich-nüchterne Bildsprache mit einer kraftvollen, reduziert-flächigen grafischen Auffassung, kombiniert mit typografischen Errungenschaften etwa eines Jan Tschichold. (RS)

1 Mosch 1996, 26.
2 Kühnel 1999, 10.
3 Bennersdorfer 1999, 19.
4 Mosch 1996, 31f.

Joseph Binder, Plakat »Jantzen Skicloth«, Lithografie, 101×76 cm, IN 2374/Pl

Joseph Binder arbeitete in den USA als »free-lance designer«[1], wie er sich selbst bezeichnete, für Werbeagenturen und Lithografieanstalten für deren Präsentationen »bei großen Industrien«. Die Serie von Plakaten für Jantzen Skicloths entstand 1947 für die Botsworth Advertising Agency in Portland und New York und schließt an die Klassiker der österreichischen Wintersport-Plakate an, von Binder selbst und seinen Kollegen Hermann Kosel, Paul Aigner, Fritz Bernard, aus dem Westen Heinrich Berann und vielen anderen.[2] Ein elegantes Paar in den damals aktuellen Schihemden (dicke, oft gewalkte winddichte Pullover aus Wolle in Hemdfaçon) gleitet den steilen Hang hinab, die Parallelität der beiden Figuren in sportlicher Bewegung erzeugt Rhythmus und Dynamik.

1 Binder 1976, 70.
2 Maryska 2004.
3 Ebenda, 108.

Atelier Binder, Prospekt »Winter in Österreich«, Lithografie, 21×10,5 cm (geschlossen), IN 15.119/Q/9/9–10

Hermann Kosel/Elli Rolf, Prospekt »Österreich«, Offset, 21×10,5 cm (geschlossen), um 1951, IN 15.119/Q/8

Statisch ist hingegen das frühere Wintersujet Binders (wird in der Literatur auch Lois Gaigg, Mitarbeiter des Atelier Binder zugeschrieben) für den österreichischen »Werbedienst des Staatssekretariats für Fremdenverkehr« von 1933, das eine Frauenfigur mit geschulterten Schi in leuchtend blauem Overall vor der unberührten winterlichen Berglandschaft bei blendendem Sonnenschein zeigt.

Winterplakate, seit den 1920er Jahren nicht mehr regional, sondern für ganz Österreich bei renommierten Grafikdesignern in Auftrag gegeben, nahmen stets eine Sonderstellung ein und waren fast ausschließlich in Bahnhöfen und Tourismus-Büros affichiert.[3]

An der Winterwerbung ist der Wandel des österreichischen Grafikdesigns im 20. Jahrhundert ob der relativen Gleichförmigkeit der Sujets (Menschen mit Schi vor unberührter Winterberglandschaft) besonders gut ablesbar.

So machten die 1950er Jahre aus Hermann Kosel, der vor dem Krieg Vertreter von Sachlichkeit und Konstruktivismus war, einen Märchenillustrator, wie das Cover des Österreich-Prospekts von 1951 zeigt. Die Innenseiten sind von der Kostümbildnerin Elli Rolf (1913–2000) illustriert, Professorin an der Angewandten für Bühnenkostüm und Bühnenkunde von 1968–1983. Sie zeigen die typische naiv-fröhliche 1950er Jahre-Illustration, mit Feder und Tusche gezeichnet, meist unkoloriert. Die Art der Illustration ist mit der barocken, detailreichen, ironischen Form der Zeitgenossen Kurt Moldovan und Wilfried Zeller-Zellenberg verwandt. (AK)

Paul Kirnig, Broschüre »Österreich«, um 1936/37, Offset 20,5×10,9 cm, IN 15.1190/Q/5

Joseph Binder, Broschüre »Wien«, um 1930/35, Lithografie, Offset, 21,8×11,5 cm, IN 15.119/Q/10

Paul Kirnig, Broschüre »Nach Wien zu allen Jahreszeiten«, 1937, Offset, 21,6×11,6 cm, IN 15.119/Q/6

Die Jahre nach dem Ende des Ersten Weltkrieges standen für das geschrumpfte Österreich im Zeichen einer nationalen Identitätssuche. Mit dem wirtschaftlichen Aufschwung Mitte der 1920er Jahre versuchte man sich im Bereich der Fremdenverkehrswerbung mit Naturschönheiten und Kulturgütern eine neue Identität zu erschaffen.[1]

Die Wirtschaftskrise, die Ausschaltung der parlamentarischen Demokratie und die Verschärfung der außenpolitischen Beziehungen zu Deutschland[2] am Beginn der 1930er Jahre bewirkten einen massiven Rückgang vor allem deutscher Gäste.[3] Um diesen Schwund aufzufangen, wurden 1933 die Finanzmittel für Fremdenverkehrswerbung von 48.000 auf eine Million Schilling erhöht und zudem im Mai 1934 in der ständestaatlichen Verfassung kompetenzrechtlich zur Bundessache erklärt.[4] So bewerben die beiden Broschüren, gestaltet von Joseph Binder und Paul Kirnig, Wien im Spannungsfeld von heimatverbundener Naturerholung und großstädtischem Kultururlaub. Preisangaben für Zugfahrkarten in Schilling, Reichsmark und tschechoslowakischen Kronen repräsentieren die am meisten umworbenen und in Österreich am stärksten vertretenen Urlaubernationen.

Sowohl Binder als auch Kirnig versuchen mit Hell-Dunkel-Kontrasten tiefenräumliche Effekte zu erzielen. Die Reduktion auf wesentliche Erkennungsmerkmale und der freundlich einladende Gesamteindruck bei Binder weichen im Fall von Kirnigs Broschüre einem Braun-Grün-Farbton, einer Monumentalisierung und verstärkten Detailzeichnung.

Ludwig Zier, Fachklasse Paul Kirnig, Entwurf für den Plakatwettbewerb »Heimbautal«, 1937/38, Tempera auf Papier, 63×95 cm, IN 7471

Im Schuljahr 1937/38 nahm die Fachklasse Paul Kirnig am Wettbewerb zur Erlangung eines Werbeplakats für die Siedlung »Heimbautal« in der Gemeinde Wolfsgraben im Wienerwald teil. Die Eigenheimbewegung war Ausdruck der sich seit Mitte des 19. Jahrhunderts entwickelnden konservativen wie auch liberalen Sozial- und Wohnreformerüberlegungen.[5] Durch die zunehmende Urbanisierung und den forcierten Bau von Mietskasernen ab den 1850er Jahren sollte das Kleinhaus mit Garten neben der Verbesserung der Wohnqualitäten zur Entproletarisierung der Arbeiter durch Verschaffung von Eigentum und Festigung des Familienzusammenhalts beitragen.[6]

Der faschistische Ständestaat verband in den Randsiedlungsaktionen diese Idee mit dem sozialpolitischen Ideal einer angeblich intakten Lebens- und Wirtschaftsgemeinschaft im Bauernhaus.[7] (RS)

1 Steinböck 2002, 63.
2 1. Juni 1933: 1000-Mark-Sperre.
3 Maryška 2004, 29: 1932 kamen zwei Drittel aller Urlauber in Österreich aus Deutschland.
4 Ebenda 2004, 30ff.
5 Hoffmann 1997, 75.
6 Ebenda, 75ff.
7 Ebenda, 88.

Paul Kirnig, Plakat »Deutsch-Italienische Ausstellung junger Kunst«, (Ausschnitt S. 117), 1939

Der »österreichische« Nationalsozialismus – »Kampfkunst« für die »Gaupropaganda«

Unbekannt, Fachklasse Paul Kirnig, Plakatentwurf »KDF«, um 1938/39, Tempera auf Papier, 84×59 cm, IN 7452/3

Unbekannt, Fachklasse Paul Kirnig, Plakatentwurf »VI. Wiener internationale Kochkunstausstellung«, 1938, Tempera auf Papier, 95×62 cm, IN 7453/1

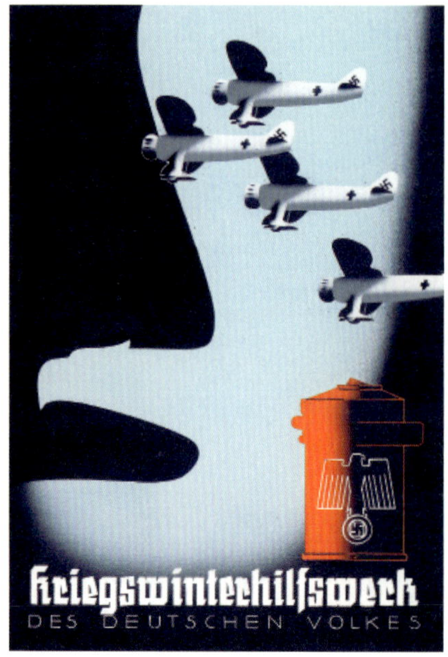

Unbekannt, Fachklasse Paul Kirnig, Entwurf für Plakatwettbewerb »Kriegswinterhilfswerk«, 1939/40, Tempera auf Papier, 42,5×30 cm, IN 7451/5

Unter der Leitung Paul Kirnigs – 1935 vom Assistenten Bertold Löfflers in der Fachklasse für Malerei an der Wiener Kunstgewerbeschule zum Leiter derselben befördert – wurde diese Klasse mit dem Anschluss an Hitler-Deutschland zu einem wichtigen Propagandazentrum der Ostmark.

Die Bandbreite der zahlreichen Aufträge und Wettbewerbe für NS-Institutionen reicht von Arbeiten für HJ (Hitlerjugend), BDM (Bund Deutscher Mädel), KDF (»Kraft durch Freude«) und Winterhilfswerk über Plakatentwürfe für den 4. Reichskleingärtnertag und die Kochkunstausstellung bis zur kulturellen Propaganda für die »Deutsch-Italienische Ausstellung« 1939 oder für das Cover der Zeitschrift »Gebrauchsgraphik«. Die Gründe für die Fülle an gebrauchsgrafischen Werken aus dieser Klasse sind vielfältig.

So forcierte Kirnig den Unterricht und die Arbeit in seiner Klasse fast ausschließlich im Bereich der Gebrauchsgrafik und erreichte 1941 unter Entfernung des Wortes »Malerei« die neue Bezeichnung als »Fachklasse für Gebrauchs-, Illustrations- und Modegraphik«. Zudem entsprach die Kommerzialisierung des Schulbetriebs den Aufgabenstellungen vieler Künstler.[1]

Das nationalsozialistische Kunstverständnis erlaubte ausschließlich künstlerische Tätigkeiten unter Nutzbarmachung für das NS-Regime. Während in der bildenden Kunst ausschließlich realistische Systemkunst zugelassen war (Stichwort: »entartete Kunst«), bediente sich die Gebrauchsgrafik einer Fülle an modernen, aber auch konservativen Formensprachen[2]. So entsprechen diese Beispiele der Gebrauchsgrafik aus der Kirnig-Klasse bzw. seiner Absolventen den sachlich-nüchternen Formprinzipien der 1920er Jahre, auch wenn sie die Radikalität eines Joseph Binder oder Julius Klinger nicht erreichen[3].

Die wesentlichen Charakteristika der modernen Gebrauchsgrafik der Zwischenkriegszeit wie das Fehlen jeglicher Binnenzeichnung, die Reduktion auf geometrische Grundformen und die Beschränkung auf wenige, kontrastierende Primärfarben werden etwa in den Plakaten »Kochkunstausstellung«, »KDF« und »Kriegswinterhilfswerk 1939/40« wiedergegeben. Weitere Merkmale der Plakatkunst der 1920er Jahre wie die Bevorzugung eines flächigen Gesamteindrucks, der Einsatz dynamischer Perspektiven und die Verwendung von Fotomontagen sind in den Plakaten »Die Motten sind da!« und »Glaube und Schönheit« zu finden.

Die von Kirnig vorgenommene Definition der Gebrauchsgrafik als »Kampfkunst«[4] wurde durch den Einsatz von national-

Unbekannt, Fachklasse Paul Kirnig, Plakat »Glaube und Schönheit« für den BDM, um 1941, Offset, 84×59,5 cm, IN 15.550

Hans Krautschneider, Fachklasse Paul Kirnig, Entwurf für den Plakatwettbewerb »4. Reichskleingärtnertag«, 1939, Tempera auf Papier, 92,5×60,5 cm, IN 7449/1

Hermann Hauschka, Plakat »Gebiets- und Obergau-Schiwettkämpfe« für die HJ, 1941, Offset, 84,2×59 cm, IN 15.553

sozialistisch verbrämten Symbolen unterstützt. Reichsadler, Eichenlaub, Rutenbündel und Hakenkreuz stellen oft den einzigen Hinweis für die Zuordnung zur NS-Propaganda dar.

So zeigt das Plakat für die »Gebiets- und Obergau-Schiwettkämpfe« der HJ von Hans Hauschka[5] die Silhouette eines in der Dynamik des Schilaufes eingefangenen, farblich und zeichnerisch stark reduzierten sowie monumentalisierten Schifahrers. Nur das HJ-Abzeichen auf seinem linken Arm verrät die politische Verortung.

Die ideologische Ausrichtung des Erziehungsprogramms der HJ auf »männlich-soldatische Tugenden, wie Mut, Selbstdisziplin, Treue, Ritterlichkeit und Kameradschaft«[6] sollte eine neue, bedingungslos gehorchende und militärisch jederzeit bereite, herrschende Klasse erzeugen[7]. Dabei wurden Sport und der sportliche Wettkampf zu einem erzieherischen Schwerpunkt.

Neben der körperlichen Ertüchtigung konnten kämpferische Gesinnung und rücksichtsloses Leistungsstreben ideal im Sinn der NS-Ideologie gefördert werden.[8] Den nationalsozialistischen Elitevorstellungen dienten auch die auf diesem Plakat beworbenen Gebietswettkämpfe. Dabei wurden, nach Altersgruppen gestaffelt die besten Mannschaften und Einzelbewerber eines Gebietes ermittelt und zum Endkampf beim Reichsparteitag in Nürnberg bzw. zu den Deutschen Jungmeisterschaften gesandt.[9]

1 Koller 1991, 214.
2 Kern 2008, 97.
3 Koller 1991, 213.
4 In der Rede zur Eröffnung der Ausstellung von »Arbeiten der Graphischen Abteilungen der Reichshochschule für angewandte Kunst Wien« am 10. Juli 1942. Abgedruckt bei Oberhuber 1987, 127f.
5 Hans Hauschka studierte 1929/30 bei Rudolf Larisch in der »Allgemeinen Abteilung Ornamentale Schrift«, 1929 bis 1933 in der Fachklasse für Malerei bei Bertold Löffler. Er war von 1937–38 Assistent bei Paul Kirnig, von 1939–40 Assistent bei Victor Schufinsky und ab 1939 Leiter der »Allgemeinen Abteilung Naturstudium«. Er wurde am 01.04.1941 zum Wehrdienst eingezogen.
6 Vogl 1991, 67.
7 Lewis 2003, 51.
8 Vogl 1991, 69f.
9 Platt 1990, 104.

Emma Reif, Fachklasse Paul Kirnig, Plakat »Landdienstkundgebung der HJ«, 1941, Offset, 84,5 × 59 cm, IN 7487/Pl

Unbekannt, Fachklasse Paul Kirnig, Entwurf für das Cover der Zeitschrift »Gebrauchsgraphik«, um 1938, Tempera auf Papier, 31 × 23 cm, IN 7467

Das Plakat für eine »Landdienstkundgebung« der HJ von Emma Reif[10] veranschaulicht einen anderen Aspekt der nationalsozialistischen Indoktrinierung von Jugendlichen. Gemäß der Blut-und-Boden-Ideologie und dem Ideal eines romantischen Landlebens wurden Jugendliche im Rahmen der HJ vom Frühjahr bis zur Erntezeit zur Landarbeit eingesetzt. Zum einen wollte man eine Vermischung von so genanntem »arischen« Blut mit dem der vermeintlich in der Stadt lebenden Juden verhindern, zum anderen strebte man eine Umsiedlung der arbeitslosen Stadtjugend auf das Land an.[11] Der durch körperliche Arbeit an der frischen Landluft von Gesundheit strotzende Bauer sollte mit seinem einfachen Landleben[12] zu einem Prototyp der neuen herrschenden Klasse werden. Die Plakate »Landdienstkundgebung« sowie »Kriegsstudium« zeugen von der Qualität und Bedeutung der von Rudolf Larisch und später von Herta Larisch-Ramsauer geleiteten Klasse für »Ornamentale Schrift und Heraldik«[13] an der Wiener Kunstgewerbeschule bzw. Reichshochschule. In Verknüpfung der Schrift als Bedeutungsträger mit der zum selbständigen Bildinhalt entwickelten Schriftform wurde eine optimale Kommunikation zwischen Bedeutung und Betrachter angestrebt.[14]

Der BDM stellt das weibliche Pendant zur HJ dar. 18- bis 21-jährige Frauen konnten dem BDM-Werk »Glaube und Schönheit« beitreten. Ziel war es, die Frauen in Beruf und Familie einzuführen, indem sie in Leibesübungen und Gymnastik, in Körperpflege und gesunder Lebensweise sowie in praktischen Aufgaben einer Frau und Mutter nach nationalsozialistischen Wertvorstellungen unterrichtet wurden.[15] Plakat sowie Entwurf für Cover und Plakat für das BDM-Werk »Glaube und Schönheit« (S. 115) aus der Fachklasse Kirnig zeigen ein turnendes und ein gesundes, gepflegtes und fröhliches »Mädel«. Bemerkenswert ist der im österreichischen Grafikdesign dieser Zeit seltene Einsatz der Fotomontage als gebrauchsgrafisches Gestaltungsmittel.

Paul Kirnig, Plakat »Deutsch-Italienische Ausstellung junger Kunst«, 1939, Offset, 97 × 65,5 cm, IN 7107

10 Emma Reif studierte 1935 bis 1937 in der Werkstätte für Ornamentale Schrift bei Hertha Larisch-Ramsauer und von 1937 bis 1945 in der Fachklasse für Malerei bzw. Fachklasse für Gebrauchs-, Illustrations- und Modegraphik bei Paul Kirnig. Sie wurde 1948 Mitglied des BÖG und Mitarbeiterin im Atelier »Der Kreis«.

11 Lewis 2003, 42f.

12 Ebenda, 108.

13 1901 bis 1933 von Rudolf Larisch, von 1934 bis 1968 von Hertha Larisch-Ramsauer geleitet.

14 Wagner 1991, 71f.

15 Hering, Schilde 2000, 56.

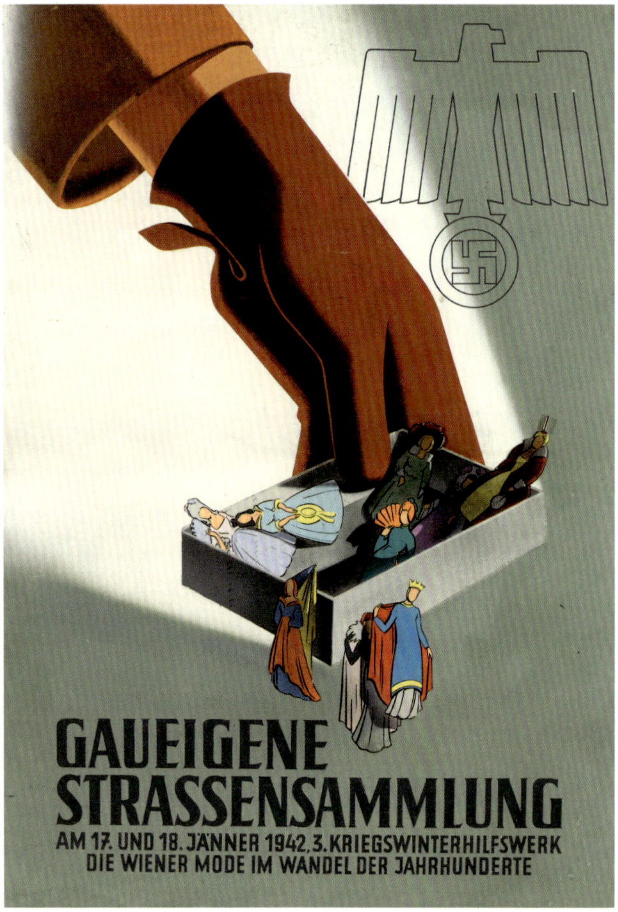

Unbekannt, Fachklasse Paul Kirnig, Plakat »Gaueigene Strassensammlung« im Rahmen des 3. Kriegswinterhilfswerkes, 1942, 61 × 43 cm, IN 6878

Unbekannt, Fachklasse Paul Kirnig, Abzeichenserie »Wiener Mode im Wandel der Jahrhunderte« für das 3. Kriegswinterhilfswerk, 1941, Metallguss, farbig lackiert, in roter Kartonschachtel, IN 9439/0

Der Plakatentwurf für KDF (S. 114) veranschaulicht mit Reiseveranstaltungen einen Bereich der NS-Freizeitorganisation. Die Freizeit, als untergeordneter Bestandteil von Arbeit, soll der Regeneration von Arbeitskraft dienen.[16] Der gesunde, kräftige und erholte Mensch stellt bei entsprechender Motivation die »elementare Voraussetzung für Arbeitshöchstleistungen dar«.[17] So war es Aufgabe von »Kraft durch Freude« ein der Erholung und Entspannung dienliches sowie der nationalsozialistischen Indoktrination förderliches Freizeitprogramm anzubieten. Dazu gehörten Reisen, die am Plakatentwurf durch links oben positionierten Zug und Flugzeug sowie das mittig angeordnete Schiff angedeutet werden. Die schematische Reduktion des Schiffes erinnert an Gestaltungen von Cassandre[18] oder von Lois Gaigg[19].

Das der nationalsozialistischen Volkswohlfahrt (NSV) unterstellte Winterhilfswerk wurde nach der 1933 erfolgten Umstrukturierung bald zu einer der bekanntesten und propagandistisch in Superlativen gefeierten Erscheinungen im Alltag des NS-Staates. Neben den Aspekten der Fürsorge, der daraus resultierenden Bannung der Gefahr sozialer Unruhen und dem politischen Prestigegewinn sollte, der nationalsozialistischen Volkserziehung entsprechend, eine deutsche Volksgemeinschaft unter dem Motto »Ein Volk hilft sich selbst« geschaffen werden.[20] Die Eingliederung von zahlreichen kirchlichen Missionen, wie der Caritas oder auch des Roten Kreuzes, entsprach dem totalitären Anspruch des NS-Regimes. Abzeichen und Plaketten zum Nachweis der geleisteten Spendengabe stellten einen wesentlichen Teil eines Systems von Maßnahmen zur Erzwingung dieser Abgaben dar. Mit einem jährlichen Abzeichen-Volumen von 31 bis 170 Millionen Stück, gefertigt aus diversen Materialien wie Holz, Porzellan, Kunststoffen, Eisenblech, Textilien etc., sowie mit der Abnahme von Hilfsgütern wurde das Winterhilfswerk in vielen Branchen nach der Wehrmacht zum größten Auftraggeber.[21]

Trotz der Vielfalt der Motivwahl für die über 8000 Abzeichen wurden besonders in annektierten Gebieten wie der Ostmark häufig regionale Charakteristika wie etwa Mode, Märchen und Sagen sowie Sehenswürdigkeiten – allerdings stets unter

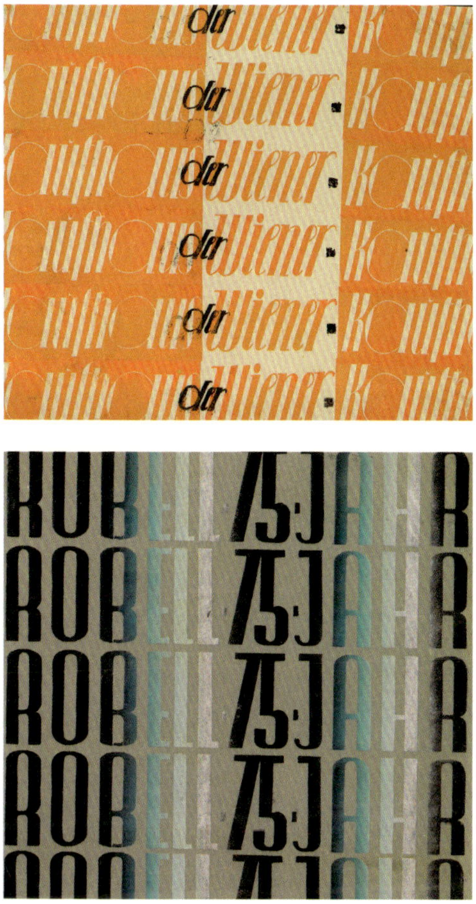

Unbekannt, Fachklasse Paul Kirnig, Entwurf für Einpackpapier, 1937/38 und 39/40, Schablonendruck, 34×38,5 cm, IN 10.661/3a

Unbekannt, Fachklasse Paul Kirnig, Plakat »Die Motten sind da!«, o. J., Lithografie, 95×63 cm, IN 15.555

Betonung der Zugehörigkeit zu einer deutschen Volksgemeinschaft – herangezogen. Die dabei behandelten Thematiken wurden wegen der gefühlsmäßigen Zuwendung vieler Menschen zu bestimmten Motiven wie Pflanzen, Tieren und Volkstum zu beliebten Sammlerobjekten und verstärkten das beabsichtigte volksgemeinschaftliche Zusammengehörigkeitsgefühl.[22]

Neben der »Kampfkunst« wurde auch klassischen grafischen Aufgaben nachgegangen. Auch diese beruhten manchmal auf Aufträgen – in diesem Fall nicht der »Gaupropagandaleitung Wien«, sondern von Wirtschaftstreibenden. Zwischen 1938 und 1940 arbeitete die Klasse Kirnig an Entwürfen für Packpapier für das Kaufhaus Gerngroß, »Kaufhaus der Wiener«. Die Entwürfe sind typografisch interessant, sie zeigen – mittels Schablonendruck als Flächenmuster eingesetzt – konstruktivistische wie kalligrafische Schriften. Diese Grafik ist »ideologiefreie« Schriftenstudie, die ob ihrer gleichmäßigen Wiederholung auf der Fläche ornamental wie ein Schriftteppich wirkt, dessen Struktur serielle Ordnung innewohnt. (RS)

16 Buchholz 1976, 88.
17 Ebenda, 118.
18 Etwa dem Plakat »L'Amérique du Sud, L'Atlantique« von 1931.
19 Etwa dem Plakat »Norddeutscher Lloyd Bremen, Lloyd-Express« von 1929.
20 Vorländer 1988, 44f.
21 In Vorländer 1988, 54, 57f. : Im Rahmen des Winterhilfswerkes waren jährlich zwischen 1,1 und 1,4 Millionen Helfer tätig. Die Gesamtleistung betrug 417.169.000 Reichsmark, das entspricht 0,5 bis 0,75, in den Kriegsjahren über 1% des Volkseinkommens.
22 Zacharias 1997, 37.

Emma Reif war Chronistin der Angewandten im Eigenauftrag. Von 1935 bis 1943 trug sie in ein Fotoalbum aktuelle Ereignisse ein, klebte Ausweise und Dokumente, Feldpostkarten, Einladungen und Ankündigen dazu. Fotografien der Kommilitonen und Lehrer sind akribisch beschriftet und dadurch viele der Personen identifizierbar. Die Fotos geben einen Eindruck des Lebens an der Angewandten beim Studium, bei Ausstellungen und Klassenfesten, die – den wirtschaftlichen Umständen entsprechend – mit viel Engagement gestaltet wurden.

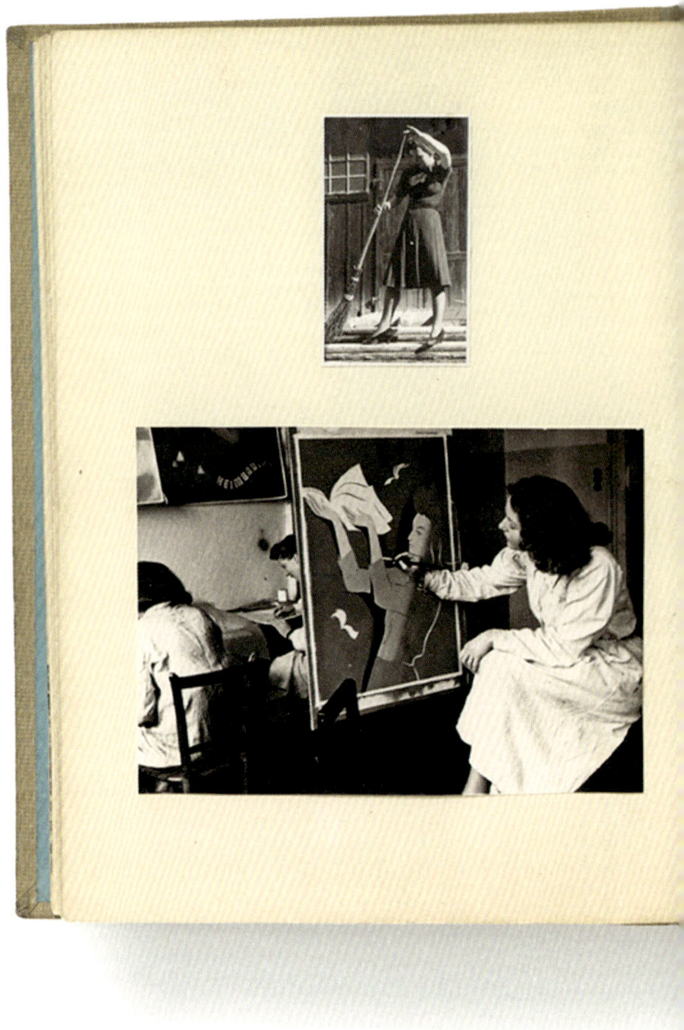

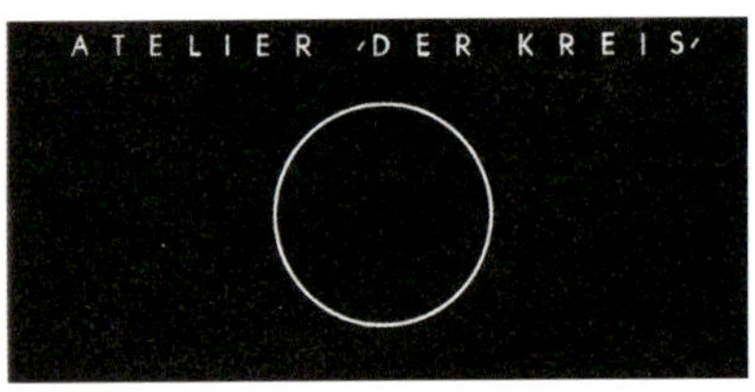

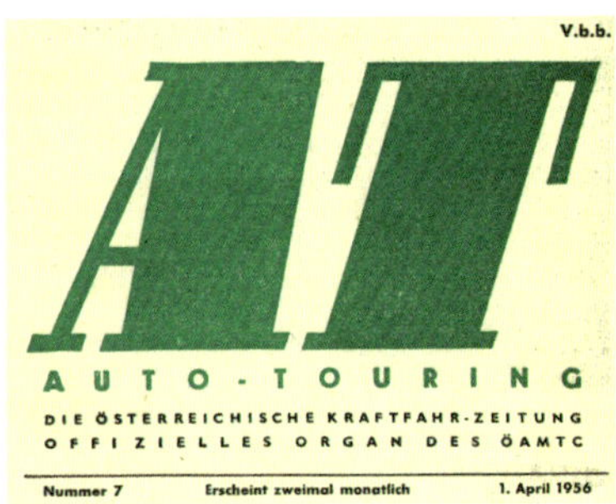

Emma Reif

Atelier Der Kreis, Glückwunschkarte 1951, 10,5 × 21 cm, IN 13.955/Q

Zeitungskopf »Autotouring«, 1956, Offset, Ausschnitt, IN 14.557

Emma Reif (1921–2002), Kirnig-Schülerin im »Dritten Reich«, Mitgründerin des Atelier Der Kreis und später langjährig Assistentin der Klasse Kurt Schwarz, gehört zu jenen zahlreichen Gestaltern und Gestalterinnen ohne Star-Status, die einfach gute Arbeit geleistet haben, die aber, wenig archiviert und dokumentiert, schnell dem Vergessenwerden ausgeliefert sind bzw. wären, hätte sich nicht doch die eine oder andere Arbeit in einer Sammlung oder einer Veröffentlichung eines Wettbewerbes, allen voran der »Plakatwertungsaktion der Stadt Wien«[1], gefunden.

Reifs relativ kleiner Nachlass von Originalentwürfen befindet sich in der Sammlung Angewandte und legt eine Gestalterin mit großen Qualitäten nahe.

Im Atelier Der Kreis in der Wiener Innenstadt, das neben Emma Reif aus den Kirnig-Absolventen Elisabeth Pfanhauser, Stefan Fritz, Wilfried Zeller-Zellenberg bestand, entwarf sie preisgekrönte Plakate sehr technischer Anmutung, aber auch Tourismus-Werbung, die den stimmungsvollen Sujets etwa eines Hermann Kosel nicht nachsteht. Ihre Liebe galt der Typografie: handgezeichnete Schriften, blockhaft-kantig und oft elegant die Vertikale betonend, stammen in den Gemeinschaftsarbeiten des Ateliers meist aus Reifs Hand. Der Kopf der Zeitung *Autotouring* von 1956 besticht durch moderne, dynamisch-technische Anmutung.[2] (AK)

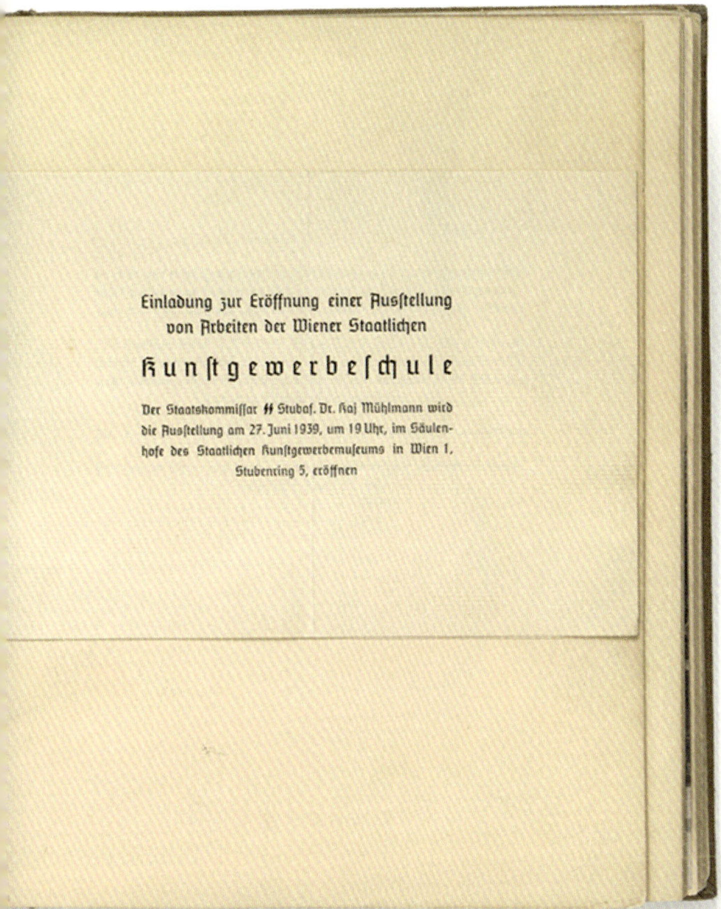

Emma Reif, Fachklasse Paul Kirnig, Fotografien und Dokumente in Album eingeklebt, um 1940, 30 × 38,5 cm, IN 15.346

unten: Foto Paul Kirnig und Schüler beim Ausstellungsaufbau »Arbeiten der graphischen Abteilungen der Reichshochschule für angewandte Kunst Wien« am 10. Juli 1942, Typoskript der Eröffnungsrede Kirnigs

Emma Reif

Plakatentwurf »Winter in Österreich«, 1950–1960, Gouache, 14,5 × 20,5 cm, IN 15.529/1

Plakatentwurf »7% Energieanleihe«, 1960, Gouache, IN 14.543/1

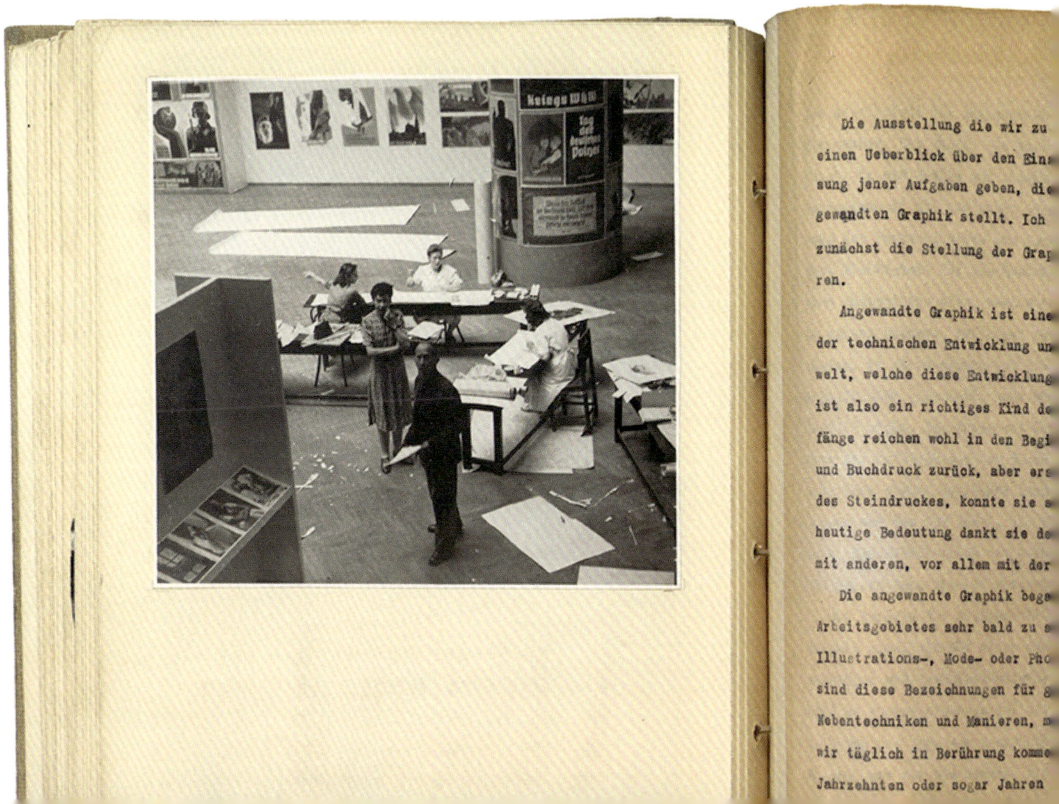

1 Eine aufschlussreiche Dokumentation der (prämierten) Plakate in Österreich von 1951 bis 1961 ist der Katalog »10 Jahre Plakatwertungsaktion des Kulturamtes der Stadt Wien«, Wien 1961.

2 Vgl. dazu ausführlicher: Emma Reif und das Atelier Der Kreis, Kern 2008, 188–201.

Ernst Insam, Plakat »Smart Export für Kluge« (Ausschnitt, S. 81), 1965

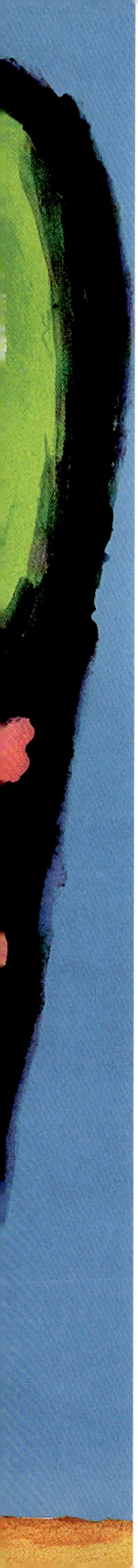

1945–1970
Brüche und Kontinuitäten

Susanne Storck-Rossmanit, Plakat »4 Jahre ERP Marshallplan«, 1952, Lithografie, 99,7 × 69,6 cm, IN 15.554/Pl

Paul Kohn, Plakat »Architektur der USA seit 1947«, 1952, Lithografie, 117,3 × 82,3 cm, IN 15.558

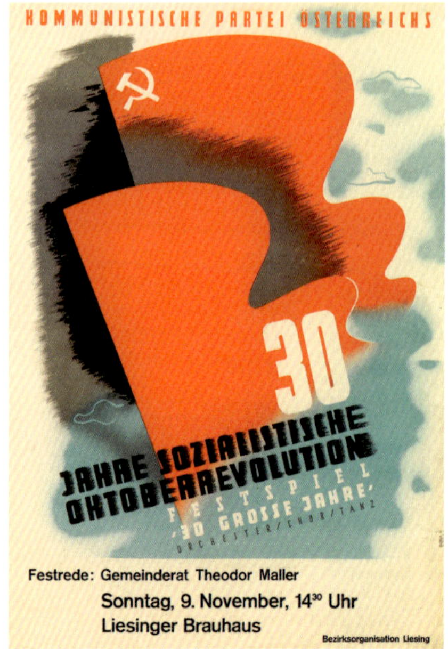

Unbekannt, Fachklasse Paul Kirnig, Plakat »30 Jahre Sozialistische Oktoberrevolution«, 1947, Lithografie, 84,1 × 59,6 cm, IN 15.549/Pl

Die Nachkriegszeit in Österreich war von materiellem Mangel geprägt, die Wirtschaftswerbung fand erst langsam wieder Auftraggeber. Die zahlreichen Plakatflächen in Wien, die auf Bauzäunen und Einfassungen der Bombentrichter errichtet wurden, boten anderen Anliegen Raum: der Repräsentation der alliierten Besatzungstruppen, nicht als militärische, sondern als künstlerisch/kulturelle Kraft – eine Möglichkeit, Wertvorstellungen und politische Ausrichtungen zu kommunizieren. Die Franzosen strebten eine »Désintoxication« (Entgiftung) der kulturellen Identität Österreichs und eine »Reéducation«[1] (Umerziehung) der Bewohner Österreichs an, auch die Briten konzentrierten sich auf die »Umerziehung der Erzieher«[2]. Die Sowjetunion formulierte die Errungenschaften und Vorteile einer sozialistischen Gesellschaft[3], etwa mit einem Theaterstück über die Kollektivwirtschaft oder beging – in Zusammenarbeit mit der Kommunistischen Partei Österreichs – feierlich 30 Jahre Oktober-

Unbekannt, Fachklasse Paul Kirnig, Plakatentwurf »Redoute der Akademie für angewandte Kunst«, 1950/51, Tempera, 84,3×60,6 cm, IN 9366/2

Unbekannt, Fachklasse Paul Kirnig, Plakatentwurf »Internationale Plakatausstellung 1948«, 1948, Tempera, 83,3×58,1 cm, IN 9344/22

revolution im Liesinger Brauhaus. Das Plakat dazu, der Schule Kirnig zugeschrieben, zelebriert die grafische »Stilisierung«, den dynamischen Flächenstil und die Diagonale der frühen 1920er und 30erJahre. Die USA – zuvor im Bewusstsein der Österreicher nicht unbedingt für große Kulturleistungen bekannt – konnten mit überlegenem Budget durch Ausstellungen und Jazzkonzerte, die sich großer Beliebtheit erfreuten, punkten. »Architektur der USA seit 1947« war eine solche Ausstellung, die das U.S.-Infomation Service gemeinsam mit der (nun) »Akademie für angewandte Kunst« im Museum für Kunst und Industrie 1952 ausrichtete, das preisgekrönte Plakat dazu wurde vom Kirnig-Schüler Paul Kohn (später Kern) gestaltet. Der Marshallplan, offiziell European Recovery Program (ERP) genannt, das wirtschaftliche Wiederaufbauprogramm der USA für Europa, wird von Susanne Storck-Rossmanit, Assistentin der Klasse Kirnig, durch das Verbindungsstück in einer Brücke zwischen Österreich und Europa symbolisiert.

1 Feigl 1999, 8.
2 Ebenda, 20.
3 Ebenda, 14.

Kurt Schwarz, Zeitschriftencover »Der Aufbau«, 1955, Lithografie, 31,5 × 23,2 cm, IN 10.503/98/Q

Rudolf Korunka, Plakat »Wie wohnt die Welt«, 1956, Offset, 83,7 × 59 cm, IN 15.556/Pl

»Brasilianische Architektur« war hingegen keine Alliierten-Veranstaltung, sondern eine Gemeinschaftsproduktion der Berufsvereinigungen der Architekten und bildenden Künstler Österreichs und fand in der Wiener Galerie Würthle statt, die ihre Plakate von Kurt Schwarz entwerfen ließ. Anspruchsvolle Zeichensprache, die optisches Abstraktionsvermögen fordert, zeichnet dieses Schlüsselwerk Schwarz' aus: Die brasilianische Flagge ist ihrer Farben beraubt und in dreidimensionale Beton-Elemente gewandelt. Eine abstrahierte Wendeltreppe im Hintergrund ist heute schwer zu entschlüsseln, die Doppelhelix-Struktur der Gene war 1954 noch nicht bekannt.

Rationale, konstruktivistische Formensprache findet sich auch in Rudolf Korunkas Plakat für die Architekturausstellung »Wie wohnt die Welt« (1956), Studentenarbeiten der Kirnig-Klasse zur Faschings-Redoute der Angewandten in Hübners Kursalon 1951 zeigen bereits den humorvoll-kindlichen Illustrationsstil, der die 1950er Jahre prägt.

Die »Internationale Plakatausstellung 1948«, deren hier gezeigter Plakatentwurf (S. 125) ebenfalls aus einem Wettbewerb unter Kirnig-

Kurt Schwarz, Plakat »Brasilianische Architektur«, 1954, Lithografie, 118,9×83,5 cm, IN Schw 59/4/Pl

Schülern stammt, war ein neuartiges und aufsehenerregendes Ereignis, war das Künstlerhaus doch bisher nur Werken der bildende Kunst vorbehalten. Rund 2000 Plakate aus achtzehn Ländern Europas zeigten die unterschiedlichen Entwicklungen des zu dieser Zeit wichtigsten Mediums der visuellen Kommunikation und erregten großes Interesse bei Bevölkerung und Presse. Der Rahmen der Ausstellung war eine Innovation des großen Grafikers und Ausstellungsgestalters Victor Th. Slama, der zahlreiche Großausstellungen der Nachkriegszeit grafisch betreute und oft auch kuratierte. Er legte eine »Galerie der Straße« um das Künstlerhaus, die Ausstellung begann schon vor dem Haus und zog das Publikum förmlich hinein. Auch die Eröffnung war ein Novum: man »verzichtete auf die ausgesiebten Adabeis«, sondern inszenierte eine für »Durchschnittsplakatanschauer« – also alle – zugängliche Eröffnung, die Leute wurden mittels Blasmusikkapelle auf dem Karlsplatz aufmerksam gemacht. Die Ausstellung wurde zum größten Publikumserfolg der Wiener Nachkriegszeit.[4] (AK)

4 Vgl. Kern 2008, 121–124, 140–141.

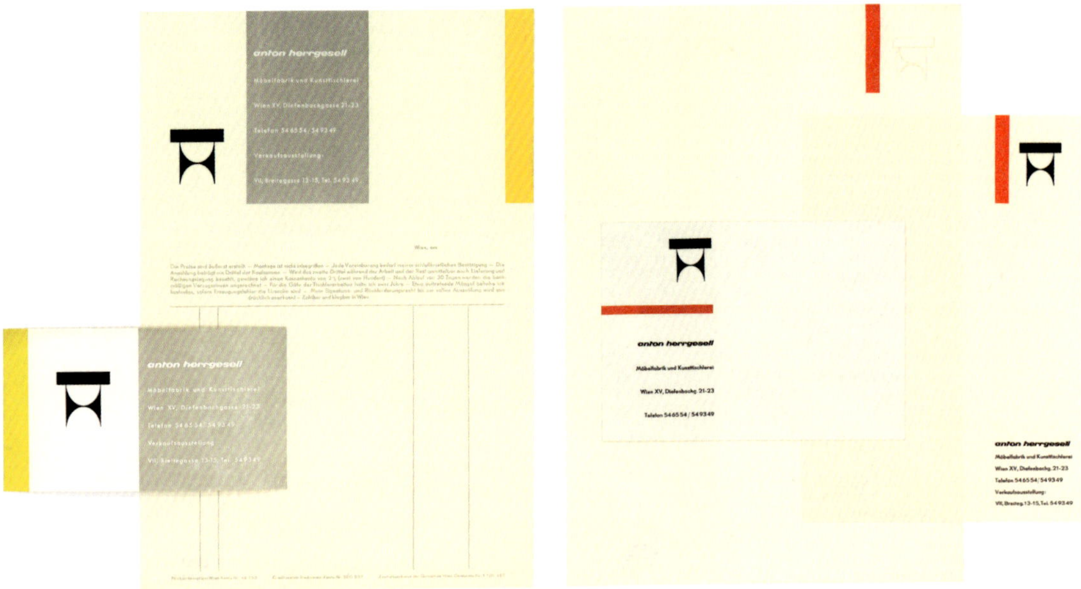

Kurt Schwarz

Geschäftspapiere Fa. Anton Herrgesell, 1958, IN 10.503/37–42/Q

Geschäftspapiere Kurt Steinwendner Filmproduktion, 1957, IN 10.503/20/100/101/Q

»Geschäftsdrucksorten, also Briefpapiere, Kuverts, Visitenkarten, Rechnungsformulare, Empfehlungskarten und vieles mehr, die der Kommunikation des Unternehmens mit seinen Kunden dienen, viel mehr aber noch der Selbstdarstellung, sind grafische Dokumente, die selten archiviert wurden. (…) Sie [Nachlässe von Entwerfern und Firmenarchive] werden weder von ihren Schöpfern noch von ihrer Nachwelt in ihrer ganzen Komplexität ernst genommen, geschweige denn für die Nachwelt erhalten.«[1]

Alle Teile des Corporate Designs (des Erscheinungsbildes des Unternehmens), zur Zeit der beschriebenen Objekte noch »Stil« genannt, haben einer gestalterischen Linie zu folgen und so als zusammengehörend erkennbar zu sein. Das Herzstück dieses Corporate Designs ist das Logo, Signet oder Firmenzeichen, flankiert von einer (oder mehreren) Farbe(n) oder grafischen Elementen, sogenannten sekundären Stilelementen, die zusätzlich eingesetzt werden.

Kurt Schwarz, der zahlreiche Kunden aus dem »Kulturbetrieb« betreute, archivierte seine Arbeiten für diese Unternehmen selbst und übergab sie der Sammlung Angewandte. So sind hier das Informationsblatt des legendären Art Clubs (S. 131) oder ein mehrteiliges Werbegeschenk der Druckerei Rosenbaum zu sehen.

Für Kurt Steinwendner alias Curt Stenvert (1920–1992), Objektkünstler der 1950er und 60er Jahre, der als Filmemacher von Avantgardeklassikern des heimischen

Kurt Schwarz, Weihnachtsgeschenk der Druckerei Rosenbaum, 1963, IN 10.503/Q/4/12/30

1 Witt-Dörring 2006, 10.
2 Bauer 2008.

Nachkriegskinos bekannt wurde, entwarf Schwarz die Geschäftsdrucksorten seiner Filmproduktion.

Die Möbelfabrik und Kunsttischlerei Anton Herrgesell, die sich mit einem geometrisch-abstrakten Signum, einem Schriftzug in konstruktivistischer Kleinschreibung und den sparsam eingesetzten Grundfarben Rot und Gelb darstellt, ist jene Wiener Tischlerei, die seit Ende des 19. Jahrhunderts 95 Jahre lang auf dem Markt präsent war und unter der künstlerischen Leitung des Architekten Moritz (auch Mauritius) Herrgesell, einem Schüler Josef Hoffmanns an der Kunstgewerbeschule, seine Hochblüte erlebte. Das Unternehmen verkaufte nicht nur Einzelanfertigungen im Geiste der Wiener Werkstätte, sondern erzeugte sachlich-reduzierte, lange haltbare Modulmöbel in Serie, wie sie Walter Gropius für den sozialen Wohnbau geplant hatte.[2]

Die Druckerei der Brüder Rosenbaum, für die Schwarz neben dem grafischen Erscheinungsbild auch das Weihnachtsgeschenk 1963 entwarf, war eine der bedeutendesten Druckereien der Zwischen- und Nachkriegszeit in Österreich. Sie wurde von Heinrich und Ignaz Rosenbaum 1883 gegründet und war eine der ersten Druckereien, die – wie Hollerbaum & Schmidt in Berlin – ein eigenes Entwurfsatelier hatten. Sie druckte Plakate der Secessionisten und Postkarten der Wiener Werkstätte. Die ausgestellten Drucksorten tragen die Handschrift der frühen 1960er Jahre. (AK)

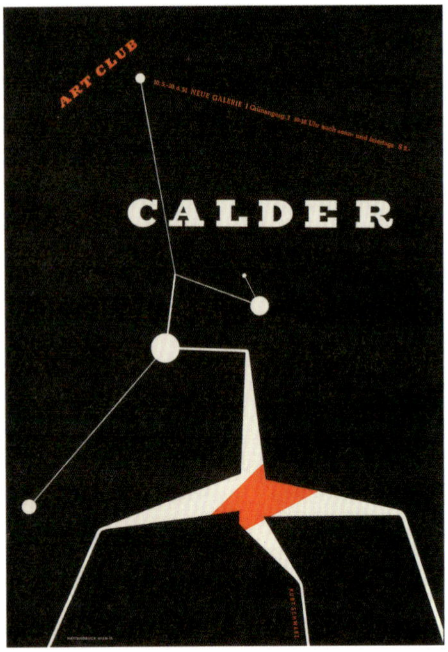

Kurt Schwarz, Plakat »Art Club, Calder«, 1951, Siebdruck, 83,5×59,3 cm, IN 9150/2/Pl

Kurt Schwarz, Plakat »Art Club, Graphik – Skulptur«, 1949, Offset, 83,5×59,3 cm, IN Schw 49/2/Pl

Kurt Schwarz, Plakat »Kurt Steinwendner zeigt Montagen«, 1963, 83,8×58,9 cm, IN Schw 63/1/Pl

Knapp zwei Jahre nach der Gründung in Rom formierte sich 1947 in Österreich eine Sektion des Art Club, der sich bald zu einem »hot spot« der jungen Kunstszene entwickelte.[1] Hier suchte und fand man in dem (nicht erst durch die NS-Diktatur produzierten) konservativen Kulturklima wieder den internationalen Anschluss und Austausch (Stichwort: Paris). Noch vor der Eröffnung des legendären Wiener Vereinslokals Strohkoffer fanden an verschiedenen Orten Ausstellungen statt, für die Kurt Schwarz wiederholt Plakate entwarf.

Schwarz, 1954–1987 Professor für Gebrauchsgrafik an der Angewandten, arbeitete vorwiegend für Kulturinstitutionen und prägte deren Erscheinungsbild gerade in der frühen Nachkriegszeit nachhaltig mit seiner Plakatkunst. Wesentliche Elemente der ausgestellten Kunst werden zitathaft vor oft neutral-schwarzen Grund gesetzt: so spannt sich ein Caldersches Mobile fragil in die bezugsfreie Fläche, wird eine an Francisco de Goya gemahnende Figur von Kurt Moldovan oder eine von Schwarz erweiterte, surreale »Montage« Steinwendners platziert. Der Text wird zum Zwillingswesen, das informiert und zugleich zum Bild(auf)bau eingesetzt wird.

Schwarz war auch »Hausgrafiker« der Wiener Galerie Würthle, die 1953–1964 von Fritz Wotruba geleitet wurde und oftmals das Fehlen eines Museums des 20. Jahrhunderts[2] kompensierte. Durch Wotrubas internationale Kontakte wurden auch »Klassiker der Moderne« gezeigt, wie in der »Léger Gromaire Villon Kupka«-Ausstellung, die zeitgleich zur Staatsvertragsunterzeichnung im Mai 1955 stattfand. In der Presse wurde Schwarz' Arbeit für Plakat und Katalog gelobt, die ohne Anbiederung die primäre Farb- und tektonische Formensprache Fernand Légers paraphrasierte.[3] (BR)

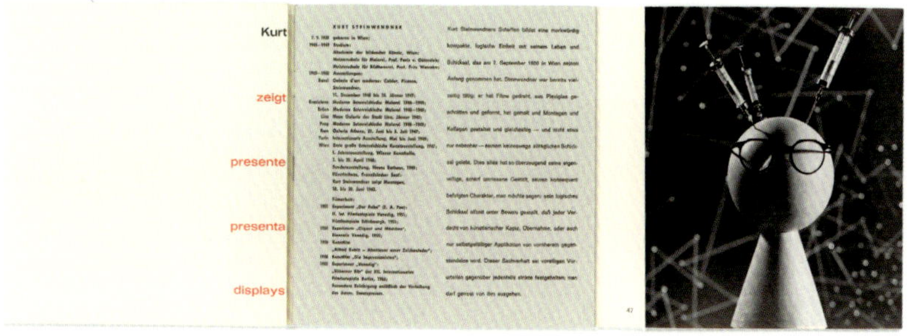

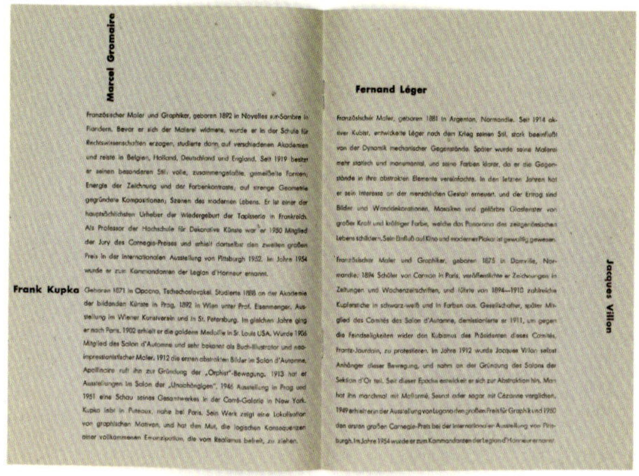

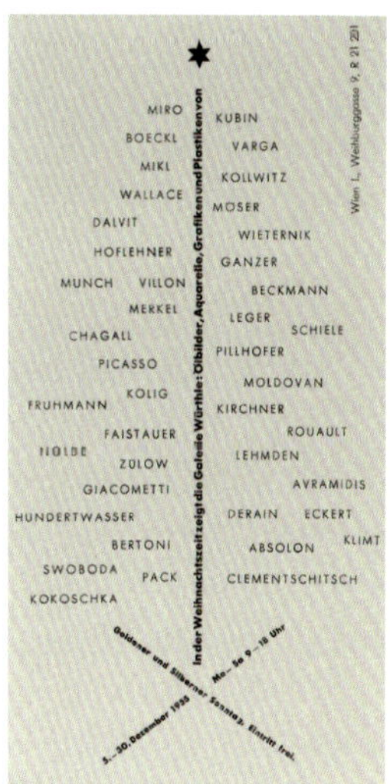

Kurt Schwarz

Folder »Kurt Steinwendner«, 1993, IN 10.503/17/Q

Programmheft »Galerie Würthle Kupka, Léger, Villon, Gromaire«, 1955, IN 10.503/25/Q

Einladungskarte »Galerie Würthle Weihnachtsausstellung 1955«, 1955, IN 10.503/11/8/Q

Briefpapier, »Art Club«, um 1948, 29,5×21 cm, IN 13.992/Q

1 Vgl. Art Club 2003; Habarta 1996, 98–130.

2 Das Museum des 20. Jahrhunderts in Wien, Vorgänger des heutigen MUMOK, wurde erst 1962 eröffnet.

3 »Der von Kurt Schwarz entworfene Katalog entspricht einer klaren und monumentalen Sprache, wie sie vor allem die Bilder von Ferdinand Léger (geboren 1861) vertreten.«, aus: Die Presse, 19.05.1955, in: Reinhold 2003, 270.

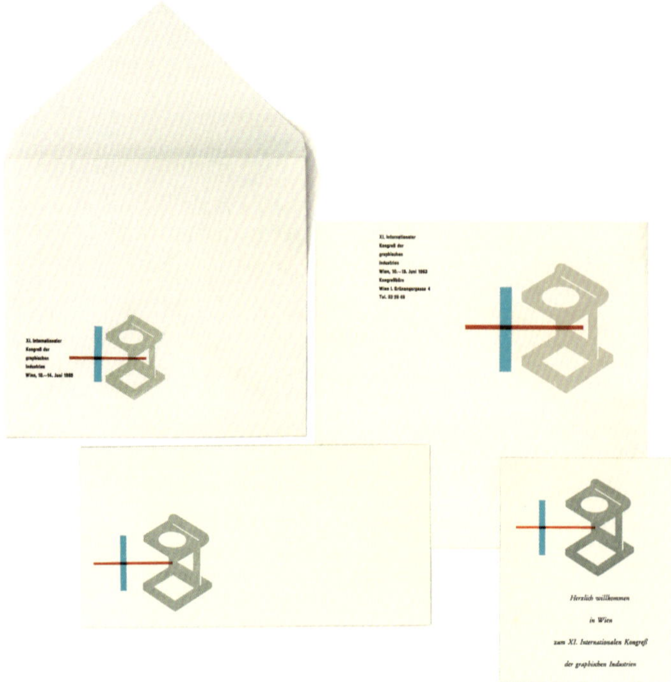

Kurt Schwarz

Plakat »XIth International Congress of Master Printers«, 1963, 83,9×58,9 cm, IN Schw 63/2/Pl

Geschäftspapiere, IN 10.503/28–32/Q

Walter Rauchberger, Prospekt »Musikalische Jugend«, 1955, 21×10,5 cm, IN 10.503/17/Q

Unbekannt, Meisterklasse Kurt Schwarz, Prospekt »Jeunesses Musicales«, 21×10,5 cm, IN 10.503/17/Q

Kurt Schwarz schloss mit seiner Technik, Fotografie in die Gebrauchsgrafik einzubinden, als einer der ersten an die Bauhaus-Tradition der 1930er Jahre an. Als Sohn eines bekannten Amateurfotografen begann er schon früh, sich für Fotografie zu interessieren, arbeitete nach seinem Studium ab 1938 im großen Fotostudio »Wähle Dein Bild« in der Wiener Kärntnerstraße als Retuscheur, studierte und karikierte auch die Kunden, die ins Geschäft kamen. Schwarz' grafisches Werk oszilliert zwischen Ernsthaftigkeit, Intellektualität, malerischer Kraft und humoristischer, karikaturenhafter Illustration.

Die Kommunikationsmittel für den »XI. Internationalen Kongress der Graphischen Industrien« im Juni 1963 in Wien thematisieren die Entwicklung der Drucktechnik vom künstlerischen Stahlstich (Wien-Vedute aus dem 18. Jahrhundert) bis zum Offsetdruck (eine überdimensionale Silhouette einer Rasterlupe).

1 Kern 2008, 184.

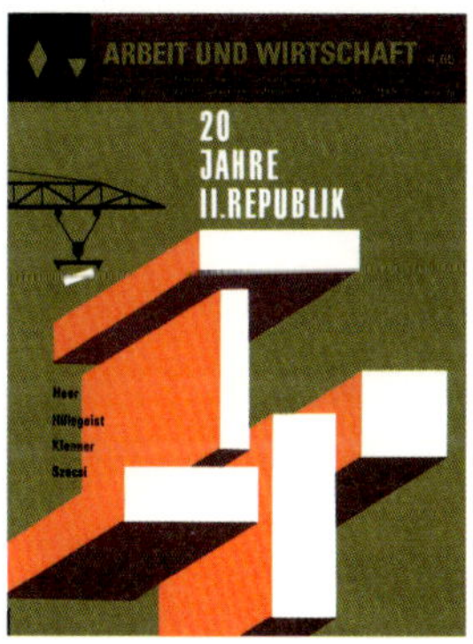

Kurt Schwarz

Inserat »Gebrüder Müller«, IN 10.503/17/Q

Buchumschlag »Reich im Mond«, 1957, IN 9168/4

Zeitschriftencovers »Arbeit und Wirtschaft« 6/64, 30×44 cm, IN 13.999/4, und »Arbeit und Wirtschaft« 4/65, IN 10.503/Q/78

Eines der großen Aufgabengebiete Kurt Schwarz', der fast ausschließlich für den Kunst/Kulturbetrieb arbeitete, waren Buchumschläge, deren es für die zahlreichen österreichischen Verlage, die es nach dem Zweiten Weltkrieg bis in die 1960er Jahre gab, zahllose zu gestalten gab. Vom Verlag der Brüder Rosenbaum über Herder, Styria, Brüder Holinek, Weg-Verlag, Herold, Büchergilde Gutenberg, Hunna bis zum Wollzeilen-Verlag entwarf Schwarz vorwiegend illustrierte Schutzumschläge für die durchwegs leinengebundenen Bücher. Der »Stoff, das spirituelle Gewebe des Buches«, sollte vom Grafiker »in überzeugende Symbole konzentriert« werden und nicht die nächste Parkidylle vor Landschloss auf den Umschlag gedruckt werden, forderte Kurt Moldovan, Illustrator und Kritiker der zeitgenössischen Grafik.[1] Schwarz' Umschläge wie der für den Roman »Reich im Mond« (1957) wurden dieser Forderung gerecht. Mit seiner neuentwickelten Technik bewegter Lichtquellen, die das Fotopapier direkt belichten, erzeugte er grafische Strukturen, die an die heutigen CAD-Grafiken der Architektur-Zeichenprogramme erinnern und kosmische Atmosphäre schaffen.

Die Titel der *Arbeit und Wirtschaft,* der Zeitung der Gewerkschaft, die Schwarz zwischen 1964 und 1970 illustrierte, sprechen eine humorvolle, illustrative Spache, die stets einen kritischen Blick auf die Arbeitswelt wirft.

Die Illustrationen wie etwa die für »Erwartungen und Entwicklungen« (Nummer 4/1970), in der ein Mann mit verbunden Augen auf einer Rasierklinge balanciert, haben nichts an Aktualität verloren. (S. 25)

Ein flächig roter Entwurf für den Gebrüder Müller Eisenhandel zeigt einen aus Schrauben und Muttern zusammengesetzten laufenden Vogel, der bereits die Formensprache der 1960er Jahre-Objektkunst spricht, die schließlich auch in die Werbung Eingang fand. (AK)

Unbekannt, Meisterklasse Kurt Schwarz, Plakatentwurf Rockmusical »Tut was ihr wollt«, 1971, Collage, 84,3×59,1 cm, IN 9357/4

Unbekannt, Meisterklasse Kurt Schwarz, Plakatentwurf »Überleben?«, 1973, Aquarell, 84×59,6 cm, IN 9359/5

Die Studenten der Meisterklasse Kurt Schwarz der 1960er und 70er Jahre arbeiteten in einer Atmosphäre, die noch den Geist der 1950er Jahre atmete. Die gesellschaftlichen Strömungen der Anti-Establishment-Bewegungen der USA, Deutschlands oder Frankreichs waren im österreichischen Grafikdesign noch nicht angekommen.

Anders in der Architektur, wo ab 1965 spielerische Experimente, utopische Konzepte, Performances oder Aktionen – abseits von industrieller Verwertbarkeit – als »Austrian Phenomenon« international Beachtung erlangten oder in der bildenden Kunst, in der der Wiener Aktionismus vehementen Widerstand des Staates und der Mehrheit der Bevölkerung erzeugte, was einen regelrechten Exodus österreichischer Künstler nach Deutschland zur Folge hatte. Der Begriff der »Entarteten Kunst« tauchte im Zusammenhang mit dem nackten Körper wieder auf, Künstler wurden verurteilt, Publikationen verboten: »Nachwirkungen der NS-Kultur«, wie die Kunsthistorikerin Gabriele Koller sie ortet.[1]

Diese Gegensätze machen sich in mancher Studentenarbeit der Zeit bemerkbar. Wettbewerbe zu Themen wie Umwelt oder Rockmusik sollen dem »Zeitgeist« gerecht werden, verharren formal jedoch in alten Mustern. (AK)

Martina Schmid, Coverentwurf »Print«, 1969, Collage, 29,4×22,8 cm, IN 15.559

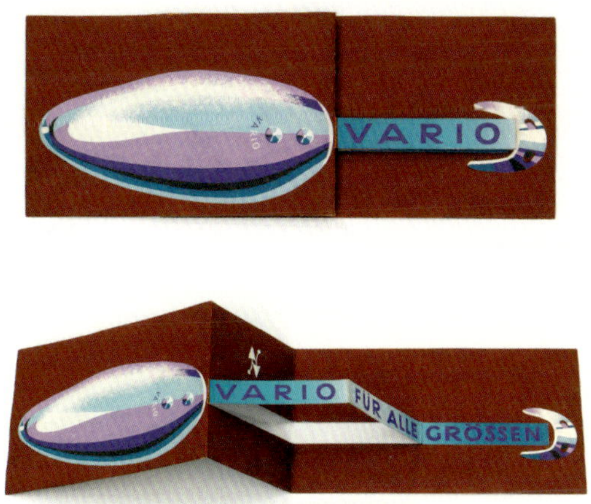

Unbekannt, Meisterklasse Kurt Schwarz, Werbeprospektentwurf »Vario«, 1961/62, Collage, 10,5×44,5 cm, IN 15.548

1 Koller 1987, 102.

Günter Brus, »Patent Merde«, 1969, Fotografie, Hektografie, Siebdruck, 30×21,5 cm, IN 983/Q

Günter Brus, »Die Schastrommel 2«, 1970, Fotokopie, Hektografie, Siebdruck, 29,8×21,5 cm, IN 4725/Q/1

Günter Brus, »Die Schastrommel 8c«, 1972, Fotokopie, Siebdruck, 29,5×21 cm, IN 4725/Q/9

Am 7. Juni 1968 fand im Hörsaal 1 des Neuen Institutsgebäudes der Universität Wien die am meisten beachtete und folgenreichste Veranstaltung der Wiener Aktionisten statt. Im Rahmen der vom SÖS[1] organisierten Aktion »Kunst und Revolution« schnitt sich Günter Brus mit einer Rasierklinge in den Oberschenkel, urinierte, defäkierte, beschmierte sich mit Exkrementen und sang dabei die österreichische Bundeshymne. Während das studentische Publikum der Aktion eher gelassen gegenüber stand, erklärte die Boulevardpresse in den folgenden Wochen Brus zum »meistgehassten Österreicher«[2] und erzeugte mit Hetzkampagnen eine pogromartige Stimmung. Der Medienforderung nach einer sofortigen Verhaftung der so genannten »Uni-Ferkel« wurde in Form einer gerichtlichen Verurteilung von Otto Mühl zu vier Wochen und Günter Brus zur Höchststrafe von sechs Monaten strengem Arrest nachgekommen.

In den darauf folgenden Monaten entwickelte Brus die künstlerische Strategie, mit Hilfe von Publikationen an die Öffentlichkeit zu treten[3].

Günter Brus, »Patent Merde«, Innenseite, 1969, Hektografie, Siebdruck, 30 × 21,5 cm, IN 983/Q

Günter Brus, Otto Mühl, u.a., Plakat »Kunst und Revolution«, 1968, Siebdruck, 100,4 × 70 cm, IN 10.482/Pl

Die beiden Hefte »Patent Merde« und »Patent Urinoir« stellen den Versuch dar, über eine Zusammenstellung von Anklageschrift, Zeugenvernehmung, Stellungnahmen des SÖS, Hetzartikel der Boulevardpresse und künstlerische Stellungnahmen die Uni-Aktion und die darauf folgenden Repressionen aufzuarbeiten. Dabei sind diese Künstler-Bücher mit Siebdrucken, eingeklebten Fotografien und hektografierten Zeichnungen in ihrer collageartigen Zusammenstellung nicht nur interessante Zeitzeugen, sondern bilden den ersten Schritt zur Entwicklung der späteren Bild-Dichtungen.

Nach Ablehnung der Berufung gegen das Gerichtsurteil im Februar 1969 flüchtete Günter Brus nach Berlin. Dort gründete er gemeinsam mit Gerhard Rühm und Oswald Wiener die »österreichische Exilregierung« und deren Publikationsorgan »Die Schastrommel«. Sie erschien von 1969 bis 1977 in 17 Ausgaben[4] und entwickelte sich mit zahlreichen Beiträgen prominenter Künstler zu einem zentralen Forum der österreichischen Exilavantgarde.[5] (RS)

1 Sozialistischer Österreichischer Studentenverband.
2 Faber 2003, 81.
3 Ebenda, 81.
4 Von 1975 bis 1977 werden Ausgaben 13 bis 17 in »Die Drossel« umbenannt.
5 Faber 2003, 82.

Georg Schmid, Plakat »Bezirksblätter«, Liesing, 1972, 81×59 cm, IN 15.881/23

Georg Schmid, Plakat »Bezirksblätter«, Wieden, 1972, 81×59 cm, IN 15.881/4

Georg Schmid, Plakat »Bezirksblätter«, Meidling, 1972, 81×59 cm, IN 15.881/12

Georg Schmid (1927–1998) und Epi Schlüsselberger (*1927), er Absolvent der Architekturklasse Oswald Haerdtls, sie Allrounderin, ausgebildet in der Bühnenbild-Klasse Otto Niedermosers und Hertha von Larischs Schriftklasse, von Malereiunterricht in Paris bei Léger und Lhote bis zur Setzerlehre in der deutschen Druckerei Klingspor, sind ein Künstlerpaar der 1950er bis 1980er. Sie waren geprägt durch internationale Illustrations-Phänomene wie Milton Glaser oder Heinz Edelmann und prägten ihrerseits die österreichische Illustration der 1960er und 70er Jahre – und damit das Grafikdesign, war doch die Illustration wichtigstes Gestaltungsmittel.

Die Serie Schmids für die 23 Wiener Bezirke, die sogenannten »Bezirksblätter«, als Plakate und Karten gedruckt, ist eine philantropische Hommage an die Stadt und ein eindrucksvolles Beispiel »österreichischer Pop-Art«: die Sujets, die charakteristische Plätze des jeweiligen Bezirkes zeigen, sind farbenprächtig und mit Verve aufs Papier gesetzt. Sie vermitteln große Sympathie für eine Stadt, die man nie grüner gesehen hat: Schmid war ein Meister der Farbe Grün, der Maler wie Grafiker gerne ausweichen[1].

Georg Schmid, Plakat, »pro wien«-Kampagne, 1975, 84,1 × 59,4, IN 15.907/Pl

Georg Schmid, Plakate Steirische Landtagswahl, um 1980, 42 × 59,5 cm, IN 15.882/1/Pl und IN 15.882/2/Pl

Das prädestinierte ihn auch für die Arbeit für die »grüne Steiermark«, für deren Landeshauptmann Josef Krainer er zahlreiche Wahlkampagnen entwarf, die in der zweiten Hälfte des 20. Jahrhunderts formal wie inhaltlich völlige Alleinstellung genießen. Auch die »Bunter Vogel«-Kampagne für die Wiener ÖVP zur Bürgermeisterwahl 1975, die wahrscheinlich zu den bekanntesten Arbeiten Schmids zählen, arbeitete mit phantasie- und kraftvoller Illustration, die Inhalte besser kommuniziert als jedes fotografierte Politikerkonterfei es je könnte.

Durch Zufall hatte es sich ergeben, daß Georg Schmid, Enkel eines der Gründer der Sozialistischen Partei Österreichs mit jüdischem Background, zum erfolgreichen visuellen Kommunikator der christlichsozialen Volkspartei dieser Ära wurde. Auch andere Parteien, SPÖ und SPD, wollten die Dienste Schmids in Anspruch nehmen, was dieser – im Gegensatz zu seinem Vorgänger Victor Theodor Slama, der 1923 für drei Parteien gleichzeitig warb – ablehnte.

Schmid und Schlüsselberger arbeiteten oft parallel oder hintereinander an derselben Aufgabe, beider Arbeiten sind stilistisch schwer zu unterscheiden. Trotzdem wurde meist von Schmid signiert. (AK)

1 Hans Haider in der Eröffnungsrede anläßlich einer Georg Schmid-Gedächtnisausstellung am 16. 10. 2003 in der Wiener Atelierwohnung Schmids, zit. n. Kern 2008, 267.

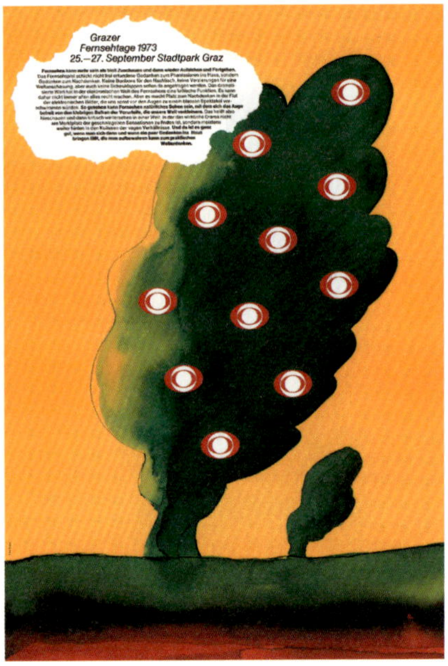

Tino Erben, Grazer Fernsehtage, 1973, 84×59 cm, IN Erben 73/1/Pl

Tino Erben, Svoboda, 1975, 83,5×59 cm, IN Erben 73/1/Pl

Tino Erben, Jacques Callot, 1968/69, 84×59 cm, Erben 68/1/Pl

Tino Erben (*1933), Absolvent der freien Grafikklasse von Franz Herberth, schien Kurt Schwarz als *den* »Kunst/Kultur-Grafiker« in den 1970er Jahren abzulösen. Mit seinem »ironischen Minimalismus«, einer humorvollen, auch selbstkritischen Art der Illustration, die oft ganz ohne Text auskommt, steht Erben für das konzeptbasierte Grafikdesign, das manchmal nur durch Änderung des Bildausschnittes, des Blickwinkels, der Perspektive, Aussage erzeugt. Erben war mit der Künstlerszene seiner Zeit verbunden, mit Malern, Musikern, Architekten, generierte aus diesen Kontakten Kenntnisse, Inspiration und Aufträge. Walter Koschatzky ließ den jungen Erben Plakate für die Ausstellungen der Albertina entwerfen (die noch »in fester Hand« der vorangegangenen Generation um Hans Fabigan war), Wilhelm Holzbauer lud ihn schließlich zu der Arbeit, die wohl Erbens bekannteste ist: das visuelle Leitsystem der Wiener U-Bahn, das bis heute unverändert in Verwendung ist.

Für die Albertina-Ausstellungsplakate setzte er ungewöhnliche Bildausschnitte der Kunstwerke ein oder hinterlegte die Grafiken mit starken Farben, so wie bei Jacques Callot, eine Innovation in 1968.

Tino Erben, Plakat »Section N. Geschenkideen«, 1983, Offset, 84×59 cm, IN Erben 83/1/Pl

Für das Designermöbelgeschäft Section N (vgl. auch S. 28) wurden kleine Bleistiftskizzen zu Plakaten vergrößert, was die Materialität von Graphitzeichnung auf Papier sichtbar machte. Der illustrative Einfluß des amerikanischen Zeichners Saul Steinberg (The New Yorker, 1960), »der sogar Landschaften karikierte« (Tino Erben), wird spürbar, wenn Erben den berühmten Drehstuhl LC7 aus durchlöchertem Käse zeichnet, um darauf hinzuweisen, daß Le Corbusier Schweizer war – und Käse zur Ausstellungseröffnung gereicht wird.

Als Professor für Grafikdesign von 1988 bis 2001, stellte er in den 1980er Jahren die Weichen für die Neuorientierung der visuellen Kommunikation an Österreichs wichtigster Ausbildungsstätte für dieses Fach. Seine Lehre war das »denkende Gestalten«, das eher Reibungspunkte sucht als Harmonie. Mit Studienreisen u.a. nach Holland und mit der Einladung an Walter Bohatsch zum Unterricht in »Experimenteller und computerunterstützter Typographie« (der schließlich mit 50 Jahren Verspätung die Schweizer Prinzipien der Grafik nach Österreich brachte), ebnete er den Weg für die Generation, die heute die österreichische Grafikdesignlandschaft dominiert. (AK)

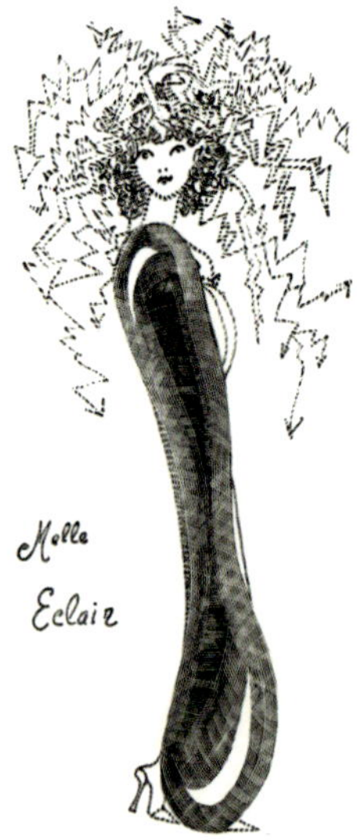

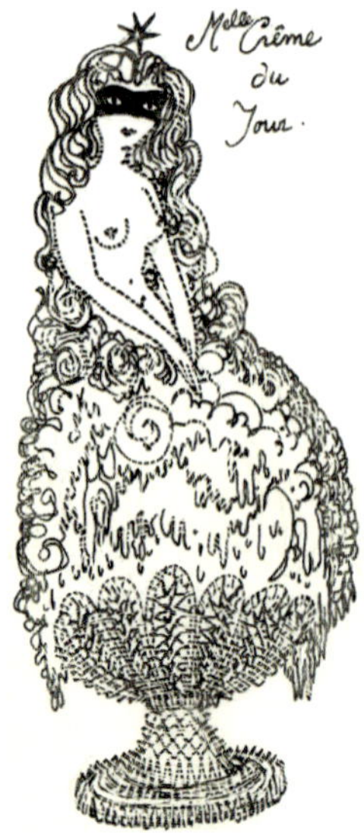

Friedrich von Berzeviczy-Pallavicini

Signet »Conditorei Ch. Demel's Söhne«, o. J., IN 10.912/1–26

Illustrationen:
Melle Eclair, 1976, Tusche, IN 5208/21

Herr von Stanitzl, 1976, Tusche, IN 5207/15

Melle Crême du Jour, 1976, Tusche, IN 5207/10

Frau Kugelhüpf, 1976, Tusche, IN 5206/24

Monsieur Fondant, 1976, Tusche, IN 5206/9

Friedrich Berzeviczy-Pallavicini bekam 1923 den Auftrag – über Vermittlung seiner Lehrer an der Wiener Kunstgewerbeschule, Josef Hoffmann und Eduard Josef Wimmer-Wisgrill – die Verpackungen der (ehemals) k.k. Hofzuckerbäckerei Demel neu zu gestalten. Wenig später heiratete er die Junior-Besitzerin Klàra Demel und übernahm 1965 – nach jahrzehntelangen Zwischenstationen in Italien und New York, wo er für bekannte Lifestyle-Magazine und für die Kosmetikfirmen Elizabeth Arden und Helena Rubinstein arbeitete – selbst die Traditionskonditorei am Wiener Kohlmarkt. Nicht zuletzt mit außergewöhnlichen Schaufenstergestaltungen (»Theater auf der Straße«)[1] versuchte er einen Relaunch des Demel und seines etwas altmodischen Charmes. Schon in den 1930er Jahren entwickelte er komplizierte Verpackungen, die auch von den Zeitgenossen als kleine Kunstwerke angesehen wurden. Ihre grafische Gestaltung reicht von komplexen geometrischen oder floralen Mustern bis hin zu üppig illustrierten figuralen Darstellungen, die oft verspielt-charmant Wien-Klischees bedienen. Entgegen dem vielzitierten Motto der internationalen Moderne (»Less is More«), war Berzeviczy ein Künstler des »More is More«. Seine reiche Formensprache kann als typisch »österreichisch« respektive »wienerisch« bezeichnet werden. Erinnern seine figurativen Arbeiten, etwa in einem späten Demel-Erinnerungsbuch 1976[2], an Fritz von Herzmanovsky-Orlando (ohne dessen absurd-surrealistische Tendenz aufzugreifen), so sind sie durchaus im Sinne einer modernen Rokoko-Rezeption zu verstehen. Diese verbinden sich im Nicht-figurativen mit dem »österreichischen Phänomen der Gefühlsabstraktion«.[3]

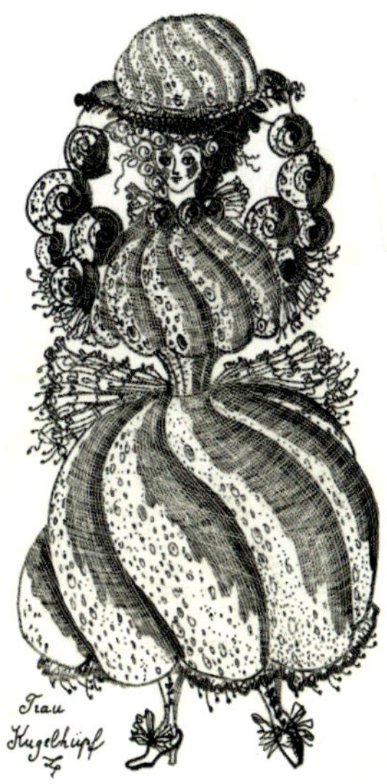

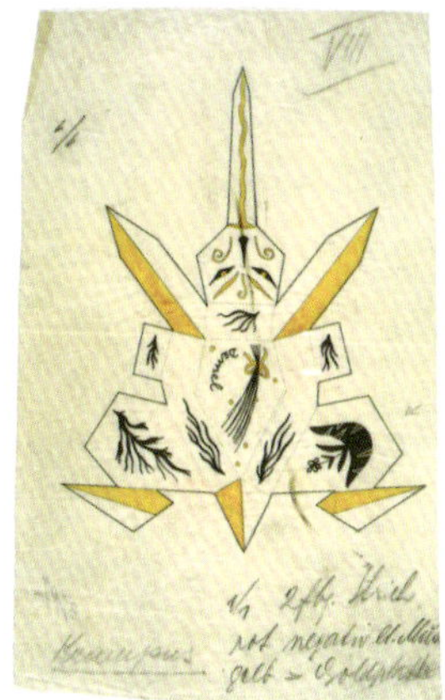

Friedrich von Berzeviczy-Pallavicini

Entwurf Bonbonverpackung »Krampus«, 1932, IN 5098

Bonbonverpackung »Krampus« 1932, IN 10.912/7

Bonbonsäckchen in Rot-Weiß und Grün-Weiß 1933, IN 10.911/16 und IN 10.911/17

Bonbonpapier, Geometrisches Muster in Rot-Weiß und Schwarz-Weiß, 1934, IN 10.911

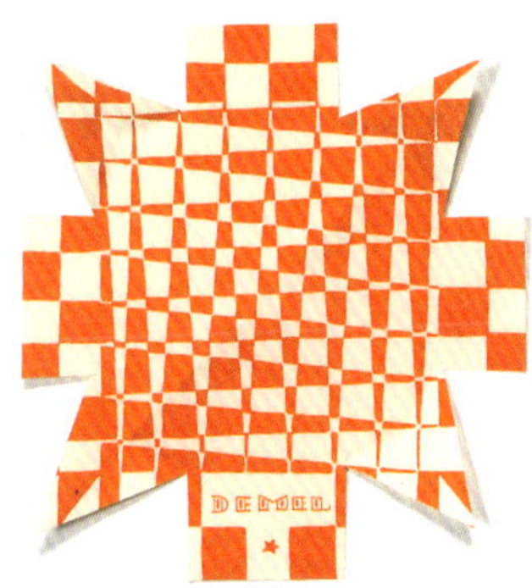

1 Patka 1988, 16.
2 Vgl. Demel 1976.
3 Zit. Oswald Oberhuber, Holzbauer 1988, 5.

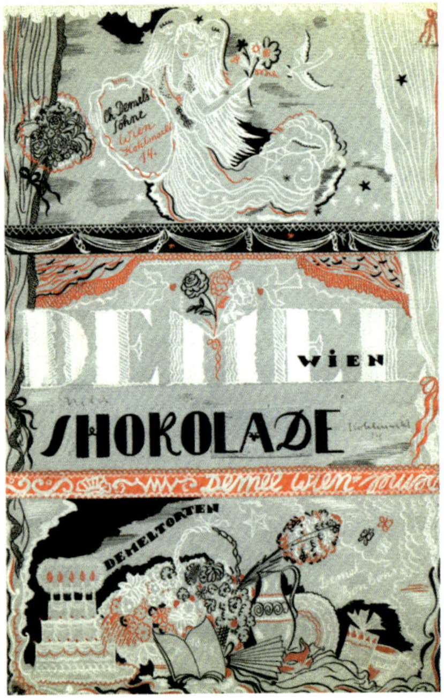

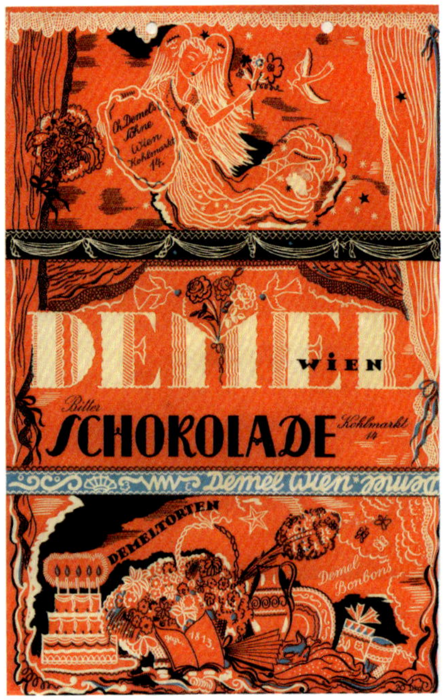

Friedrich von Berzeviczy-Pallavicini

Entwurf für Schokoladeverpackung, 1932, Tempera, Tusche auf blau-grauem Karton, 30,5×19,8 cm, IN 5041

Schokoladeverpackung Demel Wien, 1932, Druck auf Papier, 30,5×19,8 cm, IN 10.912/5

Schokoladeverpackung Demel Wien, 1932, Druck auf Papier, 30,5×19,8 cm, IN 10.912/4

Bonbonniereschachtel in Rot-Weiß, 1933, IN 5007/0

Verpackungspapier für Bonbons, 1931, Druck auf Papier, ø 10,2 cm, IN 10.911/15

Studierende der Klasse für Grafik und Werbung Walter Lürzer, Entwürfe für Verpackungsmaterial für Demel, 2003/04, Leihgabe Klasse für Grafik und Werbung Walter Lürzer

Der Demel war schon in Berzeviczys Frühzeit ein lebendes Fossil der k.k.-Monarchie, ein liebgewonnener Anachronismus, der aus der touristischen Wien-Rezeption nicht wegzudenken ist. 2003 griff die Klasse Grafik und Werbung der Angewandten unter Walter Lürzer das Thema »Demel« auf, dessen Image für ein »junges, zahlungskräftiges Publikum« mit erstklassigen Verpackungen für Luxuspatisserie attraktiv werden sollte. Viele der Studierenden haben sich dabei von der phantasiereichen Design-Geschichte des Demel inspirieren lassen. (BR)

Mladen Penev, Borjana Ventzislavova, Miroslav Nicic, Plakatentwurf »Tabula rasa« (Ausschnitt, S. 171), 2004

Die 1980er Jahre – »Kunst und Kommerz«

Unbekannt, Plakat »Der Schmutz. Vom Mythos der Sauberkeit zur Verschmutzung der Welt, 6. Internationales Darmstädter Werkbundgespräch«, 1980, Offset, 59×41,5 cm, IN GA 6/80/2/Pl

Josef Ramaseder, Plakat »Seminar 1980 Anti-Konsumplakat«, 1980, Siebdruck, 84×59 cm, IN GA 5/80/4/Pl

1972 veröffentlichte der Club of Rome die von ihm in Auftrag gegebene Studie »Die Grenzen des Wachstums«, die sich mit der zukünftigen globalen Wirkung von Industrialisierung, Bevölkerungswachstum, Unterernährung, Ausbeutung von Rohstoffreserven und Zerstörung von Lebensraum befasste. Das wissenschaftlich kalkulierte Endzeitszenario fand weltweit große Resonanz. Im Jahr darauf folgte die Ölkrise, die in den westlichen Industrieländern eine Rezession auslöste. In einer weltweiten Schockwelle breitete sich die Krisenstimmung aus und setzte einen langsamen (retrospektiv gesehen leider nur kurzfristigen) Nachdenk- und Bewusstseinsprozess in Gang, der auch das eigene Konsumverhalten miteinschloss. 1980 arbeitete die (freie) Grafik-Klasse der Angewandten unter Oswald Oberhuber an dem Thema »Anti-Konsum«, von dem sich zwei Plakate in der Sammlung erhalten haben.

Susanne Gamaufs Montage von Kinderfotos mit überblendeten Kassabons und Josef Ramaseders Pelztragende mit collagierten Panzerknackern (»Eigentum soll seine Träger frei, nicht aber andere unfrei machen«) sprechen für sich.

Im gleichen Jahr fand bei den Darmstädter Werkbundgesprächen ein Symposium zum Thema »Schmutz« statt, das von philosophisch-psychologischer Seite das Thema reflektierte. Die Ambivalenz von Schmutz und Sauberkeit wird sichtbar durch das eifrige Freilegen der »Schmutz«-Fassade durch die Arbeiter am Plakat. (BR)

Susanne Gamauf, Plakat »Verbraucher – Gebrauchte«, 1980, Siebdruck, 84×59 cm, IN Gam 80/1/91

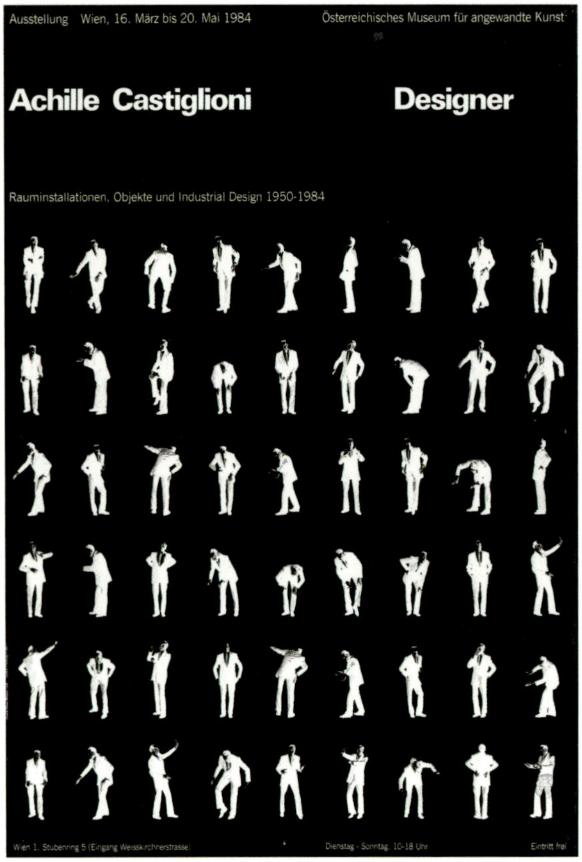

Pierluigi Cerri, Plakat »Achille Castiglioni Designer«, 1982, 84×59 cm, IN Casti 84/1/Pl

Jean Widmer, Plakat »L'atelier Alessi. Alberto Alessi & Alessandro Mendini. 10 ans de design. 1980–1990«, 1989, 68×48 cm, IN Ales 89/1/Pl

Die 1980er Jahre, das Jahrzehnt, in dem Design ein populärer, »trivialer» Begriff wurde, boten internationalen Einflüssen an der Angewandten und im MAK eine Bühne wie zuvor lange nicht mehr. Die Professuren der beiden Memphis Design-Mitglieder Matteo Thun (Mathäus Thun-Hohenstein, Keramik-Produktgestaltung) und Hans Hollein (Architektur) brachten den Mailänder Eklektizismus der Postmoderne nach Wien. Wie weit Thun und Hollein ihrerseits mit ihrer Wiener Prägung Memphis geprägt haben, wäre zu untersuchen, der hohe Anteil an Impulsen des Wiener konstruktiven Jugendstils im Memphis Design spräche dafür. Gastprofessuren der Industrial Design-Ikonen Alessandro Mendini, Mario Bellini und Ettore Sottsass sollten das »schwache Selbstbewußtsein im österreichischen Industriedesign»[1] der 1980er Jahre ausgleichen.

Achille Castiglionis sachliche Möbel- und vor allem Lampendesigns wurde nicht nur von der Section N in Österreich etabliert, auch eine Ausstellung im MAK 1984 zeigte den bedeutenden italienischen Nachkriegsdesigner.

Alle namhaften Produktdesigner der 1980er Jahre arbeite(te)n für Alberto Alessis »italienische Designfabrik«, die weltweit ihre Einrichtungs- und Gebrauchsgegenstände über Partner vertreibt. Alessi sieht sein Unternehmen, das keine »In-House«-Designer beschäftigt, mehr als »Forschungslabor der angewandten Kunst« denn als Industriebetrieb, seine Produkte als Vermittler zwischen Kunst und Kosumgesellschaft.[2]

Das 3. internationale Bauhaus-Kolloquium im Juli 1983 an der Hochschule für Architektur und Bauwesen Weimar (heute Bauhaus-Universität Weimar) fiel mit dem 100. Geburtstag von Walter Gropius zusammen und behandelte »Das Bauhauserbe und die gegenwärtige Entwicklung der Architektur«, mit einem Schwerpunkt auf das funktionalistische Baugeschehen in der DDR.

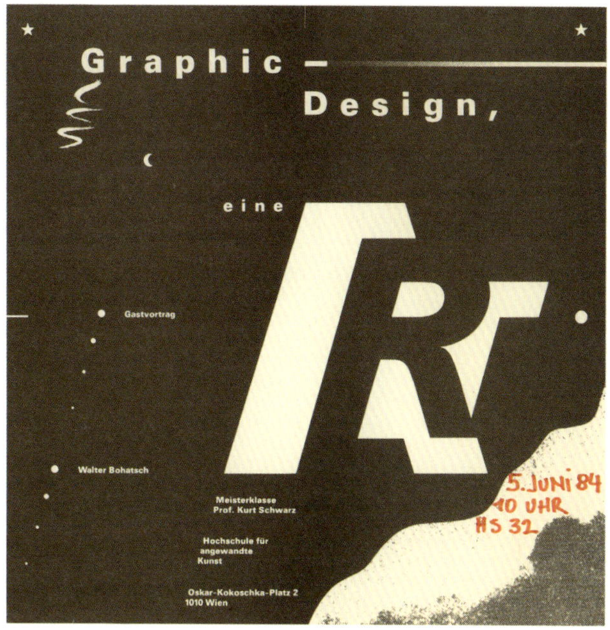

Walter Bohatsch, »Graphic-Design, eine Art«, 1984, 30×30 cm, IN mkl 6/84/4/Pl

links: Unbekannt, Bauhaus Kolloquium, 1983, 81×57 cm, IN GA 7/83/1/Pl

1 Beyerle, Hirschberger 2006, 78.
2 Alberto Alessi: Our History, www.alessi.com/en/company/history (01. 06. 2009).
3 Bauhaus-Universität Weimar, www.e-pub.uni-weimar.de/portal/Bauhaus-Kolloquium-1983/index.php (01. 06. 2009).

Das Spektrum des architekturtheoretischen und -historischen Kongresses reichte von Vergleichen zwischen der Architekturentwicklung in West- und Ostdeutschland bis zu den modernen Traditionen innerhalb und außerhalb Europas.[3] Das Plakat zum Kolloquium zeigt in einer Zeichnung von Herbert Bayer das Arbeitszimmer von Gropius 1923, collagiert mit den Farbstreifen für die Farbabstimmung in der Produktion.

Das kleinformatige Plakat »Graphic Design, eine Art« weist auf eine Veranstaltung mit weitreichenden Folgen hin: Walter Bohatsch, Typograf und Grafikdesigner mit Ausbildung an der wegweisenden Schule für Gestaltung in Basel, kam 1984 zum Gastvortrag in die Grafikklasse von Kurt Schwarz. Kurze Zeit später, 1987/88 kehrte er in die Klasse von Schwarz' Nachfolger Tino Erben wieder, im Rahmen des Lehrauftrages für »Experimentelle und computerunterstützte Typographie«. Dieser Lehrgang vermittelte einerseits erste Kenntnisse des 1984 auf dem Markt erschienenen Apple Computers als Werkzeug, andererseits auch die Müller-Brockmannschen Rastersysteme, Schweizer Gestaltungsprinzipien, die zum Grundvokabular des Grafikdesigners gehör(t)en.

Durch Walter Bohatsch erfuhr das Grafikdesign an der Angewandten einen Schub in Richtung Modernisierung und Internationalität. Das Vortragsplakat trägt die für die 1980er Jahre typische, vom Baseler Typografie-Lehrer Wolfgang Weingart geprägte Handschrift der schwarz-weißen Punkte-, Raster- und Stufengrafik, ein Konglomerat aus Schweizer Strenge und postmoderner »New Wave«. Dass Datum und Uhrzeit handschriftlich ergänzt wurden, spricht nicht nur für die unbekümmerte Herangehensweise an Gestaltungsfragen, sondern auch für die Freude an experimenteller Gestaltung, die den eigentlichen Sinn des Unterfanges in den Hintergrund treten läßt. (AK)

Arno Grünberger, Klasse für Industrial Design Ernst Beranek, Plakat, »Filmexperiment«, 1983, Siebdruck, 59×83,5 cm, IN MKL 00/83/3/Pl

Das vom Industriedesigner und Architekten Arno Grünberger gestaltete und gedruckte querformatige monochrome Plakat »Filmexperiment« kündigte eine Reihe von Filmen von sechs Schülern der Industrial Design-Klasse an. Die Filme tragen Titel wie »Vision«, »Naschmarkt« oder »Destruction«. Filmkameras standen zur freien Verfügung und luden zum freien Experiment mit dem Medium ein: Alexandros Tsatalas filmte in der Raffinerie Schwechat, Grünberger ließ farbige Tinte in ein Aquarium tropfen und filmte nackte Haut. Der Name seines Films »A Soft Machine« war programmatisch nach der gleichnamigen Popband gewählt.

Musik spielte auch in den anderen Experimentalfilmen eine wichtige Rolle: Als einzige Information – neben den Namen und grob gerasterten, in den futuristischen Schriftzug integrierten Porträts der Urheber – ist die Musik zu den Filmen angegeben: Pink Floyd, Deep Purple, Al Stuart & Country Joe, Krysztof Penderecki.

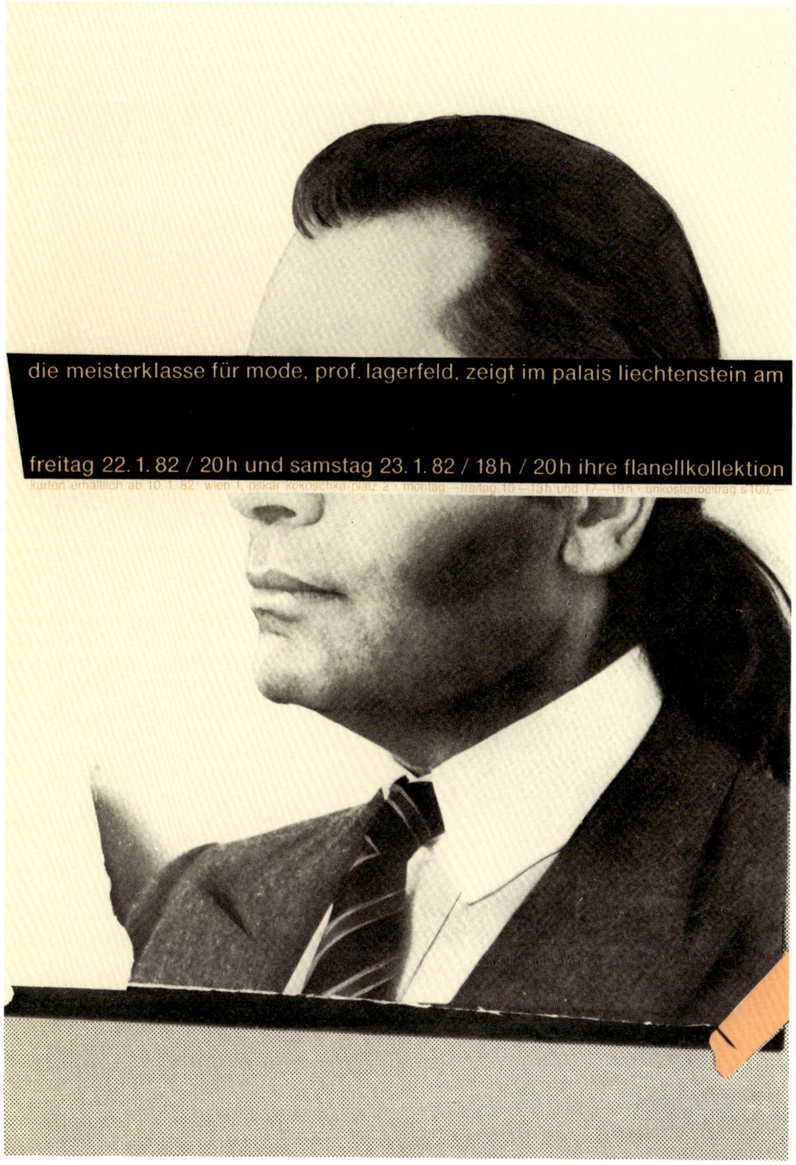

Unbekannt, Meisterklasse für Mode Karl Lagerfeld, Plakat, Ausstellung im Palais Liechtenstein, 1982, 59×42 cm, IN MKL 1/82/1/Pl

Die »ganzheitliche Gestaltungsauffassung«, die Kunstgewerbeschule wie »Angewandte« kennzeichnet(e), »macht vor der Gestaltung der menschlichen Figur nicht halt«[1], was die Existenz einer Meisterklasse für Mode seit Josef Wimmer-Wisgrill 1918 begründet. Bis in die 1980er Jahre bestand ungebrochen ein Wiener Modestil, geprägt durch Professoren wie Gertrud Höchsmann und Fred Adlmüller.

Erst mit Karl Lagerfeld öffnete sich die Klasse internationalen Einflüssen: Modedesign-Stars wie Jil Sander, Jean-Charles de Castelbajac und Vivienne Westwood, die Gastprofessuren an der Angewandten wahrnahmen, vollzogen den Bruch mit der (Wiener) Tradition und beschleunigten den Anschluß an das internationale Modegeschehen.[2] (AK)

1 Wagner 1991, 77.
2 Ebenda.

Oswald Oberhuber, Plakat für die Uraufführung von »Das alte Land« von Klaus Pohl, 1984, Siebdruck, 84×60,5 cm, IN 6579/1/Pl

Künstlerplakate bilden in den 1980er Jahren einen Gegenpol zum Grafikdesign für Wirtschaftswerbung.[1] Dabei negieren nonkonformistische, stark mit der bildenden Kunst verbundene Plakate kommerzielle Marketingstrategien. Sie stellen meist eine Nebenbetätigung der in anderen Medien wirkenden Künstler dar und spiegeln deren stilistische Zeichensprache. Diese Beispiele zeigen die zunehmende Vielfalt und Vernetzung der künstlerischen Gattungen von Malerei und Zeichnung über Performancekunst bis hin zu Musik und Computertechnologien.

Oswald Oberhuber zählt mit etwa 600 Plakaten, gestaltet in über dreißig Jahren, zu den produktivsten österreichischen Plakatkünstlern des 20. Jahrhunderts.[2] Sein Prinzip der permanenten Veränderung, nachdem jeder Künstler nicht einen bestimmten Stil antreben, sondern das machen soll, was er/sie kann und will,[3] findet darin genauso seine Anwendung wie in den vielen von ihm genutzten Ausdrucksmöglich-

Oswald Oberhuber, Plakat für die Veranstaltung »Selbstanmache – Rhetorische Oper zur Erzwingung der Gefühle« von Bazon Brock, 1989, Siebdruck, 83,5×59,5 cm, IN 9278/3/Pl

keiten. Seine von schnellem Arbeiten, Spontaneität und oft minimalistischen Lösungen geprägte Arbeitsweise harmoniert mit dem Medium Plakat insofern, als es ein »Bild zum Wegwerfen« darstellt, das nach Erfüllung der Funktion seinen Zweck verliert.[4]

Im Plakat für Klaus Pohls Uraufführung von »Das alte Land« im Wiener Burgtheater wird aus zum Teil behelmten Köpfen, Tieren und Schwertern ein Gebilde geformt, das als jener Scherbenhaufen gelesen werden kann, den das Theaterstück thematisiert. Dabei werden die Auseinandersetzungen zwischen Einheimischen und Vertriebenen in einem norddeutschen Dorf im Nachkriegsdeutschland 1946 geschildert.[5]

Auf dem Ankündigungsplakat für eine Performance von Bazon Brock wird dieser in einem Porträt über dem handschriftlichen Text präsentiert. An vegetabile Ornamente erinnernder Dekor rundet das Design ab.

1 Vgl. auch: Kern 2008, 309.
2 Ettl 2009, 12.
3 Ebenda, 14.
4 Ebenda, 16.
5 Klaus Pohl: Das alte Land: www.rowohlt-theaterverlag.de/sixcms/detail.php?id=72867&sv[herren]=&sv[damen]=&sv[rel_genre]=&sv[vt]=&sv[frei]=&skip= (06.07.2009).

Günter Brus, Ankündigungsplakat »Bücher und Mappenwerke von G. Brus« für die Kunstbuchhandlung Kathrin Messner, 1982, 57,5×42,5 cm, IN Brus 82/2/Pl

Günter Brus' Ankündigungsplakat für eine Präsentation von seinen »Büchern und Mappenwerken« in der Kunstbuchhandlung Kathrin Messner[6] unterscheidet sich kaum von den seit den frühen 1970er Jahren entstehenden Bild-Dichtungen. Nach der durch äußere wie künstlerische Faktoren bedingten Abkehr von der berühmt gewordenen aktionistischen Werkphase wendet sich Brus wieder dem Zeichenstift zu.[7] Dabei entstehen die mittlerweile mehrere tausend Blätter umfassenden Bild-Dichtungen.

Wesentliches künstlerisches Ausdrucksmittel wird dabei Verschmelzung von Bild und Text. Beide Gattungen verbinden sich zu einem neuen Ganzen.

Otto Mühl, Plakat zum Film »Vincent«, 1985, Siebdruck, 100 × 70 cm, IN Mueh 85/1/Pl

Gleichzeitig mit dem Ausklang des Wiener Aktionismus kulminierten die Erfahrungen der Happening- und Aktionskunst der 1960er Jahre und der politischen Emanzipationsbewegung um 1968 in der »Kommune Friedrichshof« als Experiment alternativer Lebensform.[8] Während der 1980er Jahre entwickelte sich diese Kommune zu einem Treffpunkt renommierter Künstler und Galeristen.[9] In dem mit diesem Plakat beworbenen Film »Vincent« spielten neben dem »Kunst-Außenminister« der Kommune Theo Altenberg auch Hermann Nitsch, Günter Brus, Kurt Kalb und Oswald Oberhuber mit. In 85 Minuten wird das Leben Vincent van Goghs als Prototyp eines anarchistischen Künstlers interpretiert.[10]

Das Plakat lässt sich stilistisch in die Reihe der an die Pop-Art angelehnten Werke Otto Mühls einordnen. Homogene Farbflächen und ein breiter, an Comics erinnernder Zeichenstrich persiflieren das Selbstportrait[11] van Goghs von 1889, nachdem er sich das Ohr abgeschnitten hatte.

6 Heute: Kunst-Buchhandlung Judith Ortner in der Sonnenfelsgasse, Wien
7 Vgl. auch: Schwanberg 2003, S. 23ff.
8 Busse 2004, 8.
9 Ebenda.
10 Schulmeister 2003, o. S.
11 Vincent van Gogh: Selbstbildnis mit verbundenem Ohr, Arles, Januar 1889.

Peter Noever, Plakat »Design ist Denken. Design is Thought«, 1981, Offset, 84×59 cm, IN Noev 80/1/Pl

Gerwald Rockenschaub, Plakat für die Zeitschrift »Wolkenkratzer Art Journal«, 1985, Offset, 84×60 cm, IN Rock 85/1/Pl

Peter Noevers Plakat »Design ist Denken« von 1981 steht in unmittelbarem Zusammenhang mit dem im Jahr zuvor geschriebenen Text »Politik und Kunst. Eine Designstrategie«[12]. Darin versteht er Design als eine »zentrale, umfassende und schöpferische Kategorie, die losgelöst von den bestehenden Klassifikationen in Spezialgebiete agieren kann«[13].

Indem Designer weniger in stets perpetuierten Konzepten, sondern eher über das direkt und spontan Wahrgenommene, ihre Gefühle und ihr intuitives Verstehen denken und agieren, stellen sie ein Vorbild für denkende, kritische Staatsbürger dar.[14]

Über die Befreiung vom Ballast unserer technologisch und bürokratisch verzahnten sowie vorgegebenen Denkweise kann jeder zum Designer oder Künstler werden.[15]

Das Wolkenkratzer Art Journal, das von 1983 bis 1989 in Frankfurt am Main von Roman Soukup und Lothar Krauss herausgegeben wurde, befasste sich mit zeitgenössischer Kunst und den aktuellen Trends der Kunstszene[16], die es wie in diesem Beispiel auch über Ankündigungsplakate zu präsentieren versuchte. Dabei wird ein Ölgemälde Gerwald Rockenschaubs, das ein in Goldfarbe gehaltenes, minimalistisches Zackengebilde auf blauem Grund zeigt, zwar im Maßstab an die Plakatgestaltung angepasst, aber sonst unverändert wiedergegeben.

Seine Formensprache zeichnet sich durch piktogrammartige Reduktion aus und wird durch die Rückkehr zur geometrischen Abstraktion der Neo-Geo-Malerei[17] zugerechnet. Bemerkenswert ist Rockenschaubs Abkehr von der Malerei, indem er sich 1987 zuerst elektronischer Musik und schließlich 1989 der Werbebranche zuwandte.[18]

Graf+Zyx, Plakat zur LP »Trust No Woman«, 1981, Siebdruck, 59,5×84 cm, IN GZyx 81/2/Pl

Das aus Inge Graf und Walter Zyx bestehende Künstlerduo »Graf+Zyx« arbeitet seit 1980 interdisziplinär in den Bereichen Installation, Raum und Skulptur in Verbindung mit Musik und Ton.[19] Dabei ist subversive Kritik an tradierten oder neu etablierten Dogmen[20] als Grundhaltung in ihrem Streben nach Gestaltungsfreiheit und gesellschaftlicher Abgrenzung[21] auszumachen. Das 1981 erschienene LP-Album »Trust No Woman« von Walter Zyx gilt als Meisterwerk elektronischer Minimal-Musik[22] und stellt in der Titelwahl eine provokante Stellungnahme zu zeitgleichen feministischen Emanzipationsbestrebungen dar. Das Plakat zur Schallplatte entstand während der Studienzeit Inge Grafs in der Meisterklasse für Grafik an der Hochschule für angewandte Kunst Wien unter der Leitung Oswald Oberhubers. Es zeichnet sich durch minimalistische Formensprache und die künstlerische Interpretation einer Pressekritik[23] zur LP »Trust No Woman« aus. (RS)

12 Vgl. Noever 2004, 75–100.
13 Ebenda, 97.
14 Ebenda, 75ff.
15 Ebenda, 100.
16 Wolkenkratzer (Zeitschrift): www.de.wikipedia.org/wiki/Wolkenkratzer_(Zeitschrift) (06.07.2009).
17 Heiser 2004, 299.
18 Ebenda, 300.
19 Website, Graf+Zyx: www.zone.grafzyx.at/ (06.07.2009).
20 Presseseite, Graf+Zyx: www.press.grafzyx.at/pressematerial/projekte/trust-no-woman-plus.html (06.07.2009).
21 Website, Graf+Zyx: www.zone.grafzyx.at/ (06.07.2009).
22 Webshop, Graf+Zyx: www. shop.grafzyx.com/prod6.php?in=1&scode=979425&sart=&inid=&suche=&suchbegriff=&prd= (06.07.2009).
23 Vgl. Franz Manola, Der schnelle Tod des Roter Rot. Walter Eberl alias Zyx und sein Synthesizer-Debutalbum »Trust no Woman«, in: Die Presse, Spectrum 03./04.10.1981, V.

Inge Graf+Zyx, Covergestaltung und Musik der LP »Programmusik 1, Mediensynthetische Programme«, 1985, Schallplatte, 31×31,5 cm, IN 3957/AV

Peter Kogler, LP-Cover für Renate Kocer-Kowanz, Karl Kowanz, Wolfgang Poor, LP »Pas Paravant, Brot und Spiel«, 1986, Schallplatte, 31×31,5 cm, IN 5074/AV

Diese Schallplatten – von Künstlern gestaltet sowie aufgenommen – stehen stellvertretend für die in Österreich in den 1950er Jahren einsetzende Aufhebung von Medien- und Gattungsgrenzen. Diese mit der Wiener Gruppe beginnende Tendenz setzte der Wiener Aktionismus in den 1960er Jahren mit Musik-, Sprach- und Geräusch-Kulissen für die Aktionen fort. Deutlich wird das im seit 1957 entwickelten Orgien-Mysterien-Theater Hermann Nitschs, das als Gesamtkunstwerk für alle fünf Sinne konzipiert ist. Nach Beendigung der aktionistischen Werkphase veranstaltete Günter Brus im Mai 1974 den musikalischen Gemeinschaftsauftritt »Selten gehörte Musik« mit Vertretern der Wiener Gruppe wie Gerhard Rühm, Oswald Wiener und Dieter Roth in München. Die Aufnahmen der folgenden vier Konzerte, an denen noch Christian Ludwig Attersee, Arnulf Rainer und Dominik Steiger teilnahmen, wurden schließlich auch als Schallplatte vertrieben.[1]

Attersee kann als Bindeglied zwischen den Tendenzen der 1960er und der Postmoderne der 1980er Jahre verstanden werden.[2] Schon bei späten Veranstaltungen des Wiener Aktionismus beteiligt, trat bei ihm in den 1980er Jahren eine zunehmende Vermarktung von Teilen seiner bildenden Kunst ein. Kennzeichnend für Attersee ist die Übertragung seiner Malerei auf andere Medien wie auf ein Schallplatten-Cover.[3]

Die Postmoderne der 1980er mit ihren Stilzitaten und der formalen Heterogenität als Antwort auf die als gescheitert angesehene Moderne spiegelt sich in der Durchbrechung der genre- und medienspezifischen Grenzen wie bei Graf+Zyx, der Musik-Künstler-Gruppe »Pas Paravant« und Franz Graf. Zudem ist eine tendenziell kritische Befragung von kollektiv gesicherten Denkweisen und Zeichencodes[4] wie in den »Mediensynthetischen Programmen« von Graf+Zyx und in der propagierten Ziellosigkeit von »Pas Paravant« auszumachen. (RS)

Franz Graf, Johanna Arneth,
LP »Jahresgabe 1988«, 1988,
Schallplatte, 31×31,5 cm, IN 8875/AV

Christian Ludwig Attersee, Christine Jones,
LP »Weihnacht zu Zweit«, 1983, Schallplatte,
31×31,5 cm, IN 3318/Q/AV

Hermann Nitsch,
LP »Akustisches Abreaktionsspiel«, 1972,
Schallplatte, 31×31,5 cm, IN 5536/AV

1 Faber 2003, 135.
2 Koller 1990, 113.
3 Ebenda, 118.
4 Tamara Star: Graf+Zyx: Museum of Private Arts: www.vinyl-on-demand.com/druck.php?navid=124&ln=1&db_local=inhalt&open=.htm (08.07.2009).

Tino Erben, Plakat »Design. Staatspreise und Anerkennungen für Gute Form«, 1983, 84×59 cm, IN Erben 83/2/Pl

Tino Erben, Plakat »NonSENS«, 84×59 cm, IN Erben OJ/1/Pl

Die intellektuelle Qualität, die den Arbeiten Tino Erbens eigen ist, seine Technik des »ironischen Minimalismus«, seine starke Verbindung zu Architektur, Industrial Design oder bildender Kunst wurde schon in vorhergehenden Kapiteln beleuchtet (Einleitung und Abschnitt 1945–1970). In den 1980er Jahren ist Erben mit Plakaten an der Öffentlichkeit weiterhin stark vertreten. In zwei weiteren Sujets für das Designermöbel-Geschäft Section N bricht Erben mit den Sehgewohnheiten des durchschnittlichen Designermöbel-Konsumenten: Mit zwei großen Weihnachtssternen über den Gläsern macht Erben aus Le Corbusiers charakteristischer Hornbrille spielerisch-respektlos ein Pop Art-Objekt und Corbusier zum Träger desselben. Von diesem Sujet ist noch die Reinzeichnung (von der dann die Druckvorlage in der Druckerei erstellt wurde), mit darübergelegtem Transparentpapier, daraufgeschriebenen Anweisungen und Farbtests per Fingerabdruck erhalten.

Ein satirisch-lapidarer Kommentar der sachlichen »Guten Form«, für die der Staatspreis vergeben wird, ist Erbens ins Schneckenhaus verkrochener Designer, der über seinen Ideen brütet und dem Schmetterlingsflügel wachsen, wenn er den rettenden Einfall hat.

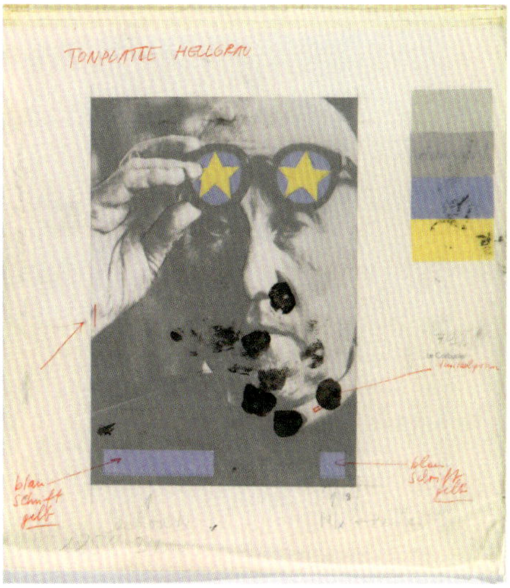

Reinzeichnung für Plakat »Section N. Weihnachtsbazar«, Mischtechnik auf Karton, 1980, IN 15.233

Tino Erben, Plakat »Neue Le Corbusier Möbel. Ausstellung Section N«, 1979, Offset, 84 × 59 cm, IN Erben 79/1/Pl

Tino Erben, Plakat »Section N. Weihnachtsbazar«, 1980, Offset, 84 × 59 cm, IN Erben 80/1/Pl

Einem Ordnungsprinzip folgt das Plakat für »mathias rüegg's eigenwillige Revue« des Vienna Art Orchesters im Rahmen der Wiener Festwochen 1988. Die Begriffe »SENS, nonSENS, SENSitiv« sind in einem unsichtbaren Raster angelegt und verflochten, spielen mit den Lyrikexperimenten der Konkreten Poesie um Ernst Jandl und Eugen Gomringer. Indem Text hier rhythmisch dargestellt ist, visualisiert er Musik.

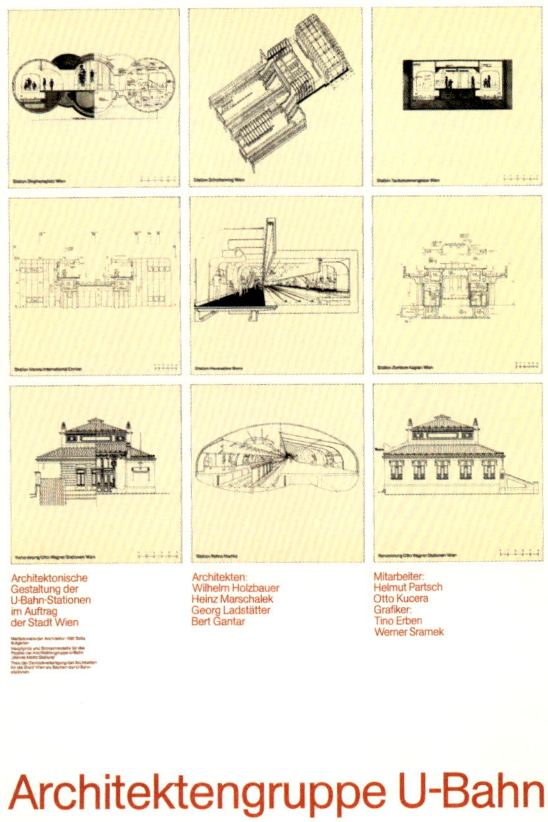

Wilhelm Holzbauer, Plakat »Architektengruppe U-Bahn«, 1981, 84×59,5 cm, IN Holz 81/1/Pl

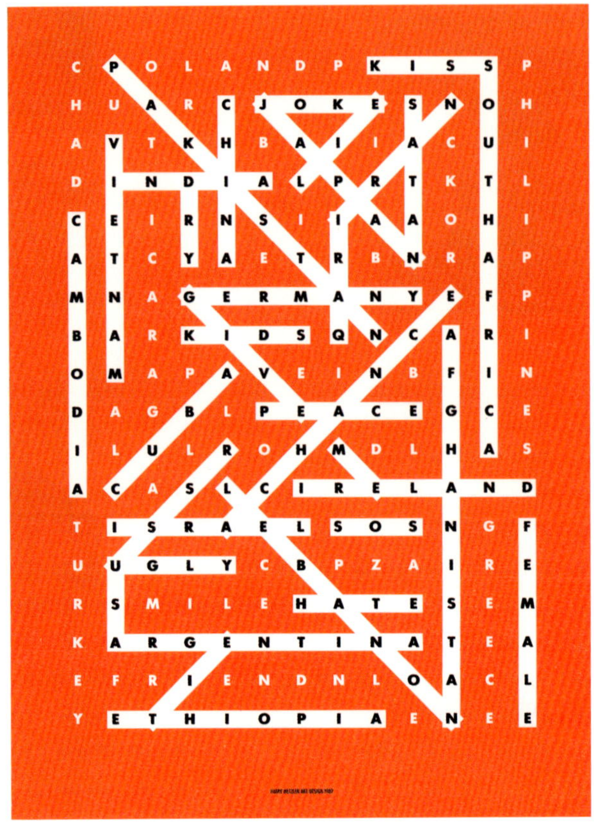

Harry Metzler, Plakat »Art Design«, 1987, Siebdruck, 83,7×60 cm, IN 8910

Nüchtern »schweizerisch« ist dagegen eine Arbeit für die »Architektengruppe U-Bahn«, Wilhelm Holzbauer, Heinz Marschalek, Georg Ladstätter und Bert Gantar, die gemeinsam den Wettbewerb für den Bau der Wiener U-Bahn gewannen, deren erste Züge 1978 in Betrieb gingen.

»Harry Metzler Art Design 1987« ist die Signatur auf einem Plakat, in dem ein Raster von Buchstaben auf der roten Fläche liegt, weiße Bänder, die bestimmte Buchstaben miteinander verbinden, machen Begriffe, Staaten und Adjektive wie in einem bereits gelösten Kreuzworträtsel lesbar. Harry Metzler (*1951), Vorarlberger Gestalter und Angewandte-Absolvent, arbeitet seit 1986 bereits zwei Jahrzehnte zurückgezogen im Bregenzerwald an einem stetig wachsenden Kalenderprojekt, das sich zu einer Art Institution entwickelt hat.

Katharina Uschan, Plakat »Die Zofen«, Collage, 83,9×59,4 cm, Leihgabe Katharina Uschan

Cordula Ebner, Plakat »Varieté Ronacher«, 1982, Siebdruck, 84×59 cm, IN Ebn 82/1/Pl

Die polnische Plakatkunst seit den 1960er Jahren und deren künstlerische Erben, die französische Gruppe Grapus, übten inspirierenden Einfluß auf die Grafikschüler der späten 1980er Jahre aus. Ein Originalentwurf Katharina Uschans (*1962), später Assistentin bei Tino Erben, Fons M. Hickmann und aktuell Oliver Kartak, thematisiert die ambivalenten Persönlichkeiten und das Ritual von Knechtschaft und Herrschaft, Demütigung und Erduldung in Jean Genets Zofen in kraftvoll-vitaler Illustration.

Als Hans Gratzer zur Rettung des Ronacher in Wien aufrief, entwarfen Schüler der Klasse Kurt Schwarz Kampagnen zur Erhaltung des historischen Varietés. Ein Entwurf stammt von Cordula Ebner (heute Alessandri, alessandri design), die Illustrationsfragmente des 19. Jahrhunderts mit Fotografie collagierte. Zur Umsetzung gelangten die Entwürfe des Klassenkollegen Stefan Sagmeister: 35 Unikate wie etwa ein Goldfischglas im Posterformat wurden im öffentlichen Raum verteilt. (AK)

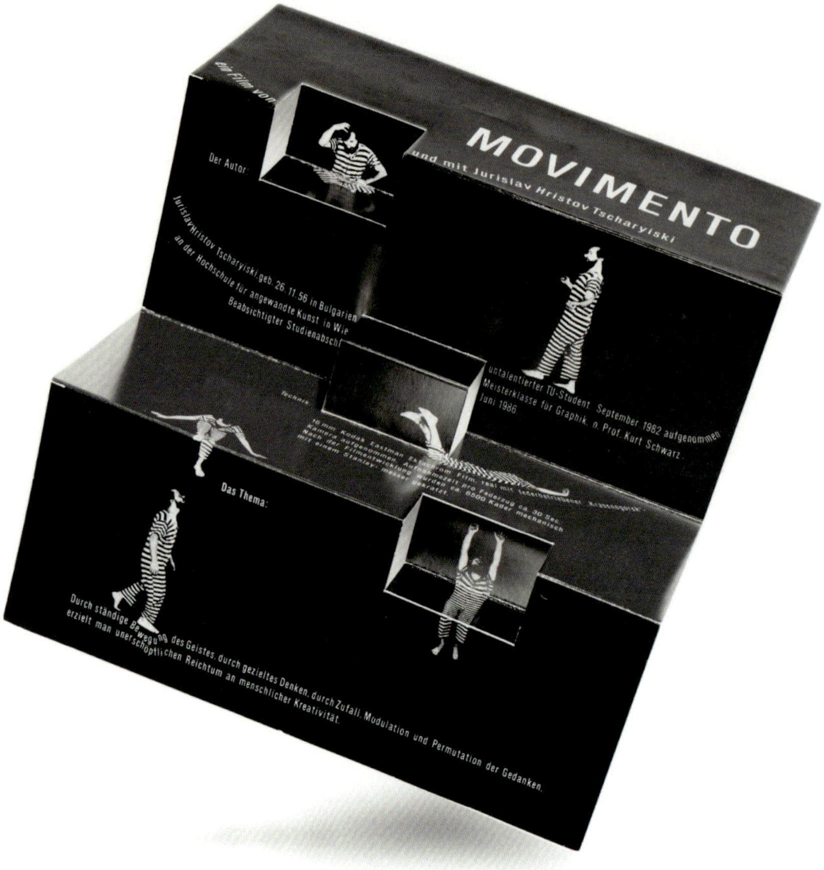

Jurislav Tscharyiski, Einladungskarte »Movimento«, 1982–1984, 40×23 cm, IN 15.560

Das Faltobjekt des Kurt Schwarz-Schülers Juri Tscharyiski bewirbt seinen preisgekrönten Film »Movimento«, in dem er auch als Schauspieler agiert. Gemeinsam mit Stefan Sagmeister, Uli Prugger und Alfonso Demetz bildete er 1986 die »Gruppe Gut«, die schon während der Studienzeit für das Schauspielhaus arbeitete.

In »Movimento« versucht Tscharyiski die »ständige Bewegung des Geistes« zu visualisieren, die durch gezieltes Denken, durch Zufall, durch Modulation der Gedanken einen »unerschöpflichen Reichtum an menschlicher Kreativität« erzeugt. Der 16mm-Film wurde mit einer federbetriebenen »Krasnogorsk«-Kamera aufgenommen und anschließend wurden 6500 Kader händisch mit einem Stanleymesser gekratzt.

Tscharyiski, Franz Hubmanns »bester Schüler«[1], ist seit den 1980er Jahren als (Theater-)Fotograf tätig.

Stefan Sagmeister, Plakat »Werbung aus England«, 1986, Siebdruck, Kreide auf Papier, 84 × 63 cm, IN 9377/Pl

»Werbung aus England. Stefan Sagmeister zeigt Dias, Bilder und Bücher von englischen Plakaten und Anzeigen in der Meisterklasse Prof. Kurt Schwarz auf der Angewandten«. Dieser im Jänner 1986 gehaltene Vortrag Sagmeisters, inspiriert von einer England-Reise, bei der er Werbeagenturen besuchte und die bekannten Kampagnen für »Benson & Hedges Gold« oder »Silk cut« mitbrachte, wird von ihm selbst angekündigt. Er verwendet ein ironisch-plakatives Visual: Die Begriffe »England« und »Werbung« sind geradlinig mit ihren jeweiligen Klischees übersetzt (der krähende Hahn stand zu Beginn des 20. Jahrhunderts als Symbol für Werbung, Prince Charles bedarf wohl keiner Erläuterung), aber die Kombination beider Chiffren erzeugt etwas Drittes, etwas Sarkastisches in einer gänzlich harmlosen Umsetzung. (AK)

1 Franz Hubmann im Ö1-Interview, www.juri-tscharyiski.at/ich1.html (25.08.2008).

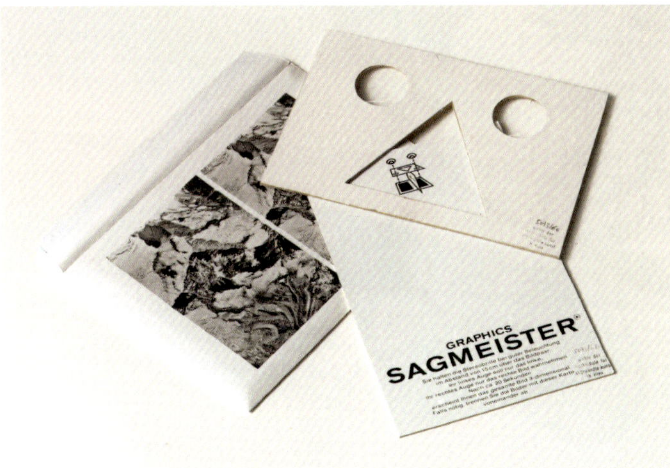

Stefan Sagmeister, Diplomarbeit, Eigenwerbung mit Postkarten, IN DA 214/86

Stefan Sagmeister wählte als Diplomarbeit eine der beliebtesten (oder aber meistgehassten) Aufgaben des Designers: eine Eigenwerbekampagne – diese arbeitet ausschließlich mit Postkarten. Natürlich keine gewöhnlichen Postkarten, sondern kleine Objekte, Spiele, Werkzeuge. Schon damals war die Begeisterung Sagmeisters für Dreidimensionalität – nicht zu verwechseln mit 3D-Effekten – für Interaktivität und Spielerisches groß, sein Sinn für Tricks und Erfindungen fand hier eine perfekte Projektionsfläche:

Die Sonnenuhrkarte, hier nur fotografisch reproduziert dargestellt, da das Original fehlt, ist die einzige, die – als Promotion für Sagmeisters Büro – produziert wurde, und ist aufgeklappt als richtige Sonnenuhr mit einstellbaren Zeitzonen einsetzbar.

Eine weitere funktioniert wie ein Ratespiel aus den 1970ern, bei dem mit kleinen Leuchtdioden Fragen zu beantworten sind – ist die Antwort richtig, leuchtet ein Lämpchen auf. Eine zeigt das verzerrte Sagmeister-Logo, erst das Spiegelbild auf einer Rolle aus Metallfolie gibt das eigentliche Bild preis.

Das Visual, sozusagen das Logo des Protagonisten ist ein schwarzes Dreieck, das in allen möglichen Formen auf den Karten auftaucht, die Rückseite erklärt dem Empfänger, was er damit anstellen kann. Sagmeisters verkleinertes Original-Röntgenbild zeigt an Stelle seines Herzens das Dreieck, eine Weihnachts-Variante fordert auf, die dreieckige Tanne aus dem perforierten Karton zu drücken, in die Erde zu stecken und zu gießen – drei Tannensamen sind darauf aufgeklebt.

Ein Labyrinth aus Dreiecksstrukturen, durch das eine Art Zündschnur gelegt ist, ist anzuzünden. Ein Kreisel mit schwarz-weißen grafischen Strukturen macht in Bewegung eine Farbe sichtbar, ein luftgefüllter Plastikpolster in Postkartenformat funktioniert als Flaschenpost.

Als einen »Ideen-Vorrat« bezeichnet Sagmeister solche selbstbeauftragten Werke, und einige der Ideen findet man in seinen Arbeiten aus zwei Jahrzehnten wieder.

Die Originalentwürfe der Karten sind ausgestellt. (AK)

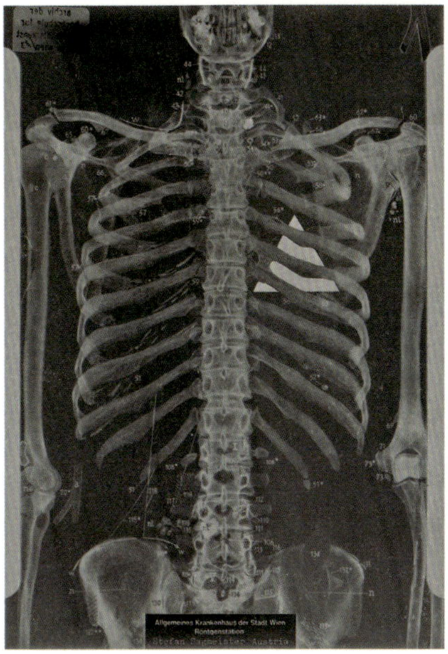

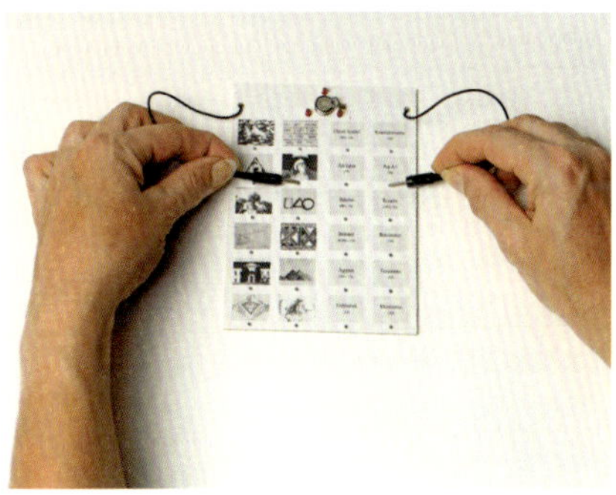

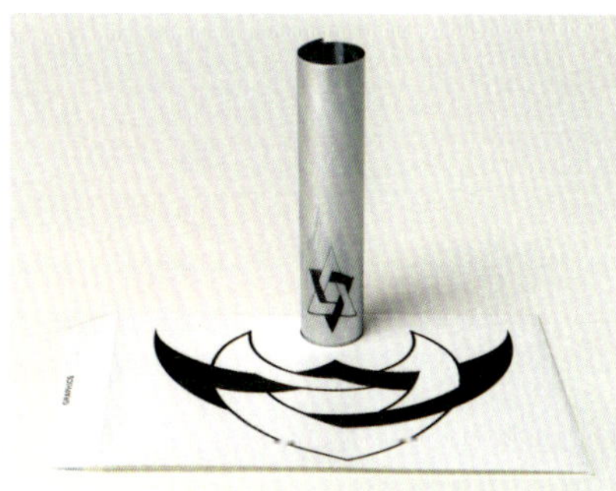

oben: Stefan Sagmeister, Sonnenuhr-Postkarte, 1986, Foto: Sagmeister Inc.

Unbekannt, Meisterklasse für Grafik Tino Erben, Plakat »Corporate Identity. Corporate Design«, 1992, 38 × 66,5 cm, IN MKL 6/92/3/Pl

Die Geschichte des Corporate Designs (CD) als Bestandteil der sogenannten Corporate Identity (CI), also des grafischen Erscheinungsbildes eines Unternehmens oder einer Institution, im Sinne eines bewusst eingesetzten Instrumentes der visuellen Kommunikation ist erst etwa 35 Jahre alt.[1] Marken im Sinne von visuellen Kennzeichen von Waren gibt es schon seit dem Mittelalter, sie ermöglichten den Zünften, den Handel zu kontrollieren. Im 18. Jahrhundert hatte nahezu jeder Händler eine »Hausmarke«, deren Bedeutung wuchs im 19. Jahrhundert durch die Industrialisierung und den aufkommenden Wettbewerb der Produzenten.

Gilt in Deutschland etwa das vom Architekten Peter Behrens entwickelte Unternehmenserscheinungsbild von AEG als frühes Corporate Design-Beispiel, so ist es in Österreich die Wiener Werkstätte, die auf diesem Gebiet seit 1903 Pionierarbeit leistete.

Seit den 1980er Jahren hat sich das System CI/CD zu einem überbewerteten, fast mystifizierenden Werte-Ersatz aufgeblasen, der – in Ermangelung besserer Perspektiven des Individuums – zu einer »normierenden Konstruktion kollektiver Pseudo-Identität«[2] führt.

Mladen Penev, Borjana Ventzislavova, Miroslav Nicic, digitale Fotomontage »Tabula rasa«, 2004, 41×28,3 cm, Leihgabe Klasse für Grafik und Werbung Walter Lürzer

Überträgt man die ursprüngliche Bedeutung der *tabula rasa*, der unbeschriebenen Wachstafel der Antike, also des »unbeschriebenen Blatts«, im Sinne John Lockes, auf den menschlichen Geist, so ist auch er bei der Geburt »unbeschrieben«, bevor er Eindrücke von der Außenwelt empfängt. Jeder Mensch sollte frei sein, seine Identität selbst zu definieren, mit Inhalten zu »befüllen«. Übersetzt auf die aktuelle Gesellschaft ist zwar die Möglichkeit, Einfluss auf die Entwicklung des Individuums von außen zu nehmen, aufrecht, allerdings ist nicht mehr das Individuum mit seinen »natürlichen Rechten« (Locke) dabei federführend, sondern die Gesellschaft definiert, was »natürlich« ist.

Der Lürzer-Student Mladen Penev und die Co-Autoren Borjana Ventzislavova und Miroslav Nicic konzipierten das Visual des mit Marken tätowierten Säuglings für den öffentlichen Raum. Es sollte zur Reflexion des aktuellen Wertesystems, das das Individuum heute definiert, anregen – besonders in den europäischen Reformstaaten, wo »soziale und menschliche Werte durch das totalitäre System der Marken ersetzt werden«.[3] (AK)

1 Vgl. dazu: Kern 2007.
2 Jürgen Straub, zit. in: Schneider 2005, 219 (vgl. dazu Kern 2007).
3 Mladen Penev, Typoskript zu »Tabula rasa«, Wien 2009.

Seit den 1980er Jahren geht das Grafikdesign eine enge Allianz mit der Ökonomie ein. Werbeagenturen lösten die Unternehmen als Auftraggeber ab, Corporate Design blieb nach wie vor Domäne der Grafikdesigner, wurde von der mit der Werbekommunikation beauftragten Agenturen ausgelagert. Als »Ikonen des Kapitalismus« prägten Logos von Austrian Airlines bis Bankomat nachhaltig unsere Lebenswelt und in vielen Fällen sind Angewandte-Absolventen bzw. -Lehrer, wie etwa Friedrich Eisenmenger oder Joey Badian, ihre Schöpfer.

Zu den ältesten Corporate Designs überhaupt zählt die Wiener Werkstätte, deren Logo um 1903 von Kolo Moser entworfen wurde. Das ORF-Auge von Erich Sokol aus 1960 bildet das Herz des umfassenden »ORF-Stiles«, der vom österreichischen Rundfunk als einer der ersten Fernsehanstalten Europas etabliert wurde. Austrian Airlines wurde 1970 gemeinsam mit dem ersten umfassenden Corporate Design Manual in Österreich von Friedrich Eisenmenger entwickelt, ebenso das Bankomat-Zeichen, das die Geldautomaten institutsübergreifend (als europäische Innovation) in ganz Österreich kennzeichnet. Ein Eisenmengersches Logo von Wirkung war auch das Zeichen auf den Etiketten der Vöslauer Mineralwasser-Flaschen, das trotz relativ kurzer Lebenszeit einen hohen Bekanntheitsgrad hat.

Georg Schmid visualisierte die Dreiheit von Druckschriften-, Handschriften- und Autographensammlung als Logo der Österreichischen Nationalbibliothek.

Zu den langlebigsten Zeichen im öffentlichen Raum gehören zahlreiche Kreationen von Joey Badian, Schüler von Willi Bahner. (Bahner war in den späten 1960er Jahren Pionier des Corporate Designs in der Lehre.) Die Tageszeitung »Der Standard«, Invest- und KommunalCredit, Wiener Messe, Merkur oder Wein & Co sind nur ein Bruchteil der Marken, denen Badian während etwa 30 Jahren ein Gesicht gegeben hat.

Eines der ältesten Markenzeichen Österreichs ist das 1924 von Joseph Binder entworfene, von Otto Exinger 1947 weiterentwickelte und 2004 von Matteo Thun überarbeitete Meinl-Logo, oder das ebenfalls von Binder 1930 gezeichnete Signet des Reifenherstellers Semperit, das von Eisenmenger Ende der 1980er Jahre »redesignt« wurde. Zu den Kreationen der Generation der Tino Erben-Schüler gehören das Niederösterreich-Logo des Illustrators Sascha Strohmaier, das Zeichen für Joe Zawinul's Birdland aus dem Atelier von Anita Kern (rumpelhuber + kern) oder das aktuelle Volkstheater-Logo von Josef Perndl (perndl + co).

Wiener Werkstätte: Koloman Moser; Julius Meinl: Joseph Binder (1923), Otto Exinger (1947) – Meinl Redesign 2004 (abgebildet): Matteo Thun; Semperit: Joseph Binder (1930), Friedrich Eisenmenger (Redesign 1980, abgebildet); InvestCredit: Joey Badian; Der Standard: Joey Badian (1989); Österreichische Nationalbibliothek: Georg Schmid; Messe Wien: Joey Badian; Vöslauer Mineralwasser: Friedrich Eisenmenger; ORF: Erich Sokol (1968); Bankomat, Austrian Airlines (1970), Kapsch: F. Eisenmenger; Birdland: Rumpelhuber+Kern, Anita Kern, Irene Fuchs (2005); Niederösterreich: Sascha Strohmaier; Wein & Co: Joey Badian, Aidan Swanton; Volkstheater: Perndl + Co, Josef Perndl, Aleksandra Domanovic (2005)

Unbekannt, Briefkopf der Direktion der Kunstgewerbeschule des k.k. Österreichischen Museums für Kunst und Industrie, Ausschnitt, um 1900, IN HS 4413/Aut/4

Signet der Hochschule für angewandte Kunst nach einem Entwurf von Max Benirschke, modifiziert um 1980, IN HS/00/80/1/Pl

Oswald Oberhuber, Entwurf für Signet der Hochschule für angewandte Kunst, Filzstift auf Papier, 1992, IN 10.313

dı:'ʌngewʌndtə

Demner & Merlicek, Logotype der Universität für angewandte Kunst, 2001

Max Benirschke, Vignette, um 1900, Tusche, Aquarell auf Karton, 9×10,3 cm, IN 571

Die Logoentwicklung des Hauses der Angewandten über 140 Jahre, in denen der Auftritt nur drei Mal geändert wurde, spricht für Beständigkeit. Das älteste Zeichen der Kunstgewerbeschule des k.k. Museums für Kunst und Industrie ist nur als Briefkopf der Direktion um die vorletzte Jahrhundertwende dokumentiert.

Das florale Jugendstilornament des Architekten Max Benirschke wurde von Rektor Oswald Oberhuber 1980 im Zuge des Jugendstils-Revivals als erstes Logo des Hauses ausgewählt und etabliert und hielt sich als Zeichen bis 1992. Der folgende Entwurf, eine geometrische Abwandlung des organischen Benirschke-Zeichens von Oswald Oberhuber, das – eingeschrieben in ein Rechteck – immer noch Jugendstil-Elemente enthält, blieb vier Jahre, bis 1996, in Verwendung.

Von 1997 bis 2001 war die Institution – wie schon die ersten hundert Jahre – ohne Logo.

2001 wurde die aktuelle Logotype von einer der bedeutendsten Werbeagenturen Österreichs, Demner & Merlicek, entwickelt: Ein Schriftzug in Lautschrift, der die gesprochene Sprache (im Gegensatz zur geschriebenen) als Metapher für die *angewandte* Kunst einsetzt, den umgangssprachlichen Begriff »Die Angewandte« zum Markenzeichen des Hauses macht. Franz Merlicek, der kreative Leiter der Agentur, ist Absolvent der Klasse von Willi Bahner. (AK)

Kurt Schwarz, Plakat »Österreich-Woche Düsseldorf, Duisburg«, 1959, Offset, 84×59 cm, IN 9154/Pl

Unbekannt, Plakat »Rock over Baroque. jung & schön, Kunsthalle Muerz«, 2004, 84×118,5 cm, IN GA 6/04/1/Pl

Beim Plakat für die Österreich-Woche in Düsseldorf und Duisburg griff Kurt Schwarz 1959 mit musizierenden Barock-Putti ein stereotypes Österreich-Bild auf. Der Begriff des Barocken, der sich untrennbar mit dem schwierigen österreichischen Identitäts- und Nationsverständnis verbunden hat,[1] steht für mehr als nur den Kunststil: »Barock ist die Art, wie der Österreicher lebt […].«[2] Für Schwarz selbst stand Barock für Kitsch.[3] Er transportierte in dem Plakat von 1959 nicht ohne Ironie das komplexe Verhältnis Österreichs zur Moderne.

Von jener moralischen Wertung ist hingegen bei der Ausstellung »Rock over baroque«, die 2004 aktuelle Architektur-Positionen versammelte, nichts mehr zu spüren. Reizwörter wie Erlebnis, Visionen, Unendlichkeit, Unerwartetes und Dramaturgie werden am Plakat genannt. Und dennoch ist auch hier von den »kulturellen Wurzeln« die Rede. Statt dem gescheiterten »Vatermord« nachzuweinen, der hierzulande eine diskursive Auseinandersetzung mit innovativer Architektur verhindert,[4] macht man sich daran, die positiven Qualitäten des Barocken nutzbar zu machen, um mit »Lust den Raum zu zelebrieren«.[5] (BR)

1 Vgl. Polleroß 2004.
2 Theodor Ottawa, zit. n. Polleroß 2004, 446.
3 Schwarz hatte von seinen Lehrern, u.a. seinem Vorgänger als Professor an der (Reichs-) Hochschule für angewandte Kunst Wien die Grundsätze der Modernen kennengelernt. Dennoch betont er später: »Ich meine, dass man ohne Kitsch nicht leben kann. Für Kirnig […] war ja auch die Karlskirche Kitsch. Das ganze Barock ist Kitsch.«, Kern 2008, 175.
4 Vgl. Text von Wolf D. Prix auf dem Ausstellungsplakat.
5 Ebenda. Zum Thema Barock und zeitgenössische Kunst vgl. auch Folie, Glasmeier 2001.

Maximilian Sztatecsny, Plakat »John Lautner. Architekt Los Angeles« (Ausschnitt, S. 182), 1991

Die 1990er Jahre
Die Wiederkehr der Moderne

Unbekannt, Plakat »David Carson«,
Offset, 47,9×66,9 cm, IN MKL 4/96/2/Pl

»Graphic design will save the world, right after rock & roll does« nannte David Carson (*1957) ironisch den Titels seines Vortrages auf Einladung der Meisterklasse Lürzer, wohl wissend, daß Grafikdesign höchstens zu besserer Kommunikation führen kann. Darauf legt es Carson allerdings nicht an, denn: Der U.S. Amerikaner David Carson, der internationale Grafikdesign-Star der 1990er Jahre, brachte (nach Vorreitern wie Ed Fella) ein Antidesign auf den »Markt«, das mit inszenierter Unleserlichkeit, »zerstörter« Typografie, »gefundenen« Bildern, mit dem Chiffrieren von Inhalten eine eigene Design-Subkultur prägte, die ein kleiner Kreis sehr wohl dechiffrieren konnte.

Mit den Designs für die Surfermagazine *Ray Gun* und *Beach Culture* brach Carson mit allen Konventionen von Typografie und Layout und übte mit den oft durchaus sinnlichen Ergebnissen großen Einfluss auf das Grafikdesign aus.

Der »Designer + Soziologe + Surfer«[1] Carson ist ein Phänomen der 1980er Jahre, das erst in den 1990ern zum Zug kam und da bereits ein

Unbekannt, Plakat »Starck in Wien«, Offset, 83,9×59,3 cm, IN HS 3/92/1/Pl

Gegengewicht zur eben erstandenen alten Neuen Sachlichkeit, dem Neomodernismus, bildete – der sich in der schlichten vertikalen Typographie des Plakates für den Vortrag manifestiert.

Was David Carson in den 1990er Jahren für die visuelle Kommunikation, ist der französische Industriedesigner Philippe Starck für das Produktdesign. Mit dem nicht unwesentlichen Unterschied, dass Carson für eine kleine Minderheit, Starck für einen weltweiten Markt agiert. In den 1980ern als Gestalter großgeworden, dem Eklektizismus der Postmoderne nie vordergründig anhängend, kehrte er in den 1990ern zu jener archaischen Schlichtheit zurück, die vorher nur dem Funktionalismus von Bauhaus und Guter Form eigen war.

Für die »Designergemeinde« waren und sind beide gleichermaßen Inspiration. Das Plakat kündigt eine Ausstellung Starcks im Frühjahr 1992 in den Räumen der Angewandten im Heiligenkreuzerhof an. (AK)

1 Konferenzplakat des Encuentro Latinamericano de diseño, 28.–31. Juli 2009.

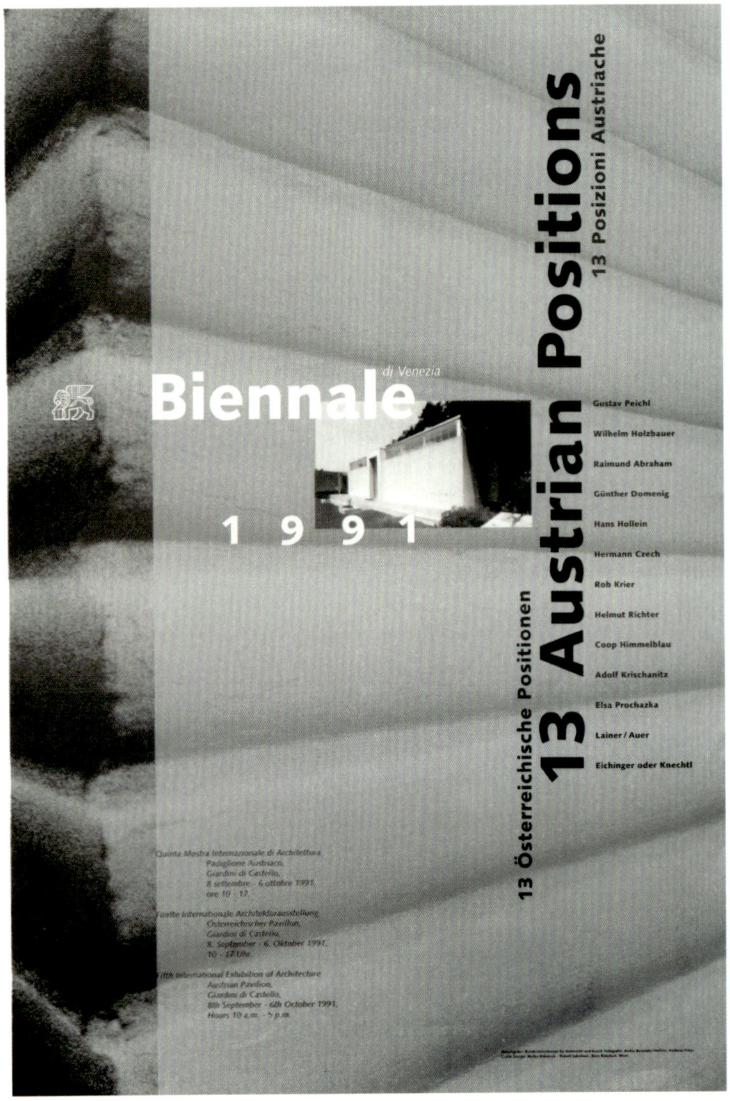

Walter Bohatsch, Plakat »Biennale di Venezia 1991. 13 Austrian Positions«, 1991, Offset, 98×67 cm, IN GA 9/91/1/Pl

In den 1990er Jahren gab es einen signifikanten Wechsel im Grafikdesign, der nicht zuletzt durch den Einsatz des Computers bedingt wurde. In Österreich gilt Walter Bohatsch als ein wichtiger Neuerer in dieser Zeit.[1] Nach längeren Aufenthalten in Kanada und in der Schweiz verband er in seiner Arbeit die Grundlagen der Schweizer Grafik mit den neuen Möglichkeiten des »Werkzeugs« Computer. Zahlreiche von ihm gestaltete Bücher und Plakate zeigen eine reduzierte Bildsprache, die nach der postmodernen Fülle wie eine Rückbesinnung auf klassisch moderne Werte anmutet. So erinnert etwa sein Belgrader Ausstellungsplakat (1989) an De Stijl oder den (russischen) Konstruktivismus. Mit wenigen Farbflächen wird das Bildfeld organisiert. Der Text wird als grafisches Element flächig oder linear in eine exakt kalkulierte Komposition eingesetzt, wobei sich durch gestürzte, das heißt vertikal verlaufende Titel ein komplexes Bild-Wort-Gefüge

Josef Perndl, Karin Stelzer, Plakat »100 Jahre Margarete Schütte-Lihotzky 1897–1997«, 1997, Offset, 84×59,2 cm, IN SchütLih 97/1/Pl

Stephanie Krieger, Krieger/Sztatecsny, Plakat »Raimund Abraham. The Architecture of the Austrian Cultural Institute by Raimund Abraham«, 1999, Offset, 84×59,5 cm, IN Abra 99/1/Pl

ergibt. Wesentlich war Bohatsch die inhaltliche Auseinandersetzung, die sich nicht allein in neuen Formalismen erschöpfen sollte. Das Plakat der Architektur-Biennale 1991 in Venedig zeigt ein farbig abschattiertes, durch (damals neue) digitale Bildüberlagerungen generiertes Bezugsfeld. In diesem Jahr begannen die einzelnen Länder ihr akuelles Architekturschaffen in ihren angestammten Pavillons zu präsentieren, wobei der österreichische Beitrag außerordentliche Resonanz fand. Zeitgenössische Architektur stand im Dialog mit dem alten Pavillon von Josef Hoffmann, was auch im Plakat evident wird. Letzterer steht bildlich im Zentrum und bildet mit einer Detailansicht auch den (semantischen) Hintergrund, während die präsentierten Architekten mit ihren Namen dazu in Bezug gesetzt werden. Seine »Architektur der Grafik«[2] ist zweifellos evident. Wie Bohatsch arbeiteten in dieser Zeit auch jüngere Kollegen und Kolleginnen[3] mit

1 Zu Walter Bohatsch vgl. Kern 2008, 373–403.
2 Kern 2008, 385.
3 Bohatsch, der für kurze Zeit an der Angewandten lehrte, beeinflusste eine Reihe jüngerer Grafikerinnen und Grafiker.

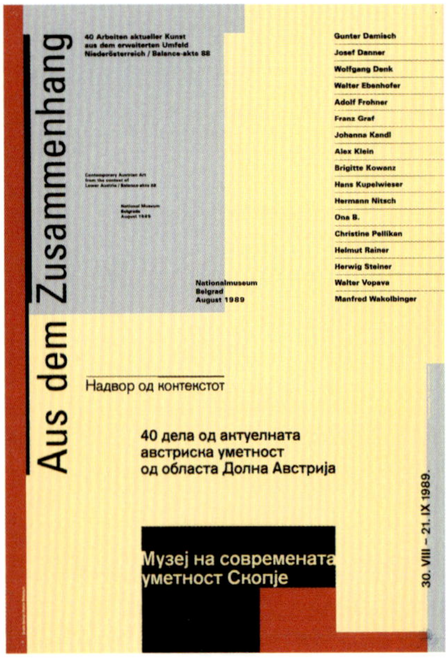

Walter Bohatsch, Plakat »Aus dem Zusammenhang. 40 Arbeiten aktueller Kunst aus dem erweiterten Umfeld Niederösterreich, Balance-akte 88, Nationalmuseum Belgrad«, 1989, Offset, 84×59,5 cm, IN GA 8/89/1/Pl

Andrea Neuwirth, Plakat »Otto Prutscher 1880–1949. Architektur Interieur Design«, 1997, Offset, 84×59,5 cm, IN HS 1/97/1/Pl

Maximilian Sztatecsny, Plakat »John Lautner. Architekt Los Angeles«, 1991, Offset, 59×42 cm, IN HS 10/91/2/Pl

ähnlichen Vorstellungen für ähnliche Auftraggeber: neben Josef Perndl, Karin Stelzer oder Andrea Neuwirth, die wiederholt für Projekte der Angewandten entwarf, haben etwa Stephanie Krieger und Max Sztatecsny nachhaltig die Plakate des damals jungen Architekturzentrums Wien geprägt. Die streng strukturierte, »aufgeräumte« Grafik ihrer Poster konterkariert oft bewusst den Inhalt. So wird die Monotonie der kleingeistigen Häuselbauer-Mentalität in gleichmütiger Horizontale versinnbildlicht, verfremdet durch den grünen Himmel, der schon bei dem berühmten Werkbundplakat (S. 101) die vermittelte Botschaft auf eine andere, hier ironisch gebrochene Ebene hebt. (BR)

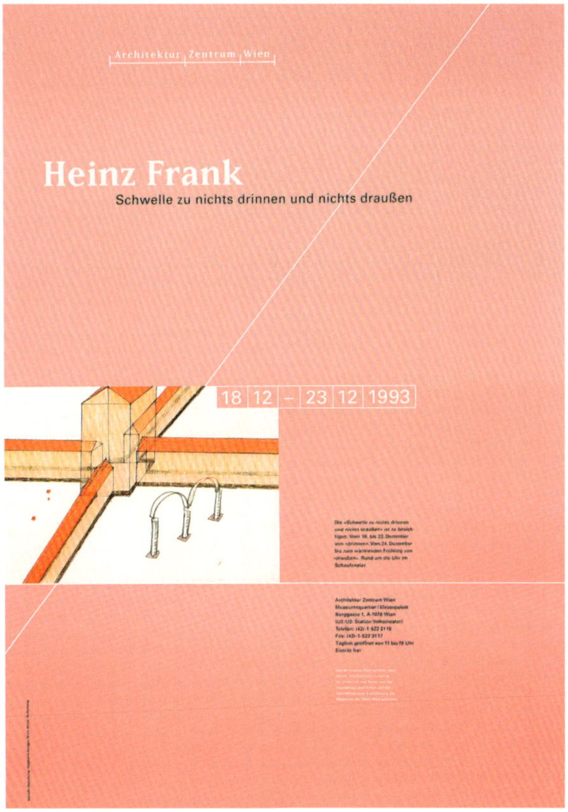

Stephanie Krieger, Krieger/Sztatecsny, Plakat »Heinz Frank. Schwelle zu nichts drinnen und nichts draußen«, 1993, Offset, 84×59,5 cm, Privatarchiv ks_visuell

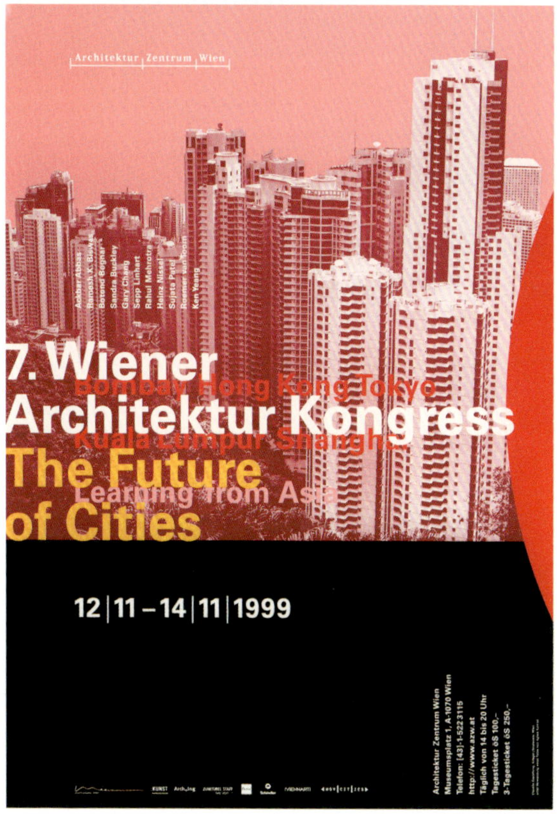

Stephanie Krieger, Krieger/Sztatecsny, Plakat »The Future of Cities. 7. Wiener Architektur Kongress«, 1999, Offset, 84×59,5 cm, Privatarchiv ks_visuell

Stephanie Krieger, Krieger/Sztatecsny, Plakat »Wir Häuselbauer. Bauen in Österreich«, 1998, Offset, 84×59,5 cm, IN GA 6/98/1/Pl

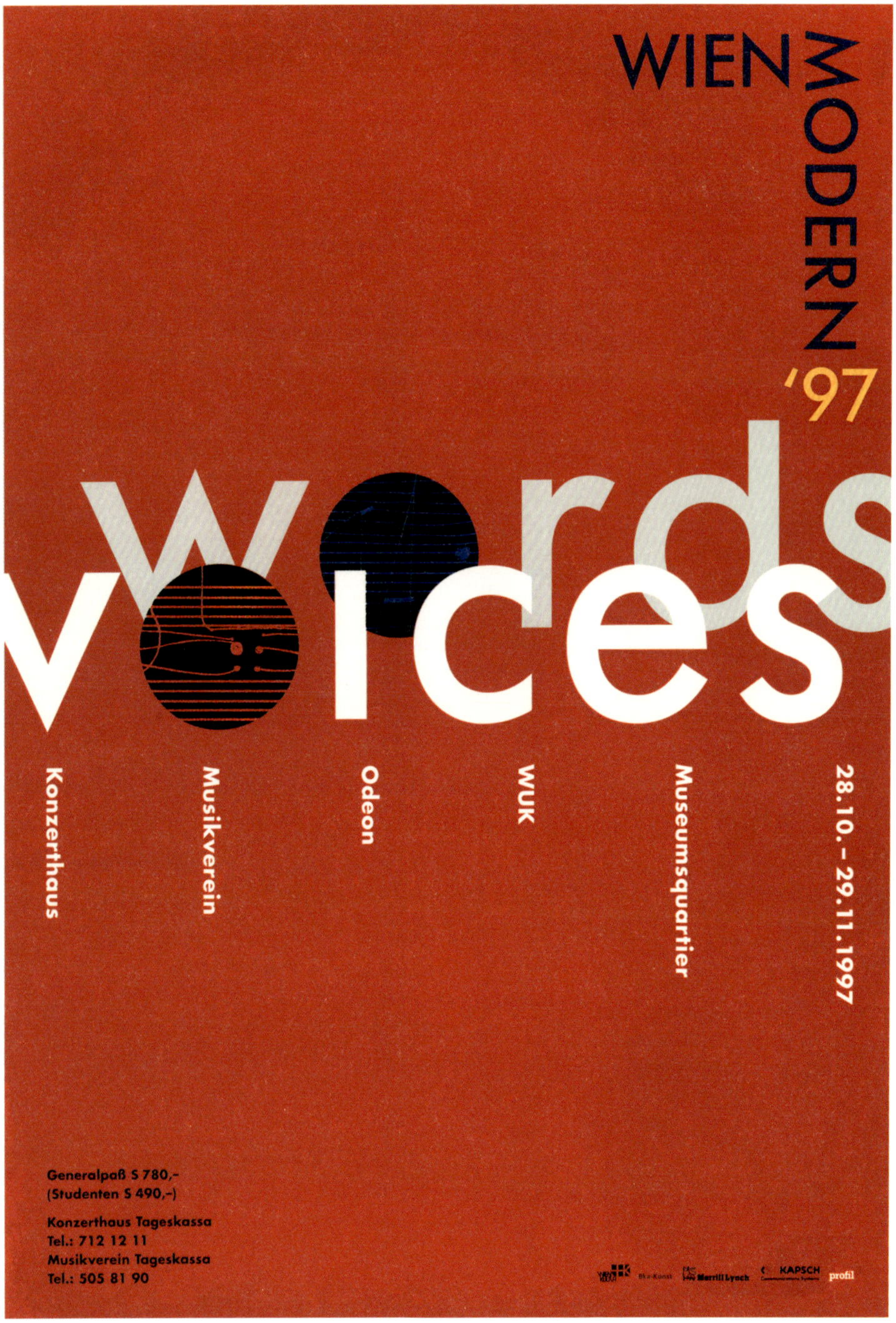

Tino Erben, Plakat »World's Voices«, 1997,
Offset, 83,9×59,1 cm, IN Erben 97/1/Pl

Robert Lettner, Plakat »Ich bin ein 68er …«, o. J., Siebdruck, 84,1×59,3 cm, IN Lettn OJ/3/Pl

Unbekannt, Meisterklasse für Graphik Tino Erben, Plakat » »Mladí viedenskí ilustrátori. Junge Wiener Illustratoren«, 1995, Siebdruck, 84×59 cm, IN Mkl 5/95/1/Pl

Das Festival »Wien Modern« wurde 1988 vom italienischen Dirigenten Claudio Abbado gegründet, um der Musik des 20. Jahrhunderts in Wien ein eigenes Forum zu bieten, in welchem dem Wiener Publikum zentrale Werke und unterschiedliche Strömungen der zeigenössischen Musik zugänglich gemacht werden sollen. 1997 stand das Festival unter dem Motto »Voices. Words« und beleuchtete den Umgang mit der menschlichen Stimme, die enge Verbindung zwischen Musik und Sprache. Dieser Idee folgend überschneidet Tino Erben die beiden Schriftzüge, die jeweils letzten Buchstaben der Wörter, die beiden »s«, wachsen zusammen. Die tiefrote Fläche ist weniger in der Affinität zur Materie begründet als in der Wirksamkeit des Plakates und vielleicht auch in der Leidenschaft des Grafikdesigners Erben für die Neue Musik.

Der schwarz-rote Siebdruck von Robert Lettner (*1943), Lehrer für Reprotechnik an der Angewandten, »Ich bin ein 68er/und küsse das

Unbekannt, Plakat »Das Auge des Taifun«, 1992, Offset, 83,9×59,1 cm, IN Wond 92/1/Pl

Unbekannt, Plakat »Plakate aus Berlin 1956/90 in der Aula der Hochschule für angewandte Kunst in Wien«, 1993, Siebdruck, 84×59,4 cm, IN HS 1/93/3/Pl

durchstreifte Grün/ach werd ich wiedersehen/mein geliebtes Rot« gehört zu jenen Arbeiten, die als sogenannte freie Grafik bis zur Mitte des 20. Jahrunderts ein eigener Kunstzweig waren. Seitdem wird sie in Werkstätten betrieben, die für Studierende aller Richtungen zugänglich sind.

Ist das schemenhafte Selbstporträt des Künstlers noch Handarbeit, so sind die ähnlich anmutenden Illustrationen »junger Wiener« bereits mit dem Computer erstellt, was – nicht zuletzt durch die Technik der Illustrationsprogramme – zu reduzierten flächigen Formen (zurück)führt. Hier kündigen Hund, Strauß und Wal die Ausstellung der Erben-Schülerinnen und -Schüler in Bratislava 1995 an.

Mit einem schlichten Plakat wurde eine spektakuläre Aktion anlässlich »300 Jahre Akademie der bildenden Künste« am 16. Mai 1992 um 23 Uhr auf der Wiener Ringstraße angekündigt – wie einst die großen Festumzüge der 19. Jahrhundertwende: »Das Auge des Taifun«, eine Performanc des Bühnenbildners und Leiters der Meisterschule für Bühnengestaltung an Angewandter und Akademie, Erich Wonder, setzt die deutsche Rockband Einstürzende Neubauten als Hauptakteure ein. Ein »Sinne betäubender Ton- und Lichtspuk« ist das Ergebnis, »der gleißend und dröhnend aus der Dunkelheit hervorbricht und wieder in der Dunkelheit verschwindet«[1]. Dramaturgie und Text: Heiner Müller und Blixa Bargeld. Im gleichnamigen Film, der die Aktion dokumentiert, führte Paulus Manker Regie.

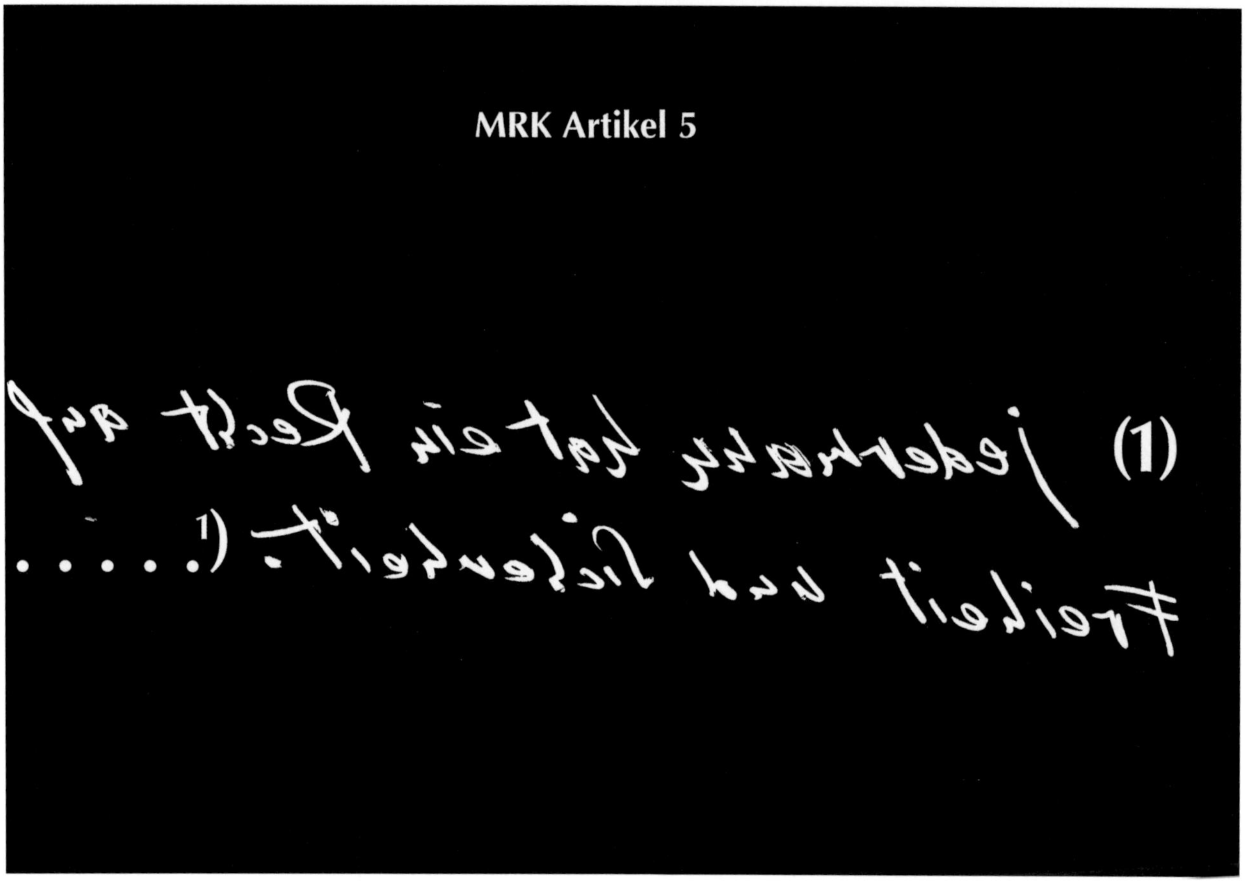

Erwin Thorn, »MRK (Menschenrechts»konvention)
Artikel 5«, 1996, Digitaldruck, 29,5×42 cm, IN 11.810

Erwin Thorn (*1930), Objektkünstler und Studienkollege von Tino Erben in der Klasse für »freie« Grafik von Franz Herberth, setzt den Artikel 5, Absatz 1 der Menschenrechtskonvention seitenverkehrt aufs Plakat, wie auf ein Schild, das man vor sich herträgt oder eine Fensterscheibe, durch die man von innen nach außen blickt. Die flüchtig hingesetzte Handschrift »Jedermann hat ein Recht auf Freiheit und Sicherheit….« ist versetzt mit einer Fußnote, die wieder an den Anfang des Satzes verweist. Der Betrachter wird Teil eines ironisch konnotierten Teufelskreises, die »Sicherheit«, mit der wir uns auf die »garantierten« Grundrechte berufen, schwindet langsam, der selbstreferentielle Satz wird zur leeren Floskel.

Die Arbeit wurde von Erwin Thorn für eine »SOS-Mitmensch«-Auktion 1996 eigens gestaltet. (AK)

1 Das Auge des Taifun. Ein Film von Paulus Manker: www.wega-film.at/index.php?film_id=22 (08.07.2008).

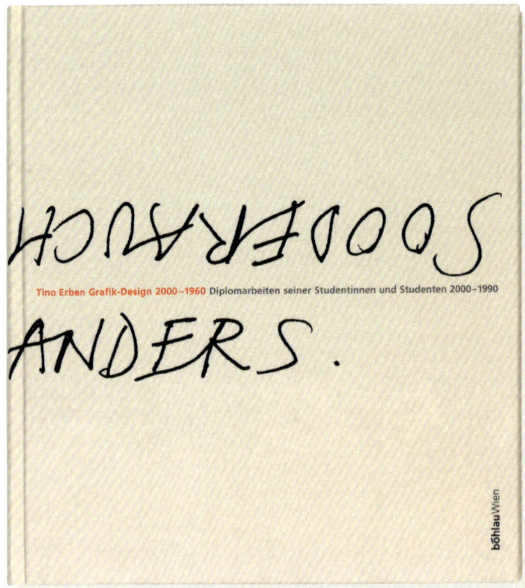

Tino Erben, Buch »Sooderauchanders. Tino Erben Grafik Design 2000–1960. Diplomarbeiten seiner Studentinnen und Studenten 2000 – 1990«, 2001, IN M-Erb 4

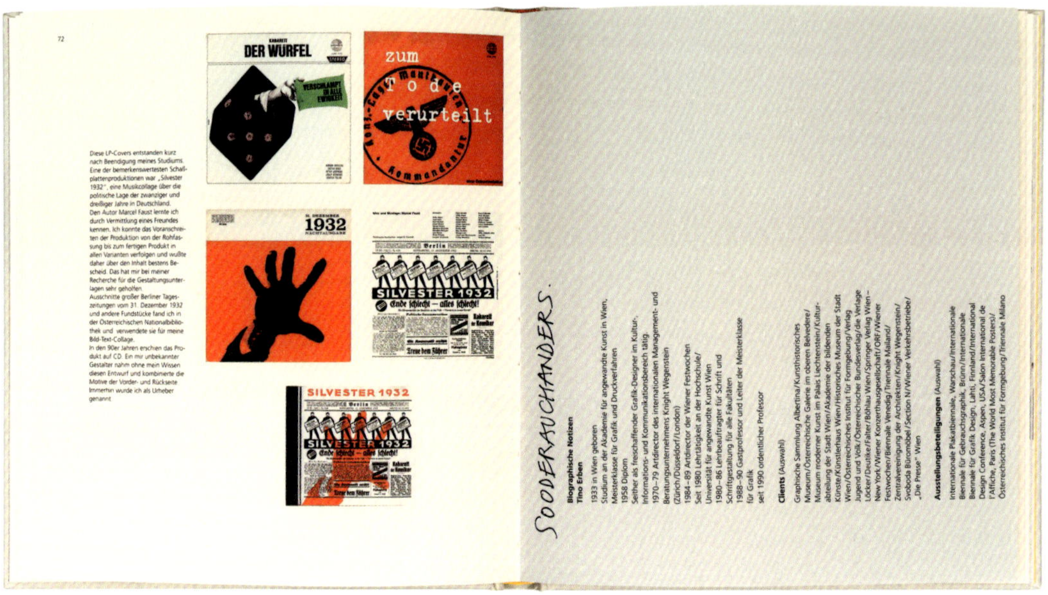

Tino Erben dokumentierte sein Lebenswerk und das seiner Schüler in einem Buch, das anlässlich seiner Emeritierung 2001 erschien. Erbens »Grafikdesign von 1960–2000« ist in einer Hälfte des Buches zu sehen, ausgewählte Diplomarbeiten seiner Schüler von 1990–2000 in der anderen. Beide beginnen hinter je einem Buchdeckel und treffen einander in der Mitte, wodurch – je nach Blickwinkel – eine der Buchhälften auf dem Kopf steht.

Sooderauchanders ist der programmatische Titel des von den Studenten gestalteten Buches und bezieht sich nicht nur auf das Buch selbst, das man eben so oder auch anders öffnen kann, sondern auf die Fülle der möglichen grafischen Lösungen von kommunikativen Aufgaben durch verschiedene Individuen.

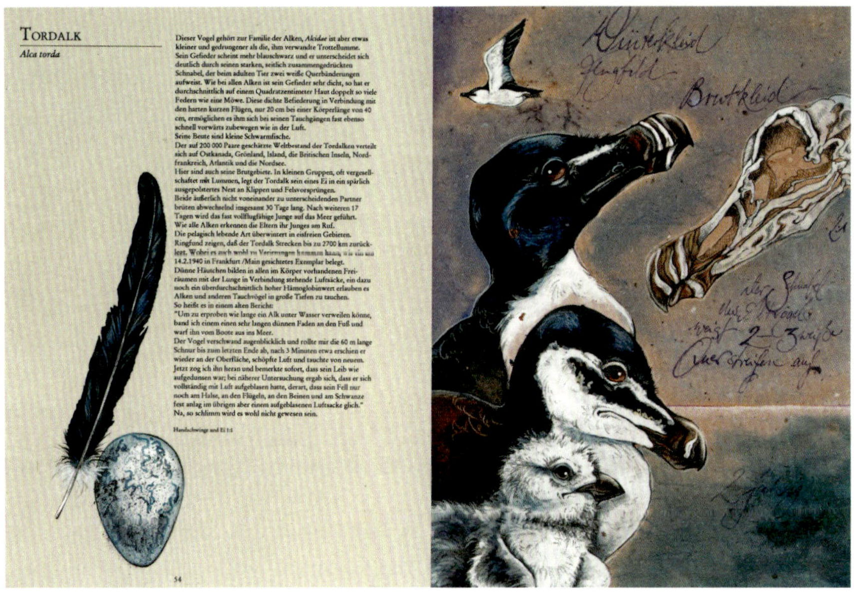

Tordalk

Alca torda

Dieser Vogel gehört zur Familie der Alken, *Alcidae* ist aber etwas kleiner und gedrungener als die, ihm verwandte Trottellumme.
Sein Gefieder scheint mehr blauschwarz und er unterscheidet sich deutlich durch seinen starken, seitlich zusammengedrückten Schnabel, der beim adulten Tier zwei weiße Querbänderungen aufweist. Wie bei allen Alken ist sein Gefieder sehr dicht, so hat er durchschnittlich auf einem Quadratzentimeter Haut doppelt so viele Federn wie eine Möwe. Diese dichte Befiederung in Verbindung mit den harten kurzen Flügen, nur 20 cm bei einer Körperlänge von 40 cm, ermöglichen es ihm sich bei seinen Tauchgängen fast ebenso schnell vorwärts zubewegen wie in der Luft.
Seine Beute sind kleine Schwarmfische.
Der auf 200 000 Paare geschätzte Weltbestand der Tordalken verteilt sich auf Ostkanada, Grönland, Island, die Britischen Inseln, Nordfrankreich, Atlantik und die Nordsee.
Hier sind auch seine Brutgebiete. In kleinen Gruppen, oft vergesellschaftet mit Lummen, legt der Tordalk sein eines Ei in ein spärlich ausgepolstertes Nest an Klippen und Felsvorsprüngen.
Beide äußerlich nicht voneinander zu unterscheidenden Partner brüten abwechselnd imgesamt 30 Tage lang. Nach weiteren 17 Tagen wird das fast vollflugfähige Junge auf das Meer geführt.
Wie alle Alken erkennen die Eltern ihr Junges am Ruf.
Die pelagisch lebende Art überwintert in eisfreien Gebieten.
Ringfund zeigen, daß der Tordalk Strecken bis zu 2700 km zurücklegt. Wobei es auch wohl zu Verirrungen [illegible] 14.2.1940 in Frankfurt /Main gesichtetes Exemplar belegt.
Dünne Häutchen bilden in allen im Körper vorhandenen Freiräumen mit der Lunge in Verbindung stehende Luftsäcke, ein dazu noch ein überdurchschnittlich hoher Hämoglobinwert erlauben es Alken und anderen Tauchvögel in große Tiefen zu tauchen.
So heißt es in einem alten Bericht:
"Um zu erproben wie lange ein Alk unter Wasser verweilen könne, band ich einem einen sehr langen dünnen Faden an den Fuß und warf ihn vom Boote aus ins Meer.
Der Vogel verschwand augenblicklich und rollte mir die 60 m lange Schnur bis zum letzten Ende ab, nach 3 Minuten etwa erschien er wieder an der Oberfläche, schöpfte Luft und tauchte von neuem.
Jetzt zog ich ihn heran und bemerkte sofort, dass sein Leib wie aufgedunsen war; bei näherer Untersuchung ergab sich, dass er sich vollständig mit Luft aufgeblasen hatte, derart, dass sein Fell nur noch am Halse, an den Flügeln, an den Beinen und am Schwanze fest anlag im übrigen aber einem aufgeblasenen Luftsacke glich."
Na, so schlimm wird es wohl nicht gewesen sein.

Handschwinge und Ei 1:1

54

Kriso ten Doornkaat, Meisterklasse für Graphik Tino Erben, Buchgestaltung und Illustrationen »Seevögel sehen«, Diplomarbeit, 1992, Archiv Klasse für Grafik Design

Eine der in Erbens Buch dokumentierten Arbeiten, die Entwürfe zum ornithologischen Bestimmungsbuch der deutschen Illustratorin Kriso ten Doornkaat zeichnet sich durch die stimmungsvolle Atmosphäre der dargestellten Lebensräume von Seevögeln bei gleichzeitig geforderter wissenschaftlicher Genauigkeit aus. (AK)

Anita Kern (mit Irene Fuchs), rumpelhuber+kern, Zeitungskopf und Editorial Design »Die Rampe. Dramaheft«, 1/98, 2/98 und 5/00, 42×29,7 cm, IN M-Kern 3, M-Kern 4 und M-Kern 8

Postkartenkampagne Theater Rampe Stuttgart, 1998 ff., Offset, 10,5×14,8 cm, Privatarchiv Kerndesign

Das Corporate Design für das zeitgenössische Autorentheater Theater Rampe Stuttgart unter der Leitung des österreichischen Regisseurs und Autors Stephan Bruckmeier und der deutschen Schauspielerin und Regisseurin Eva Hosemann, gestaltet von der Erben-Absolventin Anita Kern (rumpelhuber+kern, heute kerndesign) setzt das Erlebnis Theater mit einfachen grafischen Mitteln in Szene. Die Tatsache, dass Text »schwarz auf weiß« ist, führt zur Negation von Farbe im gesamten Auftritt. Theater ist »textlastig«, so wird Text als wichtiges Gestaltungselement behandelt – nicht nur gut lesbar gemacht. Klassizistische Walbaum Antiqua-Schrift hebt das Theater von der freien »Szene« ab und positioniert es als »klassischen« Ort einer modernen theatralischen Konfrontation.

Der Zeitungskopf des Periodikums des Theaters, *Die Rampe. Dramaheft,* ergibt sich aus der direkten grafischen Umsetzung gesprochener Sprache.

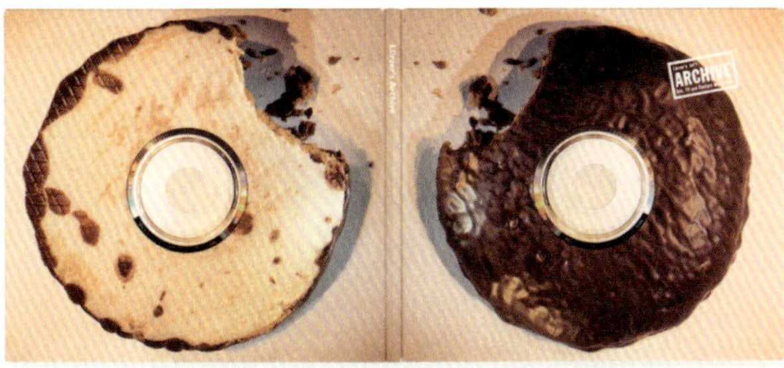

Lürzer's Intl. Archive, CD Packaging »Christmas in Vienna II«, 1995, IN 11.413/AV

Josef Klammer, CD-Packaging »Goldstimme«, 1994, IN 1260/AV

Als die Musik-CD in den 1980er Jahren die Langspielplatte ablöste, beweinten viele Designer die Reduktion der Gestaltungsfläche. Immerhin galt die Langspielplatte als Lieblingsdisziplin der Gestalter in den 1960er und 70er Jahren, zuvor waren es die Buchumschläge. Die Möglichkeiten der Gestaltung wurden jedoch nicht reduziert, sondern erweitert: Cover, Inlay-Card, Booklet, Label.

Hier sind nur zwei ob ihrer Gegensätzlichkeit herausgegriffen, eine Künstler-CD und eine, die der Werbung dient.

Die CD »Goldstimme«, eine Komposition von Josef Klammer aus der Stimme von Ernst Grissemann, trägt auf dem Cover einen aus Blattgold gelegten und fotografierten Schriftzug, der an die ornamentale Typografie der Secessionisten erinnert. Innen findet sich ein Stück echtes Blattgold in einer montierten Plastiktasche, der »Beipacktext« auf den Innenseiten der CD-Hülle fordert dazu auf, in alter alchemistischer Manier »auf der Suche nach dem Lebenselixir« das *Aurum potabile* zerkleinert »in klarem Schnaps (...) in kleinen Schlucken« zu trinken. Die so erreichte »Transmutation von Mensch und Gold« wäre dann »in der Verlängerung der menschlichen Stimme mit Mikrofonen, Radiogeräten und CDs« hörbar.

Lürzer's Int'l Archive. Ads, TV and Posters worldwide, gegründet 1984 von Walter Lürzer, Leiter der Meisterklasse für Grafik und Werbung seit 1990, ist das weltweit verbreitete Fachmedium für Werbung, in dem nicht etwa die werblich effektivste, sondern die – die »Kreation« (Konzept, Text, Grafik) betreffend – außergewöhnlichste Werbung gesammelt wird. Die Zeitschrift, die mittlerweile durch verschiedene Sonderhefte, etwa für Fotografie, Illustration oder Design für Musik, und Werbespot-DVDs ergänzt ist, geht in erster Linie an Abonnenten in Werbeagenturen in aller Welt. Die Weihnachtsmailing-CD von *Lürzer's Archive* mit Weihnachtsliedern wirkt durch *appetite appeal* und scheint statt der CD einen runden, plastisch fotografierten Lebkuchen zu tragen, auf der Rückseite sieht man »naturgemäß« dessen Unterseite. *Lürzer's Archive* darf sich zu Weihnachten harmlos zeigen. (AK)

Stefan Sagmeister, CD Packaging, Talking Heads, »Once in a Lifetime« (Ausschnitt, S. 212), 2003

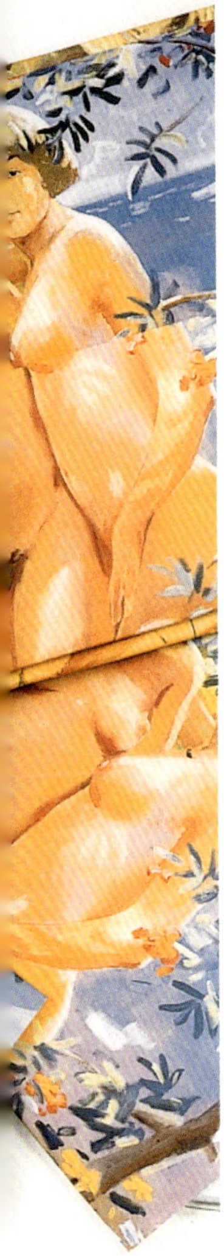

»Die sechste Dimension«[1]
Ausblick ins 21. Jahrhundert

Unbekannt, Plakat »Flexart. Ausstellung und Symposium«, Kunstuniversität Linz, 2006, Offset, 42×59,4 cm, IN GA 5/06/1/Pl

Der »flexible Kapitalismus«, Prekarisierungtendenzen der Arbeitsbedingungen und die Auswirkungen auf den Einzelnen mit besonderem Blick auf Kunst- und Kulturschaffende war Thema des flexart-Symposiums an der Kunstuniversität Linz in Zusammenarbeit mit der Angewandten 2006. In der dazugehörigen Ausstellung wurden künstlerische wie sozialwissenschaftliche Positionen über Ausbildung, Kunstmarkt, ökonomische Lebensrealitäten bis hin zu Arbeitslosigkeit gezeigt, »Isolation, Formation und Widerständiges« inszeniert.

Die Gleichsetzung von Arbeit und religiöser Kulthandlung (zum Beten gefaltete Hände, das Zahnrad als heiligenscheinartiger Strahlenkranz) im Visual des Plakates weisen unverblümt auf die Abhängigkeits- und Gewaltverhältnisse hin, auf denen die aktuellen Arbeitsbedingungen basieren.

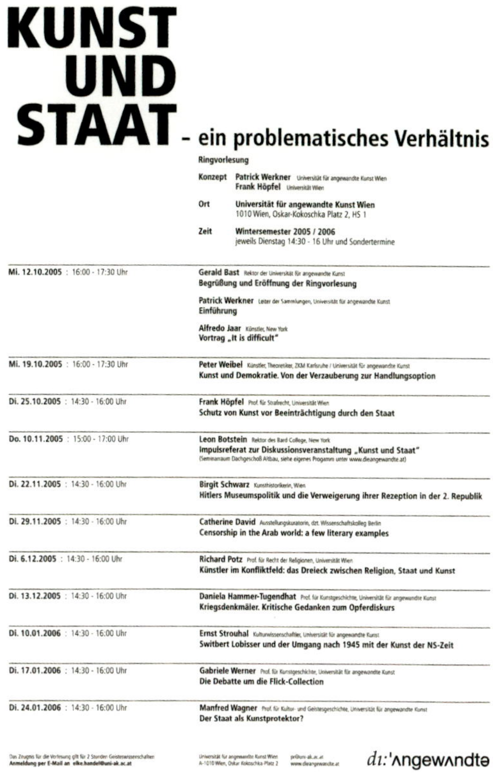

Christoph Tamussino, Plakat »Kunst und Staat – ein problematisches Verhältnis«, 2005, Offset, 84×59,3 cm, IN HS 10/05/2/Pl

Unbekannt, Plakat »Gegenwartskunst in die Schulen«, 2006, Offset, 83,9×59,4 cm, IN HS 09/06/1/Pl

Seit den 1980er Jahren brachte sich die Angewandte vermehrt in das öffentliche Geschehen ein, indem sie – zuletzt gemeinsam mit dem MAK – kulturpolitische Fragen öffentlich thematisierte. Die Forderung »Gegenwartskunst in die Schulen!« (was das »kleingedruckte« Postulat »Gegenwartskunst in die Regierung!« voraussetzt) war Initiative von Museumsdirektor Peter Noever und Kunstuniversitätsrektor Gerald Bast gegen die »kunstpolitische Depression in Österreich« im Wahlkampf zur Nationalratswahl 2006. Die Einrichtung eines Ministeriums und einer Nationalstiftung für Gegenwartskunst sollen die Entwicklung zeitgenössischer Kunstpositionen vorantreiben und ein Gegengewicht zur Kunst-Event-Industrie und zum Kunstmarkt bilden.[2] Die »Aktionsplakate« auf gelbem Leuchtpapier waren Teil einer Print-Kampagne mit Flugblättern, Autobeklebungen und einem Transparent über die Wiener Ringstraße.

Weniger Monate vor dieser Aktion, im Winter 2005/06, thematisierte Patrick Werkner, Leiter der Sammlung Angewandte Wien, mit einer Ringvorlesung das »problematische Verhältnis von Kunst und Staat«.[3] Das nüchterne Plakat dazu von Christoph Tamussino erinnert an ein Formular. (AK)

1 Für Katherine McCoy hat das Grafikdesign des 21. Jahrhunderts nicht mehr zwei, sondern sechs Dimensionen: zu der X und Y-Achse der Fläche kommen Zeit, Bewegung, Ton und Interaktivität, vgl. S. 33 dieses Katalogbuchs.

2 Kristina Pfoser: Ö1 Mittagsjournal vom 04. 09. 2006, www.oe1.orf.at/inforadio/67799.html?filter=5.

3 Alle Beiträge dieser Ringvorlesung in: Werkner, Höpfel 2007.

Fons M. Hickmann, Plakat »Displace Yourself!«, 2002, Offset, 119 × 84 cm, IN 14. 231

Fons M. Hickmann, Katalog zur Ausstellung »Displace Yourself!«, 2002, Offset, 59,7 × 42 cm, IN HS/03/19

Fons M. Hickmann, Buch »Fons Hickmann – Touch me There«, 2005, Offset, Kunststoff, 28 × 22 cm, IN M-Hickm 1

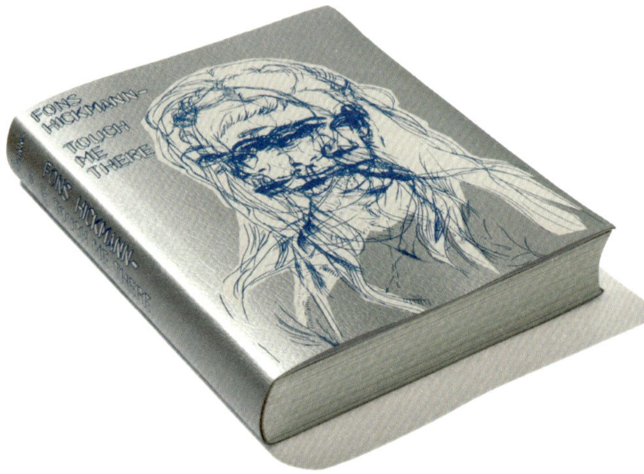

»Denkbilder« sind die Plakate Fons Mathias Hickmanns, »gegen das schnelle Auge und für den zweiten Blick«, Plakate, die das »knappe Gut ›Wahrnehmung‹ unterbrechen«[1] und deautomatisieren. Hickmanns Plakate versetzen den Betrachter auf einen ungewohnten Schauplatz, forcieren den Blick aus einer anderen Perspektive. Hickmann bedient sich der Methode des »De-Platzierens« und gibt damit der Ausstellung seiner Arbeiten im Heiligenkreuzerhof 2002 den Titel »Displace Yourself!« Schon das Visual des Ausstellungsplakates, das barocke Deckenfresko aus einem der Ausstellungsräume – im Zentrum unter dem strahlenden Christusmonogramm ein Herz mit drei Kreuzesnägeln[2] – von der Horizontalen der Decke in die Vertikale des Plakates versetzt und mit grüner LED-Schrift der 1980er Jahre kombiniert, konfrontiert uns bereits mit den Widersprüchen und Positionen der ausgestellten Objekte. Unsere aktuelle Ausstellung (in denselben Räumlichkeiten) nimmt den nächsten Perspektivwechsel vor: Hickmanns Plakat wird

Fons M. Hickmann, Plakat Stummfilm-Tage, Offset, 83,8×59,3 cm, IN 14.916/Pl/2

Fons M. Hickmann, Plakat »Kieler Woche 2002«, Offset, 118,7×83,8 cm, IN 14.297/4

1 Fuder 1998.
2 LCI, Bd. 1, 456–458; LCI, Bd. 2, 248–254.
3 Fuder 1998.

unter dem realen Fresko liegend präsentiert und erhält eine weitere Funktion als Abbild und als Spiegelbild.

Hickmanns Plakate – ob bearbeitete Fotografie oder reduzierte Vektorgrafik – sind stets starke Statements, politische, sozial engagierte, selbstdarstellerische oder werbende, und sie sind klassische Beispiele für das *conceptual image*, das konzeptuelle Bild, das meist ganz ohne Text funktioniert, der Inhalt vermittelt sich durch die Assoziationen der Betrachter. So arbeitet die »Kieler Woche 2002« – fernab von den (bereits zum Corporate Design dieser Veranstaltung gewordenen) Klischees der Segelwelt in dunkelblau-weiß – mit dem Close-up einer Portion »Pommes rot-weiß« (Pommes frites mit Ketchup und Mayonnaise), nebenbei die Farben des Stadtwappens von Kiel, dem sinnlichen Inbegriff des Geschehens um das größte Volksfest Norddeutschlands.

Die monochrome Plakatserie für die Stummfilm-Tage Graz 1997, »Als Augen noch sprechen konnten«, führt den Betrachter zu seinen Empfindungen beim Besuch eines Films, arbeitet mit der Materialität von Film, das leinwand- bzw. plakatfüllende Gesicht in verschiedenen Schärfe- und Verwackelungsgradationen steht für »den Topos der leuchtenden Augen«, mit dem »die blinde Sprache«[3] ersetzt wird. »Alles Überflüssige ist ungut«, ein Zitat des medienkritischen Philosophen Vilém Flusser, ergänzt als fragmentierte Bodenbeschriftung die Plakatserie und funktioniert als Motto für die gesamte Hickmann-Schau. Das Magazin zur Ausstellung zeigt »Unrealized Material by Fons M. Hickmann« und formuliert so Hickmanns Antithese zu »form follows function«, nämlich »Form follows Fehlschlag«, die das Scheitern als wichtige kognitive Funktion und mögliche Quelle von designerischen Impulsen sieht. (AK)

Helga Aichmaier, Verena Petratsch, Kasimir Reimann, Plakat »The Essence 2003«, 2003, 84×59,5 cm, Sammlung Klasse für Grafik Design, IN HS 6/03/3/Pl

Agnes Steiner, Martin Wunderer, Christof Nardin, Plakat »The Essence 2006«, 2006, 84×59,5 cm, Sammlung Klasse für Grafik Design, IN HS 06/06/1/Pl

Nick Kapros, Phil Samhaber, Verena Gillmeier, Plakat »The Essence 2008«, 2008, 84×59,5 cm, Sammlung Klasse für Grafik Design, IN HS/06/08/1/Pl

Die Jahresausstellungen der Universität für angewandte Kunst Wien zeigen die Essenz der Ausbildungsbemühungen und gehören zu der Offensive der Angewandten, sich öffentlich sichtbarer zu positionieren. Die Plakate zu den »Essence«-Ausstellungen werden von Studierenden der Klasse Grafik Design konzipiert, ebenso zu der bereits lange etablierten jährlichen Modeschau der Modeklasse (»Show Angewandte«), die 2009 in der Wiener Stadthalle stattfand.

Das Plakat für »The Essence 2008«, die im MAK ausgestellt wurde, ist eine spektakuläre und martialisch anmutende Fotomontage der Oliver Kartak-Studenten Philip Samhaber, Nick Kapros und Verena Gillmeier, die die beiden Gebäudeteile der Angewandten mit dem MAK verschmelzen, die Essenz des einen Hauses wird in das andere quasi injiziert.

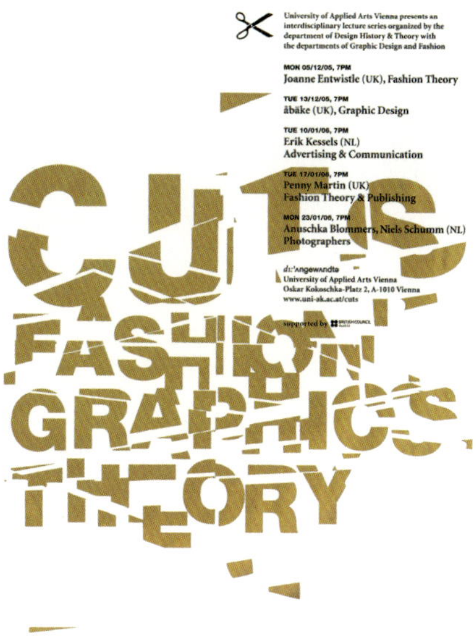

Christof Nardin, Plakat »Cuts Fashion Graphics Theory«, 2005, 119×83,5 cm, IN HS 12/05/2/Pl

Silke Köck, Plakat, »Show Angewandte 08«, 2008, 84×59,5 cm, Sammlung Klasse für Grafik Design

Patrick Bonato, Plakat, »Stefan Sagmeister. Dinge, die ich bisher im Leben gelernt habe«, 2008, 118,9×84,1 cm, Sammlung Klasse für Grafik Design

International tätige Designer und Theoretiker werden regelmäßig zu Vorträgen und Workshops in die Klasse für Grafik Design eingeladen, bereichern das Studium auf gestalterischer und intellektueller Ebene. Manchmal sind diese Veranstaltungen aufregende Events: Stefan Sagmeisters Vortrag ging ein klasseninterner Wettbewerb zum Vortragsplakat voraus. Das Ergebnis ist höchst realistisch visualisierte Sagmeister-Rezeption, ironisch aufbereitet von Patrick Bonato: Sagmeister als Guru, nackt, im Schneidersitz, in schneebedeckter Himalaya-Landschaft.

»Cuts. Fashion Graphics Theory«, die interdisziplinäre Vortragsreihe der Grafik- und Modeklasse sowie des Institutes für Designtheorie und -geschichte in 2005 bot »Schnipsel« der verschiedenen Designsparten von holländischen und britischen Vortragenden – goldene Schnipsel. Das Plakat stammt von Christof Nardin. (AK)

Helga Aichmaier, Buchkonzept und -gestaltung, »Die Reine Wahrheit«, Diplomarbeit, 2004, Sammlung Klasse für Grafik Design, Foto: Helga Aichmaier

Die jungen Grafikdesignerinnen und -designer des 21. Jahrhunderts haben damit begonnen, den Paradigmenwechsel vom Fremdauftrag zum Eigenauftrag zu vollziehen – in umgekehrter Richtung wie vor mehr als 100 Jahren, als Künstler zu Grafikdesignern wurden. Waren die Diplomarbeiten der ersten Hälfte des 20. Jahrhunderts Auftragsarbeiten des Klassenleiters, so stellten sich die Schüler später ihre Aufgaben selbst. Heute scheint die Relevanz dieser selbstgestellten Aufgaben größer, die Recherche tiefer, die Umsetzung vielgestaltiger – und aller Multimedialität zum Trotz: die Inhalte werden in Bücher und Zeitungen gefasst.

Die »Reine Wahrheit« von Helga Aichmaier ist ledergebunden mit Goldprägung wie eine Bibel, kommt aber mit glitzerndem Porno-Schutzumschlag. Sie konfrontiert uns von Anfang an mit der Funktion von Design und macht den Designer zum Informationsvermittler relevanter Inhalte statt zum Verkäufer von Waren. »Wirklichkeitsauffassungen und Bildwahrheiten in den Medien« sind in einem Bilderbuch aufbereitet, das verschiedene Funktionsweisen der medialen Bildmanipulation beleuchtet, den Betrachter zum Komplizen macht – und zur Reflexion darüber anregt.

Kasimir Reimann, »Wirtschaftsbericht 1975–2006«, Diplomarbeit, 2006, Sammlung Klasse für Grafik Design, Foto: Kasimir Raimann

Anna-Nora Szilit, Buchkonzept und Illustrationen, »Tel Aviv-Jaffa. Once upon a time today«, Diplomarbeit 2008, 21×14,8 cm, Sammlung Klasse für Grafik Design, Foto: Anna-Nora Szilit

Kasimir Reimann bringt uns seinen »finanziellen Lebenslauf« als »Wirtschaftsbericht 1975–2006« näher und schließt von den individuellen auf die gesellschaftlichen und ökonomischen Verhältnisse dieser Zeitspanne. »Human-, Sozial- und Sachkapital« werden thematisiert. Mittels Bildstatistiken erfahren wir etwa, wie teuer eine menschliche Niere wo zu kaufen ist.

Tel-Aviv-Jaffa ist ein Stadtporträt in Buchform von Anna-Nora Szilit. Das Buch enthält – auf zwei Ebenen – englische und hebräische Übersetzungen von Texten der jungen Grafikdesignerin. Historische Fakten ergänzen persönliche Erinnerungen von Bewohnern der »Weißen Stadt«, die Szilit interviewte. Illustrationen zur Geschichte und Gegenwart stellen im Zusammenspiel mit dem Text Tel Aviv von seiner Gründung 1909 bis heute dar. Die 248 Seiten sind von Hand geschrieben, illustriert, fadengebunden und mit einem herausnehmbaren Stadtplan versehen.

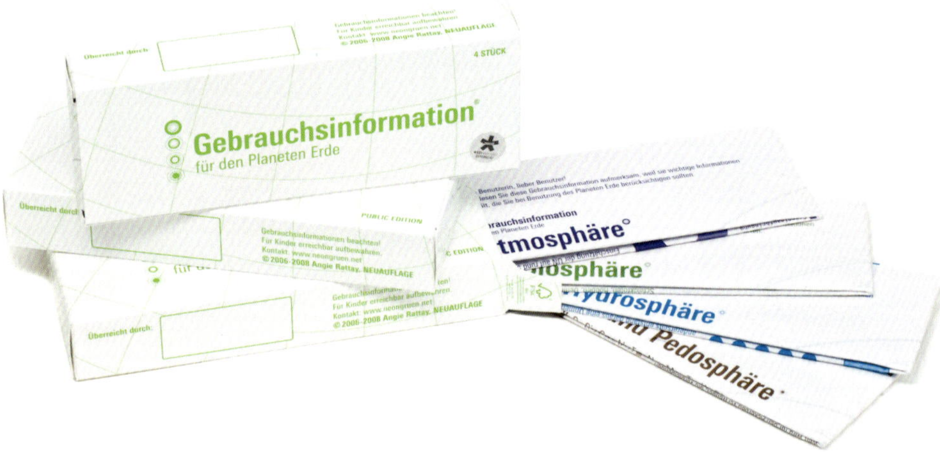

Angie Rattay, Klasse für Grafik Design Fons Hickmann, Infografik »Gebrauchsinformation für den Planeten Erde«, Diplomprojekt, 2007, Leihgabe Angie Rattay, Foto: Archiv der Klasse für Grafik Design

Sonja Antes, Karin Aue, Florian Boschitsch, Natalie Dietrich, Astrid Feldner, Fabienne Feltus, Käthe Ivansich, Julia Juriga-Lamut, Johannes Lang, Christof Nardin, Mirjam Peter, Vedran Pilipovic, Angie Rattay, Kasimir Reimann, Wolfram Wiedner, Katharina Ralser, Nina Reisinger, Tobias Werkner, Klasse für Grafik Design Fons Hickmann, Editorialdesign »Tag 8 Magazin: Zwänge«, 2004, Sammlung Klasse für Grafik Design, Fotos: Archiv der Klasse für Grafik Design

»Tag 8«, eine Gemeinschaftsproduktion von 18 Designerinnen und Designern der Klasse Fons Hickmann, ist als interdisziplinäres Designmagazin konzipiert, das das Alltagsleben aus verschiedenen Blickwinkeln reflektiert. Design, Musik, Philosophie und Literatur breiten sich im aufgeklappten Zustand auf einer Fläche eines 1-Bogen-Plakates aus: intelligenter Inhalt, zurückhaltende Gestaltung, die nicht Selbstzweck ist.

Die »Gebrauchsinformation für den Planeten Erde« von Angie Rattay, eine Zeitungsbeilage in der Ästhetik und Diktion der Beipackzettel von Medikamenten, kommuniziert sofort: Die Bedrohung von Atmosphäre, Hydrosphäre und Biosphäre wird mit Infografiken und Illustrationen vermittelt, unerwünschte Nebenwirkungen und Verfallsdatum weisen auf die Dringlichkeit der Maßnahmen hin.

Christof Nardin, Klasse für Grafik Design Fons Hickmann, Buchkonzept und -gestaltung »Beyond Grafik Design. Klasse Fons Hickmann«, Diplomprojekt, 2007, IN M-Hickm 3, Foto Cover: Christof Nardin; Foto Doppelseite: Peter Kainz

Christof Nardin, Buchgestaltung »360°. Ein Designpanorama. Industrial Design Bořek Šipek «, 2005, IN HS 05/4

Christof Nardin gestaltete sowohl den Werkkatalog der Industrial Design-Klasse von Bořek Šipek, »360°«, als auch das Buch »beyond graphic design«, seine Diplomarbeit, eine 388 Seiten umfassende und vielschichtig gearbeitete Werkschau der sechs Jahre in der Klasse für Grafikdesign von Fons Hickmann. Nardin ist nicht nur Konzeptionist und Gestalter, sondern auch Mitherausgeber des Buches, das im Verlag Hermann Schmidt Mainz erschienen ist.

Im Buch sind unübersehbar viele Seiten dem Projekt »Turnier für angewandten Fußball« gewidmet, das für die Funktionsweise der Klasse steht. Hickmann: »Das Fußballspiel ist eine Metapher für die Arbeit des Designers. Individuelle Stärke und Gruppenfähigkeit machen den Spieler aus, hat er nur eine Seite ausgeprägt, wird er scheitern – jämmerlich.«[1] (AK)

1 Hickmann, Nardin 2007, 26.

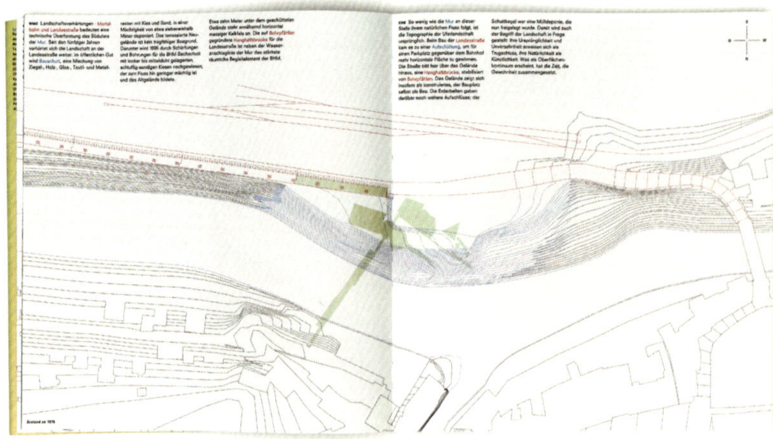

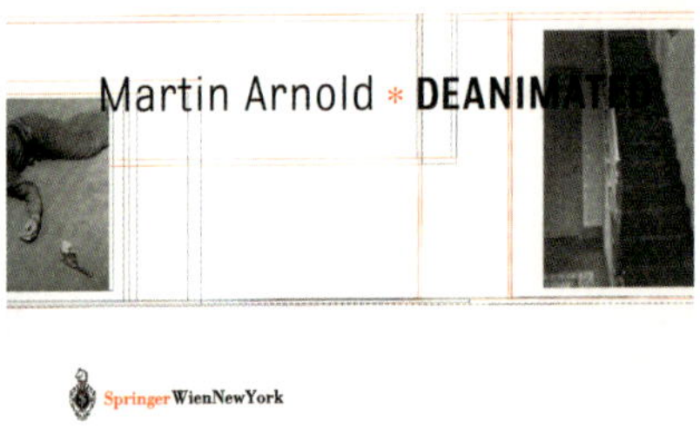

Walter Pamminger, Herausgeber, Gestaltungkonzept; Willi Schmid, Grafikdesign, Buch »Tschapeller, Schöffauer – Murau. Dokumentation zum Neubau der Bezirkshauptmannschaft«, 2004, IN Arch 139

Walter Pamminger, Gestaltungkonzept; Anna Bertemann, Grafikdesign, Buch »Martin Arnold. Deanimated«, 2002, IN M-Arno 1

In den Büchern, denen grafische Konzepte des Buchgestalters, Chemikers, Autors und Kurators Walter Pamminger zugrundeliegen, ist die Leidenschaft für die Materie, die vermittelt wird, spürbar. Pammingers Buchkonzepte wollen durch »ungewöhnliche Bild-Text-Verschaltungen« die Lesegewohnheiten »entautomatisieren«[1], wie etwa in dem Filmbuch »Deanimated«, in dem sich die Abbildungsgrößen nach der Länge der Filmszene richten, wodurch die Dimension Zeit – in einen visuellen, einfach lesbaren Code übersetzt – ins Medium Buch einfließt. Das Architekturbuch zu Planung und Bau der Bezirkshauptmannschaft Murau durch Wolfgang Tschappeller und Friedrich Schöffauer, begreift das Layout als Architektur, als bewußte Konfiguration von Lektüreräumen, in denen sich der Leser bewegen kann.

Pamminger, der Buchgestaltung als Raumarbeit sieht, orientiert sich stets am Inhalt des Buches, und es gelingt ihm, diesen zu erweitern[2]: Wenn er etwa durch das Layout neue Aspekte des vorhandenen Datenmaterials sichtbar macht, neue Zusammenhänge, »Ungewusstes«[3], aufdeckt. (AK)

1 Walter Pamminger über seine Buchkonzepte, Pamminger 2004.
2 Miller 2004.
3 Pamminger 2006.

Julius Deutschbauer, Gerhard Spring, Plakat »Flüchtlingsdrama am Lunzer See«, 2007, Offset, 83,5×59 cm, IN Spring 07/1a/Pl

Julius Deutschbauer, Gerhard Spring, Plakat »Terror im Vergnügungspark«, 2004, Offset, 83,5×59 cm, IN Spring 04/2/Pl

Im Herbst 2007 erklärte das Künstlerduo Julius Deutschbauer und Gerhard Spring ihre seit dem Jahr 2000 währende Zusammenarbeit als Plakat-, Performance-, Sprach- und Videokünstler für beendet. Den Hintergrund für diesen Schritt bildete der Verkauf der freien Plakatflächen der Stadt Wien an die Gewista[1], die wiederum an einen französischen Konzern[2] veräußert wurde.[3] Nach diesen Veränderungen bedarf es in Wien einer Vorlaufzeit von einem halben Jahr, um rechtzeitig Plakatflächen zu reservieren.[4] Damit ist ein spontanes, künstlerisches Agieren unmöglich geworden. Selbst WC-Wände in Gemeindebauten sind der Privatisierung zum Opfer gefallen. Dazu Deutschbauer/Spring: »Das geht ja weiter bis in die Kanalisation, bis hin zur öffentlichen Verdauung!«[5]

Dieser Kommentar spiegelt symptomatisch die ironisch-kabarettistische Grundhaltung des Duos. Diese beiden Plakate wie auch alle anderen sowie die damit beworbenen Performances zeugen von einem satirisch-kritischen Umgang mit aktuellen politischen und kulturellen Problemstellungen. (RS)

1 Diese 6000 Plakatflächen werden seit Oktober 2007 von der Kultur:Plakat Gmbh, einer 70%-Tochter der Gewista, verwaltet. Siehe: Kultur:Plakat Gmbh: Webseite: www.kulturplakat.at/index.php?option=com_content&view=article&id=1&Itemid=2 (07. 07. 2009).
2 JCDecaux Central and Eastern Europe Holding hält seit 2001/02 67% der Anteile an der Gewista. Siehe: Gewista: Webseite: www.gewista.at/relaunch/www/index.php?id=9 (07. 07. 2009).
3 Julius Deutschbauer: Radio Attac: www.radioattac.at/more.php?id=A233_0_1_0_M (07. 07. 2009).
4 Ebenda.
5 Kurier: Nur 100 Plakate, Ausstellung MAK-Wien: www.verein-freiesplakat.at/download.php?filename=61326Kurier_10.4.08.pdf&filetype=application%2Fpdf (07. 07. 2009).

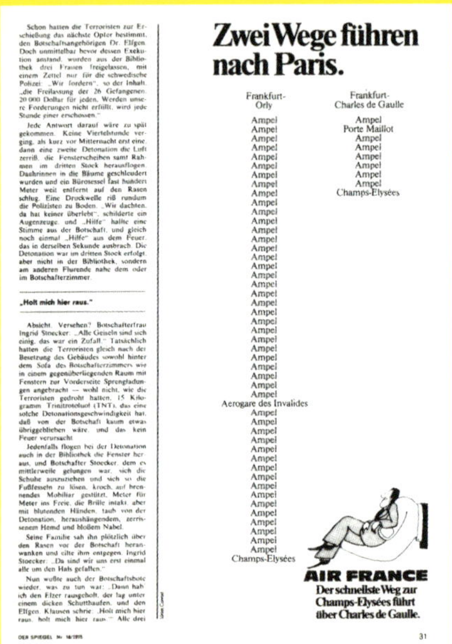

Walter Lürzer, Kampagnen, Privatarchiv Walter Lürzer

Bosch, Anzeige »Die Geschichte des Automobils.«, o.J.

Air France, Anzeige »Zwei Wege führen nach Paris.«, o.J.

Lufthansa, Anzeige »Verlaßt unser Land. Mit 25% Ermäßigung.«, um 1970

»Es gibt keine allgemein gültigen Regeln für gute Werbung«, ist Walter Lürzer, in der Werbebranche weltweit verehrter »Guru«, überzeugt, der Blickwinkel ist entscheidend. »Für Unternehmer ist Werbung gut, die ihre Produkte verkauft, für Verbraucher, wenn sie sie nicht belügt – und für Werber, wenn sie Pokale damit gewinnen.«[1] Trotzdem vermittelt Lürzer Regeln der Konzeption, die erlernbar sind, eine Ethik in der Werbung, die für ihn – ohne moralisierend zu sein – unumgänglich ist, formale Kriterien, die Originalität zum Ziel haben. Walter Lürzer, jahrzehntelang Kreativdirektor und Miteigentümer großer Agenturen, hat als Österreicher der deutschen Werbung internationale Anerkennung verschafft. Legendäre Kampagnen aus Lürzers Feder machten etwa für Wasa Knäckebrot (1971) den Bau

Walter Lürzer, Anzeigen, »Fiat Panda. Die tolle Kiste«, um 1980, Privatarchiv Walter Lürzer

Walter Lürzer, Anzeige, Wasa-Knäckebrot, 1971, Privatarchiv Walter Lürzer

einer zweiten Fabrik erforderlich und den unscheinbaren Fiat Panda (um 1980), »die tolle Kiste«, zum Kultauto. Die Lufthansa-Anzeige mit dem Foto einer Studentendemonstration auf tiefrotem Grund und der Headline »Verlaßt unser Land. Mit 25% Ermäßigung« brachte eine Auseinandersetzung im Deutschen Bundestag, war die Fluglinie doch in staatlicher Hand.

Weltumspannende Bekanntheit und Anerkennung in der Branche brachte ihm sein 1984 erstmals erschienenes Magazin »Lürzers Archiv«, das die international besten Werbesujets – also jene, die außergewöhnlich, informativ und unterhaltsam sind – veröffentlicht und heute für Werbegestalter aus aller Welt, von den USA bis Indien, ein Kompendium der kreativen Werbung ist – was auch zur »Globalisierung« der kreativen Lösungen in der Werbung beitrug.

1 Engeser 2009.

Mladen Penev, Klasse für Grafik und Werbung Walter Lürzer, Plakatkampagne »The Power of Books«, Diplomarbeit, 2003, 40 × 30 cm, IN 14.769/FW/2, IN 14.769/FW/4, IN 14.769/FW/6

»Lürzer an die Wirtschaftsuni!« – stand auf einem Transparent in der Aula der Angewandten 1990, als Walter Lürzer als Pionier seine Professur an der neugegründeten Klasse für Grafik und Werbegestaltung antrat. Nach fast 20 Jahren ist die Klasse heute eine der wichtigsten Ausbildungsstätten für intelligente Werbung in Europa, die wichtigste in Österreich. Lürzer verstand es, Kreativität und Unternehmergeist zu vereinen und diese Kompetenz an seine Schüler weiterzugeben, eine Kombination, die auch wirtschaftlichen Erfolg seiner Zöglinge bedeuten kann. Die Ausbildung in Werbekonzeption, -text und -gestaltung, die vor allem analytisches Denken fordert und trainiert, ist oft unbequem und hart (»Ohne Disziplin ist alles nichts«, W. L.), und hat sich stets an den realen Gegebenheiten des Marktes zu orientieren.

Mate Ferge, Klasse für Grafik und Werbung Walter Lürzer, Werbekampagne für eine erotische Buchhandlung »Venus Temple«, 2005, IN DA 1871/05

Die Kampagne für den Buchhandel des Lürzer-Studenten Mladen Penev aus 2003 »The Power of Books« visualisiert die »Abenteuer im Kopf« beim Lesen, aber auch die Kraft, mit der Bücher wirken und verändern können. Die Sujets hängen heute als Leihgaben im österreichischen Bundesministerium für Bildung, Wissenschaft und Kunst.

Für eine Buchhandlung der erotischen Art wirbt Mate Ferge mit subtil-humorvollen Inseraten (und weniger subtilen Package Designs) im Rahmen eines Corporate Designs für »Venus Temple«, eine umgekehrte ionische Säule als Logo – die beiden Voluten sinnigerweise unten – inklusive. Stimmiges Point of Sales-Material (Präsentation und Werbung im Geschäft) von Nagelbrett bis Lammfell rundet die mit Spaß Tabus brechende Arbeit ab.

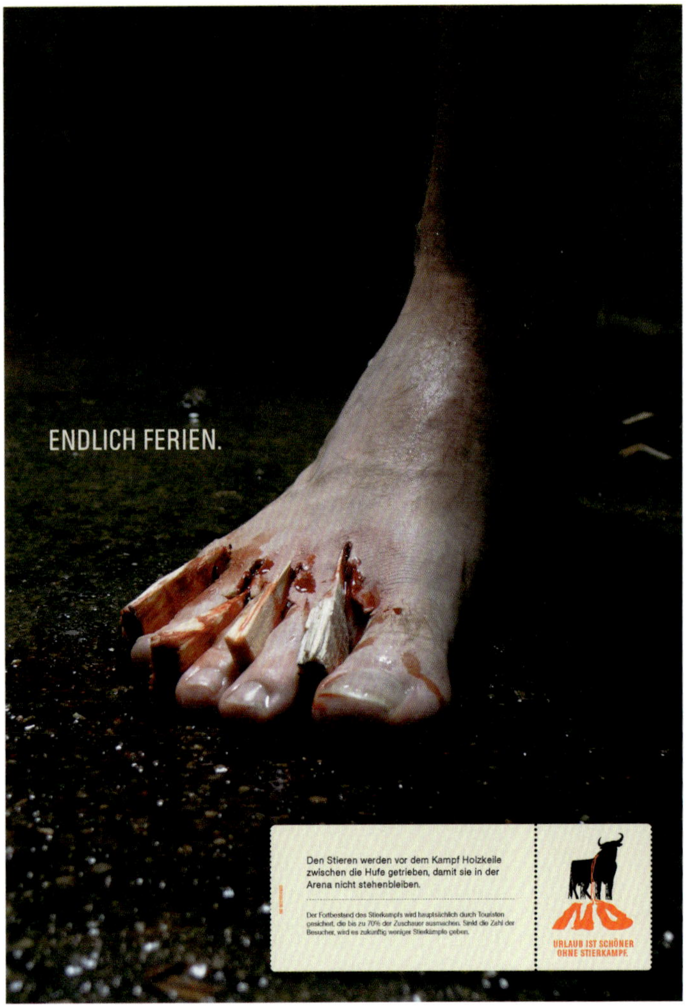

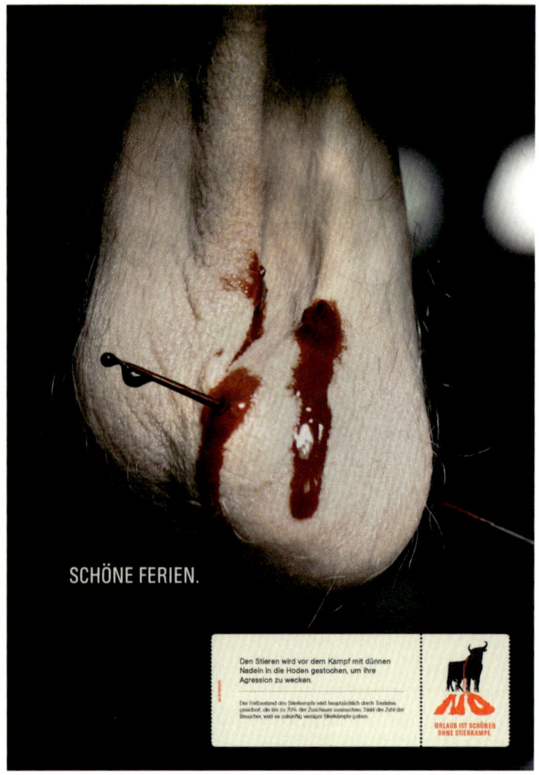

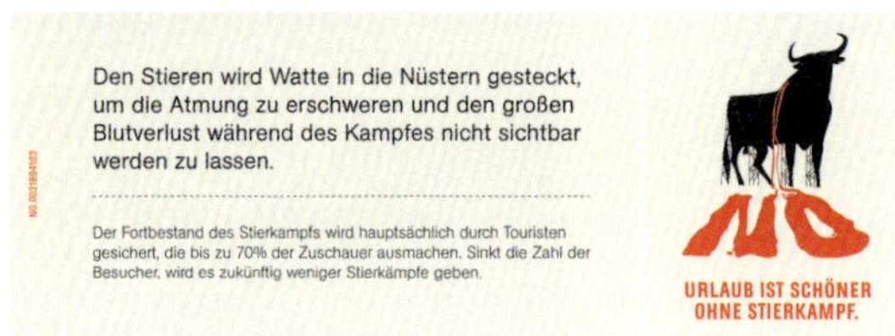

Tobias Held, Klasse für Grafik und Werbung Walter Lürzer, Kampagne »Stierkampf. Langer Tod am Nachmittag«, 2006, Diplomarbeit, IN DA 2028/06

»Langer Tod am Nachmittag. Aufklärungskampagne gegen Stierkämpfe« ist Tobias Helds profund recherchierte und aufmerksamkeitsstarke Kampagne, die uns als (Spanien-)Touristen anspricht und uns die Methoden hinter den Kulissen dieses ungleichen Kampfes näherbringen soll. Inserate und Plakate mit blutigen Visuals übertragen die Quälereien, die dem Stier vor dem Kampf zugefügt werden, um das gewünschte Bild in der Arena zu erhalten, 1:1 auf den Menschen, und schaffen so Identifikation mit dem Tier – Realitätsnähe durch Abstraktion. Typische Urlaubspostkarten und Flyer in Form von Eintrittskarten legen auf den zweiten Blick ungewöhnliche Perspektiven etwa eines zustechenden Toreros frei. Die Kampagne soll die Nachfrage der Touristen nach Stierkämpfen verringern.

Birgit Hertel, Klasse für Grafik und Werbung Walter Lürzer, Kampagne »Dinner in the Dark. Wiens erstes vollkommen dunkles Restaurant«, 2004, Leihgabe Archiv Klasse Walter Lürzer

Mit einer kulinarisch-illustrativen Arbeit versucht Birgit Hertel sinnliche Wahrnehmung wie Duft und Geschmack für »Wiens erstes vollkommen dunkles Restaurant« in visuelle Codes wie Farbe und Form zu übersetzen. Die Illustrationen machen den Geschmack von Wild, von Schokolade, Chili oder Fisch, visuell erlebbar und bereiten auf das Empfinden im Lokal vor – dann, wenn man nur mehr schmeckt, fühlt und riecht, ohne zu sehen. Die floral-organischen Illustrationen Hertels und ihre ornamentale Typografie des Schriftzuges »Dinner in the Dark« transferieren die Formensprache der Grafikdesign-Vorfahren der Secession ins 21. Jahrhundert. (AK)

Stefan Sagmeister

CD, Lou Reed, »Set the Twilight Reeling«, 1996, 12,5×14 cm, IN 15.761 a,b/AV, Foto: Sagmeister Inc.

Buch mit 3 CDs und 1 DVD, Talking Heads, »Once in a Lifetime«, 2003, Illustration: Vladimir Dubossarsky, Alexander Vinogradov, 13,5×42,5 cm, IN 15.758/AV/Q, Foto: Sagmeister Inc.

CD mit Schuber, Rolling Stones, »Bridges to Babylon«, 1997, 12,5×14 cm, IN 15.760/AV, Foto: Sagmeister Inc.

Stefan Sagmeister, CD-Box, David Byrne & Brian Eno »Everything that Happens will Happen Today«, 2009, 13×14×5,5 cm, IN 15.759/AV/O, Foto: Sagmeister Inc.

Stefan Sagmeister, Österreichs internationaler »Design-Export«, Angewandte-Absolvent der Klasse Kurt Schwarz, begann sein New Yorker Designbüro mit der Intention »graphic design for the music industry« zu machen – und kam schließlich mit seinem außergewöhnlichen, intelligenten und unterhaltsamen Anti-Design an die Größten des Musikgeschäfts, was ihn auch zu einer Art Grafik-Popstar machte, zum »agent provocateur für Intelligente«[1]. Das (wirtschaftlich) erfolgreichste von Sagmeister ausgestattete Produkt mit vermutlich der größten Reichweite ist die CD-Verpackung für das Rolling Stones-Album »Bridges To Babylon« von 1997, für das sich Sagmeister in der Vorderasien-Sammlung des Londoner British Museum von einem dreitausend Jahre alten assyrischen Löwenmenschen inspirieren ließ.

Vielfach publiziert wurde sein Plakat für Lou Reeds CD »Set The Twilight Reeling« mit dem in Reeds Konterfei eingeschriebenen Liedtext, die Verpackung der CD selbst ist hingegen weniger bekannt. Die Titelnummer handelt von der Entstehung eines neuen Gestirns. Sagmeister wendet dafür einen seiner »physikalischen« Tricks an,

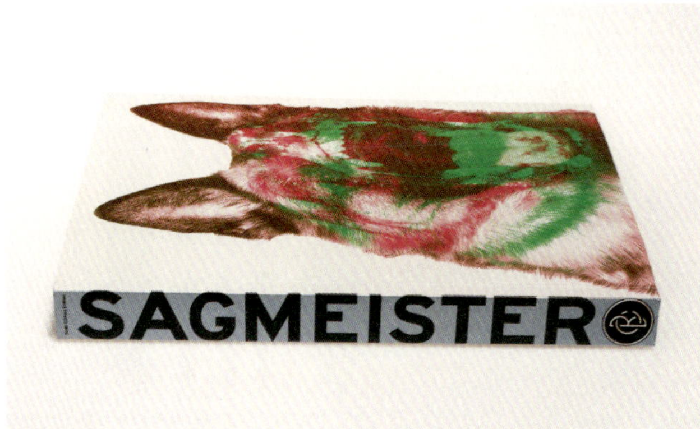

Stefan Sagmeister

Buch im Schuber, »Made You Look«, 2004, 24,5×17,4×2,4 cm, IN 15.763/Q, Fotos: Sagmeister Inc.

Geschäftsbericht Zumtobel 01/02, 2002, 27×21×5 cm, IN 15.762/Q, Fotos: Sagmeister Inc., Bela Borsodi

1 Medianet, 23.05.2002, 1.
2 Sagmeister zitiert in seinem Buch »Made You Look« (Hall, Sagmeister 2001) Norman Rockwell:
»If your image does not work,
put a dog in it.
If it still does not work,
put a bandage on the dog.«

das Cover des Booklets zeigt ein sehr hell gedrucktes Portät von Lou Reed, das aber die dunkelblaue Plexiglas-Hülle finster aussehen läßt. Erst beim Herausziehen des Booklets wird der »dunkle Charakter« zum »neuen Menschen«. Aufgeklappt sind verschiedene Phasen einer Sonnenfinsternis zu sehen, der Inbegriff von Zwielicht.

Mit ähnlichen Mitteln der Farbkompensation arbeitet auch Sagmeisters Selbstdarstellung »Made You Look« aus 2001, ein mittlerweile in zweiter Auflage erschienener »Grafikdesign-Klassiker«: Mit rotem Kuststoff-Schuber und Rot-Grün-Effekten ist im Schuber nur das treuherzige Hundeporträt sichtbar, beim Herausziehen reißt der aggressive Schäferhund sein Maul auf. »Wenn Dein Bild nicht funktioniert, tu einen Hund drauf«[2] ist der selbstironische Kommentar zur Buchgestaltung, wie auch der Untertitel des Buches den Inhalt augenzwinkernd mit Understatement kommentiert: »Noch so eine selbstgefällige Designer-Monografie«. Das Buch ist die komplexe Darstellung von fast 20 Jahren gestalterischer Arbeit, brillant gestaltet und vom Designkritiker Peter Hall geschrieben.

Stefan Sagmeister, Posterkampagne für Levi's Jeans, 2009, Offset, 118,5×84 cm, IN 15.764/1, 15.764/2

Trotz dieser Spiele ist das Analoge in Sagmeisters Arbeit, die Handarbeit, die unmittelbare Intervention auf dem Arbeitsmaterial, seine Stärke, Basis seiner Authentizität und Unmittelbarkeit. Die leicht ins Unheimliche kippende Heile-Welt-Stimmung der David Byrne/Brian Eno-Spezialedition »Everything that Happens will Happen Today« (2009) ist durch das 3D-Plastikmodell eines (durch Lichteinwirkung Geräusche generierenden) Einfamilienhauses auf der CD-Dose visualisiert, welche unter anderem ein 92-seitiges Mini-Textbooklet enthält. Für die Talking Heads-Produktion »Once In A Lifetime« (2003) verwendet Sagmeister Gemälde der russischen Künstler Vladimir Dubossarsky und Alexander Vinogradov, in denen alle seine »Lieblings-Visuals« vorkommen: »Babys, Bären, abgetrennte Glieder und Nackte«.[3]

Auch in der Werbung generiert Sagmeister die Ideen stets aus dem zu bewerbenden Produkt selbst, erfindet keine imaginären Welten oder Images. Bei den Plakaten für Levi's fotografiert er ganz einfach die Jeans – nicht ohne sie vorher in ihre Bestandteile Denim-Faden, Nieten, Knöpfe und Reißverschluß zu zerlegen. Im anderen Sujet werden sie auf dem Plakatpapier aus dem Faden wieder zusammen-gebaut, als Headline dient der Spruch »This is a pair of Levis, sewed with the strongest thread«, den man auch in der Hosentasche der Jeans findet.

Der Geschäftsbericht des Vorarlberger Beleuchtungssysteme-Herstellers Zumtobel von 2002 führt uns vor, was alles allein durch Licht bewirkt werden kann: Das farblose Kunststoff-Relief einer provokant kitschigen Blumenvase (die fünf Blumen stehen für die fünf Marken von Zumtobel) auf dem Cover des Buches macht auf den Innenseiten – fotografiert unter verschiedensten Lichtsituationen – einen atemberaubenden Farben- und Formenwandel durch. Die Fotos der experimentellen Lichtspiele stammen vom ebenfalls nach New York ausgewanderten Kurt Schwarz-Schüler und erfolgreichen »Mode-Stilleben-Künstler« Bela Borsodi.

Stefan Sagmeister, Buch mit Schuber »Worldchanging. A User's Guide for the 21st Century«, 2006, 23 × 17,5 × 5,5 cm, IN 15. 757/Q, Foto: Sagmeister Inc.

Das Buch »Worldchanging«, aus 2006, herausgegeben von Alex Steffen, gestaltet von Stefan Sagmeister, ist ein »User's Guide for the 21st Century« und enthält Berichte über »neue, positive Entwicklungen in Wissenschaft, Technik, Architektur, Wirtschaft und Politik, die die Welt ändern werden«.[4] – Bis dahin wird sich das Buch selbst ändern, nämlich durch das Sonnenlicht, das durch die perforierte Zeichnung des Schubers das Cover des Buches langsam vergilben lässt. (AK)

3 Stefan Sagmeister, Credits »Talking Heads, Once In A Lifetime«, Typoskript, 02. 01. 2007.
4 Stefan Sagmeister, Credits »Worldchanging«, Typoskript, 02. 01. 2007.

Meisterklasse Franz Herberth, Bierdeckel Ottakringer Brauerei, 1973, Siebdruck, 9×9 cm, IN 14.126/Q

Meisterklassen für Grafik Design, Fons Hickmann und Oliver Kartak, Etikettenentwürfe, »Stiegl Braukunst-Edition«, 2003–2008, Sammlung Klasse für Grafik Design

Stiegl-Bräu lud Grafikstudierende der Angewandten zum Etikettenwettbewerb für seine Linien zu bestimmten Sport- oder Kunst-Events mit dem Titel »Brau*kunst*«. Zu sehen sind die Editionen »Ballsaison« zur Fußball-EM 2008, »Jazz« und »Mozart«, sowie eine freie Edition zum »ganz normalen Bier-Alltag«.

Kombiniert sind hier die Flaschen mit Bierdeckel-Entwürfen der Klasse Franz Herberth von 1973. (AK)

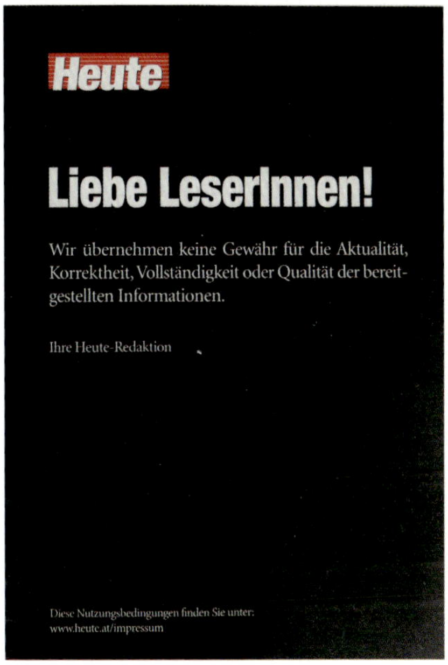

Tobias Egger, Markus Riedler, Klasse für Grafik Design
Oliver Kartak, »Liebe LeserInnen!«, 2008,
Leihgabe Sammlung Klasse Grafik Design

Oliver Kartak (*1968), Multimediadesigner und Filmemacher, übernahm 2008 die Klasse für Grafik Design und beauftragte die Studierenden, mittels subversiv-aktionistischer Kommunikation im öffentlichen Raum aktuelle gesellschaftliche Fragen zu thematisieren. Dabei wurden bestehende Kommunikationskanäle temporär genutzt und forderten öffentliche Reaktionen heraus. Ein anonymes Team versah eine Gratiszeitung, die ganz Wien morgens in der U-Bahn liest, mit einer im Zeitungsdesign gestalteten Beilage, die das Impressum wörtlich zitiert: »Wir übernehmen keine Gewähr für die Aktualität, Korrektheit, Vollständigkeit oder Qualität der bereitgestellten Informationen.«

Mit einem einzigen Satz wird die »Informations«medienlandschaft bloßgestellt. Die jungen Gestalter hatten ins Schwarze getroffen: Die Androhung einer Anzeige des Verlags gegen Unbekannt[1] ließ nicht lange auf sich warten, andere Tageszeitungen berichteten, es gab – zumindest für kurze Zeit – eine Diskussion …[2]

1 Diese Anzeige wurde aufgrund der umgehenden Offenlegung der Aktion als Kunstprojekt durch die Universität vom Verlag zurückgezogen. Anderenfalls hätte die »Guerilla«-Aktion wohl noch wesentlich weitere mediale Aufmerksamkeit erzeugt.

2 www.derstandard.at/fs/3371513 und www.kurier.at/interaktiv/blog/kult/167036.php.

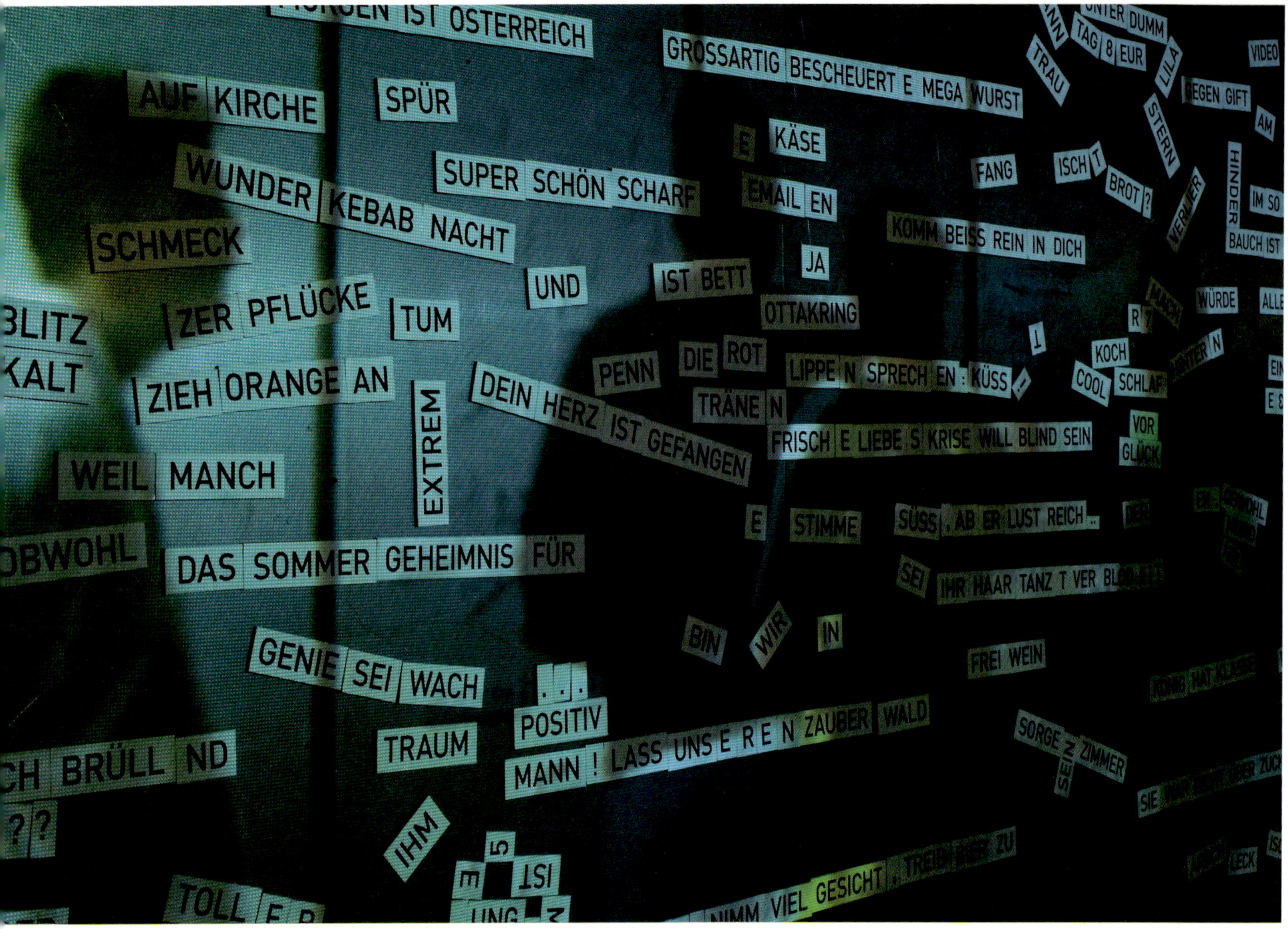

Caitlin Dennis & Gudrun Olsen, Klasse für Grafik Design Oliver Kartak, Installation »Best Sprech Wald Nimm Ver Lippe«, 2008, Metalltafel mit magnetischen Schrifttäfelchen, Projektion, 200 × 300 cm, Leihgabe Sammlung Klasse Grafik Design

Mit einer Installation an Wänden der U-Bahnstationen wurden von Caitlin Dennis und Gudrun Olsen »Wiener Wortschätze« hinterlassen. Passantinnen und Passanten waren eingeladen, im öffentlichen Raum persönliche Statements zu formulieren. In einer ersten Präsentation der Arbeit im MAK wurden zusätzlich Filmsequenzen der textenden Passanten auf die magnetische Fläche projiziert, sodaß zwei interagierende Ebenen entstehen, die dokumentierende und die aktuell ablaufende. Diese Installation lädt auch in der aktuellen Grafikdesign-Ausstellung im Heiligenkreuzerhof die Besucher zur Interaktion ein.

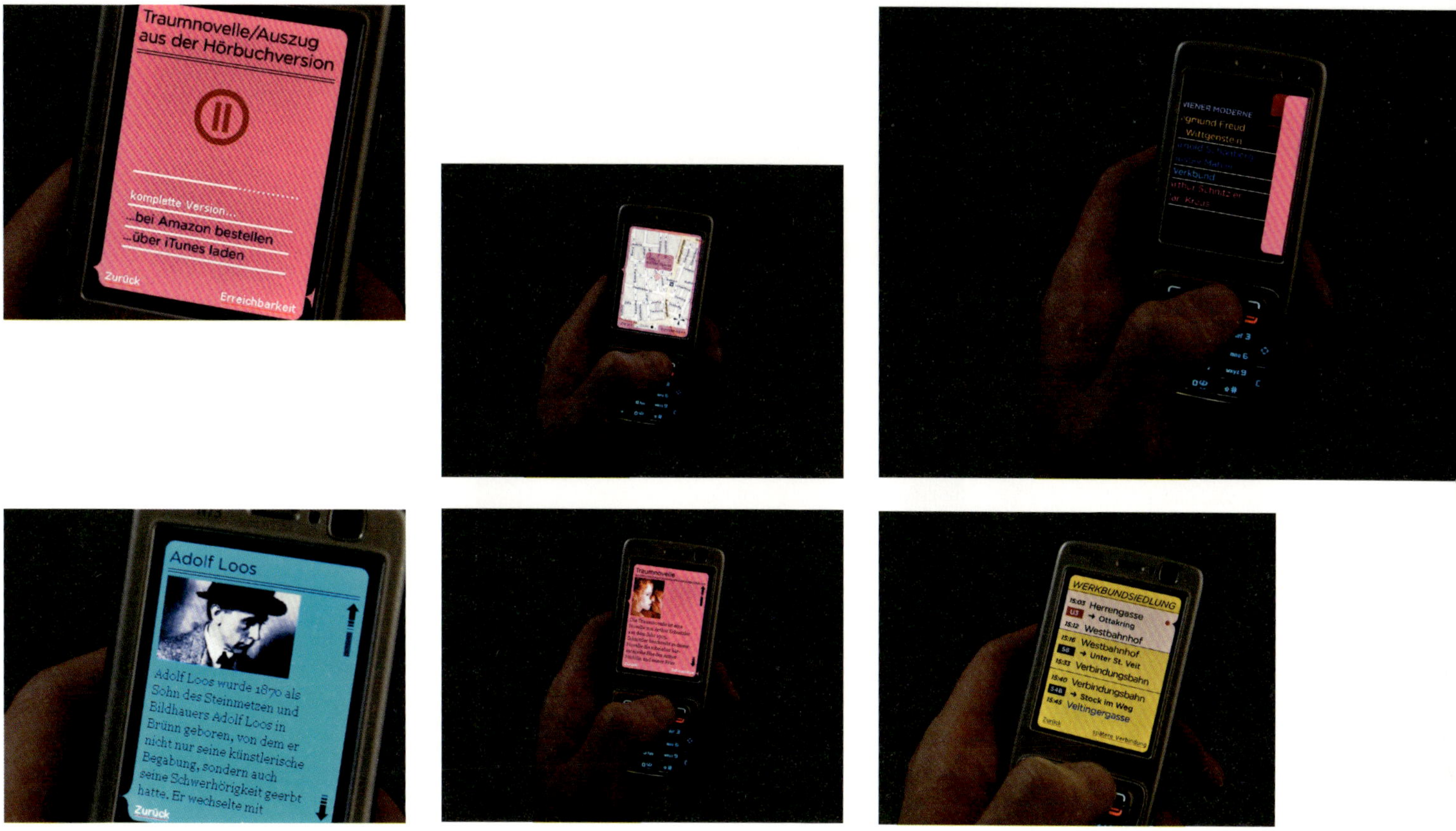

Christoph Blocher, Mobiltelefon-Stadtführer »Spot me«, Diplomarbeit, 2008, Sammlung Klasse für Grafik Design

»Unsere Welt ist eine visuelle geworden, die grafische Vermittlung von Inhalten ist heute nicht mehr abhängig von unserem Berufsstand«, so kommentiert Walter Bohatsch, Kommunikationsdesigner der Schweizer Grafikdesign-Schule in Wien, die Demokratisierung der Inhaltsvermittlung durch das Internet.[1] Die Gestaltung der Oberfläche digitaler Medien ist nicht mehr ausgebildeten Gestaltern vorbehalten, auch wenn die Prinzipien dieselben geblieben sind: eine Bildschirmoberfläche funktioniert wie ein Buch, eine Website »durchsurfen« ist wie das Blättern in einem querformatigen Buch.[2] Es gelten dieselben Gestaltungsregeln, die Informationen genussvoll lesbar machen.

Auch das Screendesign der vorerst kleinsten zu gestalteten Fläche, des Displays von Mobiltelefonen, folgt diesen Regeln.

Christoph Blocher, Student von Fons Hickmann, ist einer von jenen, die sich als Grafikdesigner den digitalen Oberflächen widmen. Der von ihm konzipierte und gestaltete internetbasierte »Handy«-Stadtführer »Spot me« hebt sich schon vom Inhaltsangebot wohltuend vom soganntén Zeitgeist ab: der User kann sich statt »Spielen«[3] etwa Schnitzlers »Traumnovelle« downloaden und zu Schauplätzen des Romans führen lassen, oder auf den Spuren der Wiener Moderne die Wiener Werkbundsiedlung besuchen. (AK)

1 Walter Bohatsch im Interview mit der Autorin, in: Kern 2008, 401.
2 Ebenda.
3 Der Kulturhistoriker und Musikwissenschafter Manfred Wagner stellte ironisch die Frage, warum Mobiltelefonhersteller »Spiele« und nicht etwa »Partituren« anbieten … (Nov. 2003).

Oliver Kartak

Screendesign
»VIVA« Station Identity, 1993

»VIVA« Station Identity Redesign, 1998,
Diverse Bildbearbeitungsprogramme
und Schnittsoftware,
Privatarchiv Oliver Kartak

Logo »VIVA«, 1993

Bis zur Liberalisierung des Rundfunks 1989 besaß der ORF ein Monopol, fünf von sieben Millionen Österreichern sahen damals täglich die ORF-Programme 1 und 2, entsprechend große Bekanntheit erlangte das ORF-Design. Die von Heinrich Landauer (*1940) gestalteten Signations von »Ohne Maulkorb« (1969) bis »Panoptikum« (1972) sind heute Dokumente der audiovisuellen Kultur der 1970er Jahre.

In den frühen 1990er Jahren gestaltete der junge Grafikdesigner Oliver Kartak, Absolvent der Graphischen Lehr- und Versuchsanstalt in Wien und heute Professor der Klasse für Grafik Design an der Angewandten, das Redesign des ORF-Erscheinungsbildes gemeinsam mit dem Studio Neville Brody (1991–1993). Kartak spezialisierte sich früh auf Broadcast-Design, kam zu Regie und Sounddesign und gestaltete in der Folge die Erscheinungsbilder von zahlreichen Sendern (station identities).

Für den deutschen Musiksender VIVA, der 1993 auf den Markt kam, um MTV Konkurrenz zu machen, entwarf Kartak das aus vier Dreiecken bestehende Zeichen, aus dem sich die ironisch-plakative Formensprache entwickelt, die sich bewußt vom erwachsenen, »abgründigeren« MTV abhob, um den sehr jungen Zusehern gerecht

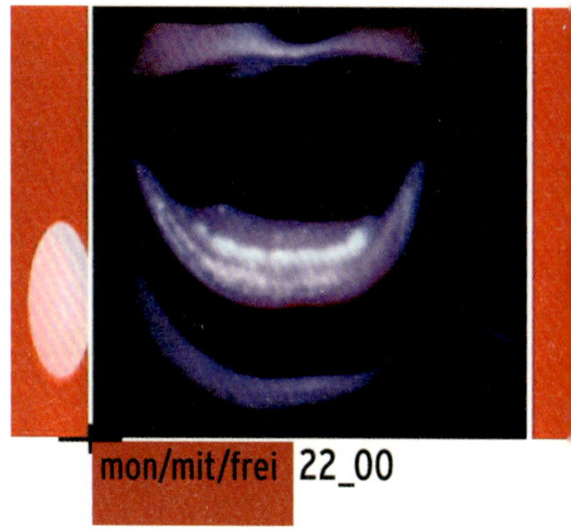

Oliver Kartak

Screendesign »VIVA 2«, Station Identity, 1995/96, 16 mm, Super 8, Avid, Quantel

Screendesign »Red Bull Mobile TV«, 2008

zu werden – »hemmungslos naiv, fröhlich und optimistisch«[1]. In einem Redesign von 1995 wurde die bestehende, grafisch sehr reduzierte 1960er Revival-Ästhetik durch eine Farbexplosion ersetzt, in der sich eine amorphe Collage aus Real- und Computerbildern generiert, welche die Zuseher als Hauptakteure in die artifizielle Welt der Signation stellt.

VIVA 2 hingegen, der zweite deutsche Musikkanal für Erwachsen-(er)e, präsentiert sich »abstrakt, assoziativ, minimal, dunkel und fragend«[2]. Die dominierende, in Moll komponierte Cellomusik von B. Low (Pulsinger/Tunakan/Peyfuss) ergibt mit den fragmentarischen schwarz-weißen Realfilm-Bildern eine Art von audiovisuellen Tagebucheintragungen in einer ernsten, aber lebendigen Grundstimmung.

Screendesign für mobiles Fernsehen ist für den Gestalter ob der winzigen Größe des Displays eines Mobiltelefons, der Kürze der Aufmerksamkeit und Verweildauer des Betrachters eine besondere Herausforderung. Das Screendesign des Red Bull Mobile TV, eine der jüngsten Arbeiten Kartaks, betont die Bildschirmdiagonale mit animierter, in die Diagonale gedrehter Typographie. – Hier schließt sich (rein formal) der Kreis von der konstruktivistischen Schriftanwendung der 1920er Jahre bis zu einem der jüngsten elektronischen Kommunikationsmedien. (AK)

1 Oliver Kartak: VIVA Television, Typoskript zum Projekt, Wien 2009.
2 Ebenda.

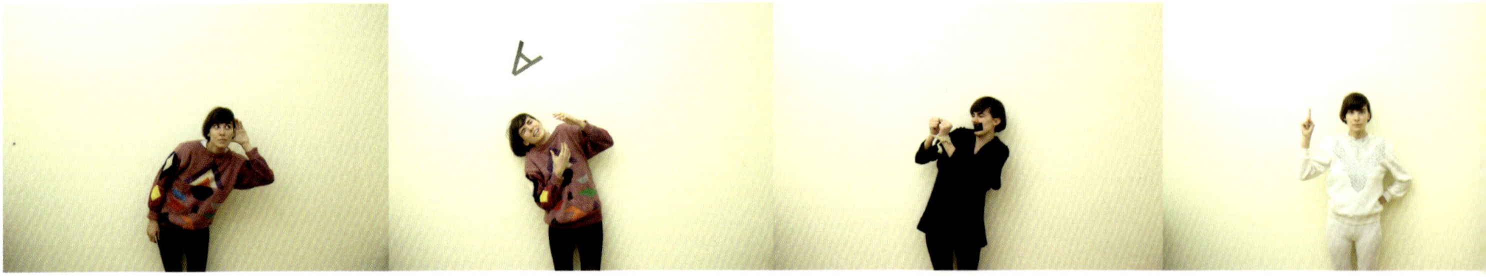

Katarina Šoškic, Klasse für Grafik Design Oliver Kartak, »And now, action!«, 01:33 Min., 2008, Musik/Sound: Boris Mladenovic, Sammlung Klasse für Grafik Design

Eine persönliche Geschichte über den Weg zu einer kreativen Idee.

Tobias Werkner, Klasse für Grafik Design Oliver Kartak, »Maschinerie«, 05:00 Min., Diplomarbeit, 2008, Musik: Florian Richling, Kristof Wöginger, IN 15.847/Q/DA

»Ein scheinbar ganz normaler Ablauf eines Tages im Leben meiner Hündin Lila.«

Eszter Kapitany, Klasse für Grafik Design Oliver Kartak, »From a memoire of a carrot«, 01:30 Min., 2008, Musik: Judit Varga, Sammlung Klasse für Grafik Design

Eine Karotte, die als Abendessen serviert wird, wünscht sich in ihre Kindheit zurück.

Marc Damm, Klasse für Grafik Design Oliver Kartak, »milkheart«, 01:50 Min., 2008, Musik: *[stern] by Marc Damm / gasthof morgentau, Sammlung Klasse für Grafik Design

Ein Film über einen Buben, seine Milchflasche und sein widerspenstiges Herz. Ein an Edgar Allan Poes »verräterisches Herz« angelehntes Gleichnis über selbstständiges Handeln und seine Konsequenzen.

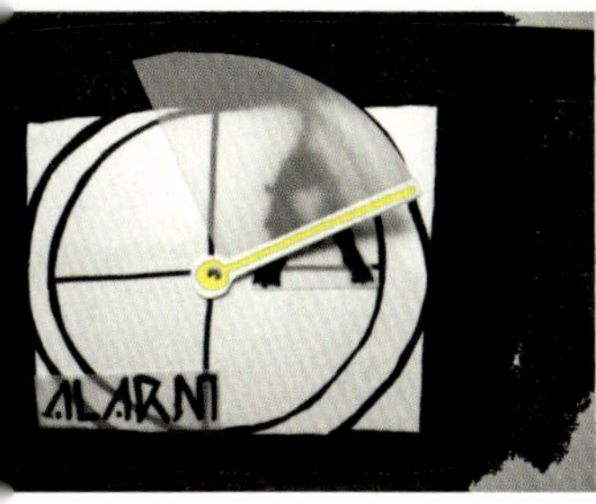

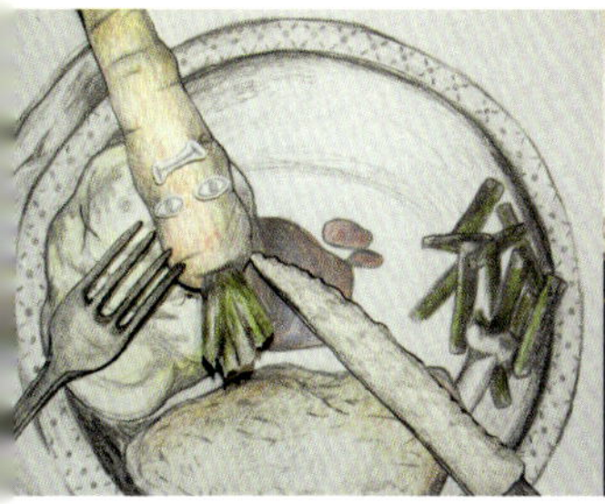

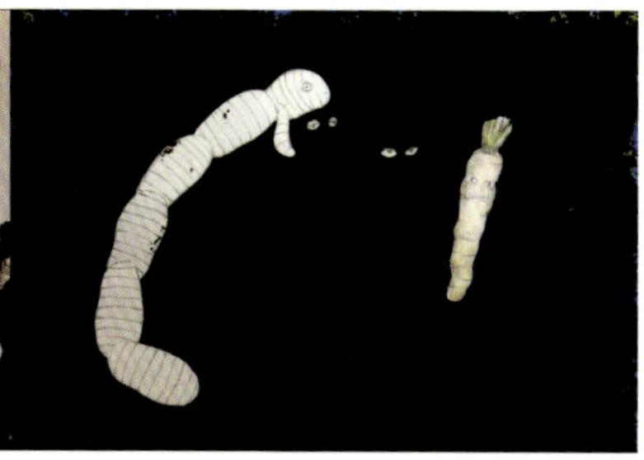

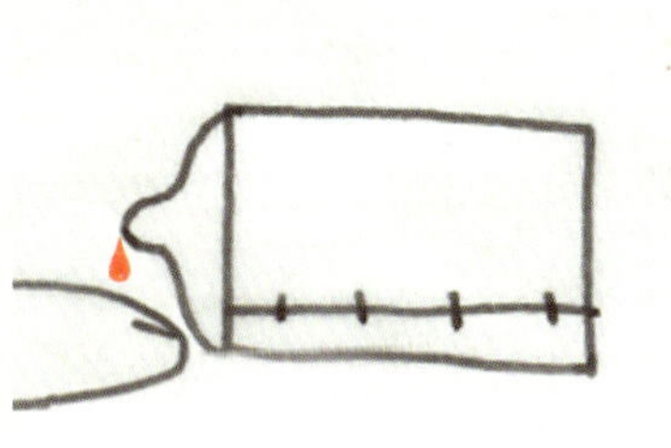

Die Animationsfilme der Studierenden der Grafik Design-Klasse von Oliver Kartak aus 2008/09 erinnern an ihre berühmten Vorfahren aus der Tschechoslowakei der 1950er bis 1980er Jahre. Mit unterschiedlichen Techniken erstellte, handgezeichnete, aber auch real gefilmte und digital verfremdete Figuren und Szenerien sind collagenhaft mittels Animationsprogramm in Bewegung gesetzt und mit selbsterzeugter Musik und Geräuschen unterlegt. Der Vorgang ist derselbe geblieben: Wie früher vom Filmcutter Bild an Bild aneinandergeklebt wurden, werden hier in »Photoshop« Bild an Bild in eine Reihe gestellt. Die Ausgangsbasis ist jedenfalls – der Renaissance der Handarbeit Anfang des 21. Jahrhunderts zufolge – Papier, Schere, Bleistift.

Die kurzen »visuellen Geschichten« sind skurril und abgründig, die Freude an der Materialtät ist zu spüren. Es gab verschiedene thematische Vorgaben, aus denen zu wählen war: Kindheit, Mauern als physische Blockade oder gedankliche Barriere, und »Denken erschafft Materie«, als gehirnphysiologischer Vorgang oder als kreativer Prozess. Die Studierenden bekamen professionelle Einführung u.a. ins Regieführen durch die Dramaturgin Hilde Berger. (AK)

Dieser »Stammbaum« zeigt die wichtigsten Lehrenden des Grafikdesigns an der Angewandten, wie sie in der vorliegenden Publikation erläutert werden, und einige ihrer Schülerinnen und Schüler (deren Arbeiten im Katalogbuch abgebildet sind) – stellvertretend für mittlerweile Hunderte von Absolventinnen und Absolventen aus etwa 120 Jahren. (Konzept: Anita Kern, Visualisierung: Marc Damm)

Walter Bohatsch

Walter Lürzer

Tobias Held
Birgit Hertel
Mladen Penev
Mate Ferge
u.v.a.

Oswald Oberhuber

Susanne Gamauf
Inge Graf
Renate Kocer-Kowanz
Harry Metzler
Andrea Neuwirth
u.v.a.

Fons M. Hickmann

Karin Aue
Christof Nardin
Kasimir Reimann
Helga Aichmaier
Verena Petratsch
Angie Rattay
u.v.a.

urt Schwarz

Stefan Sagmeister

Martina Schmidt
Jurislav Tscharyiski
Katharina Uschan
Sascha Strohmaier
u.v.a.

Josef Perndl
Ernst Insam
Friedrich Eisenmenger
Cordula Ebner

dolf Korunka

Tino Erben

erberth

Ernst Insam
Erwin Thorn
Tino Erben
u.v.a.

ahner

Friedrich Eisenmenger
Joey Badian
Franz Merlicek
u.v.a.

Elfriede Goldschmid

Erwin K. Bauer
Stephanie Krieger
Maximilian Sztatecsny
Josef Perndl
Martha Stutteregger
Anita Kern
u.v.a.

Oliver Kartak

Christoph Blocher
Patrick Bonato
Marc Damm
Tobias Egger
Silke Köck
Markus Riedler
Phil Samhaber
Agnes Steiner
Anna-Nora S[illegible]lit
Tobias Werkner
Martin Wunderer
Nick Kapros
Verena Gillmeier
Eszter Kapitany
Gudrun Olsen
Katarina Soskic
Caitlin Dennis
u.v.a.

1960 1970 1980 1990 2000 2009

Digitale Archive im Zeitalter der bilderlosen Gesellschaft

Peter Kainz

Experten und Expertinnen zufolge bewegen wir uns auf die bilderlose Gesellschaft zu. Gemeint damit ist nicht etwa der religiöse Hintergrund bestimmter Kulturen, sondern die Bilderflut der westlichen Welt. So wie es scheint, stellt uns dabei das entmaterialisierte Bild bzw. Abbild vor neue Aufgaben – aber auch Möglichkeiten! Was meinen wir mit »Die bilderlose Gesellschaft«? Eine Epoche ohne rezipierbare haptische Bilder, oder nur eine Welt voller gespeicherter Bilder, deren visueller Code jedoch von den Menschen in der kürzer werdenden Betrachtungszeit nicht mehr entschlüsselt werden kann. Dafür werden die epochalen Veränderungen durch den digitalen Arbeitsprozess verantwortlich gemacht.

Der überwiegende Teil von Entwürfen und Arbeiten des Grafikdesign, die in dieser umfassenden Publikation dargestellt sind, entstand vor 1985, also im damals analogen Arbeitsprozess. Produziert wurde dieses Buch aber selbstverständlich mit den heutigen digitalen Möglichkeiten. Heute steht uns eine Vielfalt an Arbeitsweisen zur Verfügung, um Wissen nachhaltig zu vermitteln und über Generationen zu erhalten.

Gäbe es die Sammlung dieser historischen grafischen Arbeiten nicht, gäbe es kein Digitalisat, also auch keine Abbildung in diesem Buch.

Somit stehen den Betrachtern und Betrachterinnen nicht nur das Original der künstlerischen Arbeit, sondern auch die gedruckte Abbildung samt Text, und ebenso die elektronisch abrufbare Information zur Recherche bereit.

Nehmen wir uns also Zeit, um lustvoll in diesen Büchern zu schmökern, bemühen wir den Computer, um die Darstellung hochauflösender Bilddetails von so manchen Sammlungsbeständen mit ihren kunsthistorisch reichhaltigen Beschreibungen zu studieren. Und besuchen wir die Archive schließlich persönlich, um das Kunstwerk zu begreifen. Wir stehen damit am Beginn eines Zeitalters der Digital Collections[1].

Die Kombination von Archiv und digitalem Archiv hilft uns auch, das Original zu schonen. Nie zuvor wurde soviel wissenschaftlich recherchiert wie heute. Zeitgleich werden Anfragen unterschiedlichster Forschungsthemen von digitalen Mediendatenbanken erledigt. Die materielle Ansicht des Rechercheobjektes selbst (oder eines Fotoabzuges) weicht immer mehr dem virtuellen Monitorbild, welches kurzfristig sichtbar gemacht wird, manchmal über die lokale Speicherung wieder zum Fotoabzug wird. In jedem Fall kommt dem digitalen Archiv dabei eine Schlüsselrolle zu.

Es besteht allerdings ein erheblicher Unterschied zwischen den populären aber kommerziellen digitalen Medienarchiven und wissenschaftlichen digitalen Archiven. Bildagenturen wie etwa Corbis, Getty Images u. a. zeigen hier sehr eindeutig einen Weg auf, der für die Wissenschaft so nicht gangbar ist. Mit jedem Bild sind Verkaufswünsche und damit finanziell abzugeltende Nutzungsrechte verknüpft. Sucht man Abbildungen, die nicht dem Zeitgeist entsprechen, ist die Suche oft erfolglos.

Klasse für Grafik Design Fons Hickmann,
Ausstellungsgestaltung »Displace Yourself!«
Heiligenkreuzerhof Wien, 2002
Foto: Archiv Klasse für Grafik Design

Möchte man weiterreichende Informationen rund um das Digitalisat, wird man nicht sehr weit kommen. Metadaten, also die Daten über diese Daten, stehen nur in dem Maße zur Verfügung, wie es für die Agentur von Nutzen scheint.

Historische und wissenschaftliche digitale Archive haben hohe gesellschaftliche Relevanz. Diese wichtigen Sammlungsbestände haben andere Massstäbe und andere Ziele als kommerzielle. Gemeinsam scheint jedoch allen der enorm zeitintensive und finanzielle Aufwand rund um das gespeicherte Asset [2]. In der digitalen, wissenschaftlich orientierten Archivarbeit leistet ein digitales Archiv weit mehr als nur schnelle Verfügbarkeit. Rund um Bildinhalte sammeln sich Beschreibungen von Kunsthistorikerinnen und Kunsthistorikern und anderen Forschern, Querverweise, relevante Quellenangaben, Links, Angaben aus der Provenienzforschung …

Diese Entwicklung der digitalen Kunstdokumentation gibt uns schlussendlich die Möglichkeit, den Befürchtungen über eine Bilderlosigkeit unserer Gesellschaft mit Gelassenheit zu begegnen. Abertausende gefällige Bilder in Sekundenschnelle durchzuscrollen ist eine Sache, sich »digital« in spannenden Fakten der Archive zu verlieren eine andere. Diese Zeit sollten wir uns jedoch nehmen, um mitten im iconic-turn [3] stehend Bilder richtig entschlüsseln zu können.

1 Krämer 2001, 16.
2 Asset, in der Bedeutung als Vermögen, hier als wertvolles Digitalisat, vgl. www.de.wikipedia.org/wiki/Asset (10.07.2009).
3 www.iconic-turn.de (10.07.2009).

Abgekürzt zitierte Literatur

Adamek 2000
Heinz P. Adamek: Bertold Löffler und die Sphinx. Beispiele graphischer Assoziationen, in: Patka 2000, 61–67

Bauer 2008
Doris Bauer: Die Möbelwerkstätte Herrgesell unter besonderer Berücksichtigung des künstlerischen Schaffens von Moritz Herrgesell, Diplomarbeit, Institut für Kunstgeschichte der Universität Wien, Wien 2008

Bennersdorfer 1999
Ernestine Bennersdorfer: »Symbol War«, Wahlplakate der Zwischenkriegszeit, in: Verführungen, Plakate aus Österreich und Deutschland von 1914 bis 1945, Österreichische Nationalbibliothek, Flugblätter-, Plakate- und Exlibris-Sammlung, Kunstbibliothek, Staatliche Museen zu Berlin – Preußischer Kulturbesitz, Museum für Kunst und Gewerbe Hamburg, Darmstadt 1999, 18–22

Bennersdorfer 2003
Ernestine Bennersdorfer: Kampf der Symbole, in: Ilja Dürhammer, Pia Janke: Die »österreichische« nationalsozialistische Ästhetik, Wien 2003, 67–79

Berger 2007
Peter Berger: Kurze Geschichte Österreichs im 20. Jahrhundert, Wien 2007

Binder 1976
Carla Binder: Joseph Binder: Ein Gestalter seiner Umwelt. Plakate, Werke graphischer und freier Kunst, Aufzeichnungen aus der Joseph Binder Collection, Wien München 1976

Bisanz 2008
Hans Bisanz: Der Jubiläums-Huldigungsfestzug 1908, in: Gustav Klimt und die Kunstschau 1908, Ausstellungskatalog Belvedere Wien, München Berlin London New York 2008, 27–39

Boehnke 1939
Georg Boehnke: Die Bedeutung der Tabakfrage für das deutsche Volk, Schriftenreihe des Reichausschusses für Volksgesundheit, Heft 24, Berlin 1939

Bowlby 2007
Rachel Bowlby: Freudian Mythologies: Greek Tragedies and Modern Identities, New York 2007

Buchholz 1976
Wolfhard Buchholz: Die Nationalsozialistische Gemeinschaft »Kraft durch Freude«, Freizeitgestaltung und Arbeiterschaft im Dritten Reich, Dissertation, Ludwig-Maximilians-Universität zu München, Fachbereich Geschichts- und Kunstwissenschaften, München 1976

Bürkl 1999
Anni Bürkl: Die Macht der Bilder im Zusammenhang von Unterdrückung und Herrschaft; ein Vergleich von Rassismus und Sexismus am Beispiel Werbung, Diplomarbeit, Univ. Wien, 1999

Busse 2004
Bettina M. Busse: Vom Aktionismus zur aktionistischen Konzeptkunst. Zur Ausstellung, in: Peter Noever (Hg.): Otto Muehl, Leben/Kunst/Werk, Aktion Utopie Malerei 1960–2004, MAK Wien, Wien 2004, 8–10

Cernajsek 1997
Tillfried Cernajsek: Über geologische und montanistische Motive im Exlibris, in: Berichte der geologischen Bundesanstalt, Bd. 41, Wien 1997, 57–78

Denscher 1981
Bernhard Denscher/Wiener Stadt- und Landesbibliothek (Hg.): Tagebuch der Straße. Geschichte in Plakaten, Wien 1981

Denscher 1992
Bernhard Denscher: Österreichische Plakatkunst 1898–1938, Salzburg Wien 1992

Droste 1990
Magdalena Droste: Bauhaus 1919–1933, Köln 1990

Egger 2000
Hanna Egger: Bertold Löffler – ein Wachauer Maler?, in: Patka 2000, 115–124

Engeser 2009
Manfred Engeser: Legendäre Leistung, in: WirtschaftsWoche 15/2009, 59–63

Erben, Reder 2001
Tino Erben, Christian Reder: So oder auch anders. Tino Erben Grafik-Design 2000–1960. Diplomarbeiten seiner Studentinnen und Studenten 2000–1990, Wien Köln Weimar 2001

Esterlus 2002
Astrid Esterlus: Stereotypen über Afrikaner. Darstellung von Stereotypen in österreichischen Karikaturen und Alltagskultur, sowie in populärer Malereien aus dem Kongo, Diplomarbeit, Universität Wien, 2002

Ettl 2009
Stephan Ettl (Hg.): Oberhuber Plakate, Posters, Werkverzeichnis, Catalogue Raisonné, Wien 2009

Faber 2003
Monika Faber: Günter Brus, Werkumkreisung, Albertina Wien, Köln 2003

Feigl 1999
Markus Feigl: Kulturelle Visitenkarten. Die Besatzungsmächte in Wien 1945–1955, Wien 1999

Fliedl 1986
Gottfried Fliedl/Hochschule für angewandte Kunst (Hg.): Kunst und Lehre am Beginn der Moderne. Die Wiener Kunstgewerbeschule 1867–1918, Salzburg, Wien 1986

Folie, Glasmeier 2001
Sabine Folie, Michael Glasmeier: Eine barocke Party. Augenblicke des Welttheaters in der zeitgenössischen Kunst, Ausstellungskatalog Kunsthalle Wien, Wien 2001

Forsthuber 1991
Sabine Forsthuber: Moderne Raumkunst. Wiener Ausstellungsbauten von 1898 bis 1914, Wien 1991

Franz 2000
Rainald Franz: Bertold Löffler. Die Druckgrafik, in: Patka 2000, 13–33

Franz 2007
Rainald Franz: Kolo Mosers Frühzeit als Illustrator, in: Gerd Pichler (Hg.): Koloman Moser 1868–1918, Ausstellungskatalog Leopold Museum-Privatstiftung Wien, München Berlin London New York 2007, 24–29

Franz Semper 2000
Rainald Franz: Das System Gottfried Sempers. Reform des Kunstgewerbes und Grundlagen für ein Museum für Kunst und Industrie in ihren Auswirkungen auf das Österreichische Museum, in: Noever 2000, 41–51

Fuder 1998
Dieter Fuder: DenkBilder. Plakate von Fons M. Hickmann, in: Novum (o. Monat) 1998

Gabriel 2008
Gottfried Gabriel: Die Ästhetik des Geldes, in: Konrad Paul Liessmann (Hg.): Geld. Was die Welt im Inneren zusammenhält?, Philosophicum Lech, Wien 2008, 264–289

Gmeiner, Pirhofer 1985
Astrid Gmeiner, Gottfried Pirhofer (Hg.): Der Österreichische Werkbund, Hochschule für angewandte Kunst in Wien, Salzburg Wien 1985

Goldblat 2004
Karl Iro Goldblat, Die Kommune. Eine Chronologie, in: Peter Noever (Hg.): Otto Muehl, Leben/Kunst/Werk, Aktion Utopie Malerei 1960–2004, MAK Wien, Wien 2004, 195–209

Griessmaier 1961
Viktor Griessmaier: Galerie der Straße, 10 Jahre Plakatwertungsaktion des Kulturamtes der Stadt Wien, Wien 1961

Grossegger 1992
Elisabeth Grossegger: Der Kaiserhuldigungsfestzug 1908, Sitzungsberichte der philosophisch-historischen Klasse der Österr. Akademie der Wissenschaften, Bd. 585, Wien 1992

Gruenberg 1929
Ernst Gruenberg: Betterway. Ein Blick hinter die Kulissen des Schaufensterregisseurs, in: Österr. Reklame 1929, Heft 5/6, 31–34

Haberl 1998
Belinda Haberl: Zigarettenwerbung im Wandel der Zeit, Diplomarbeit, Johannes Kepler Universität, Institut für Sozial- und Wirtschaftsgeschichte, Linz 1998

Hall, Sagmeister 2001
Peter Hall, Stefan Sagmeister: Made You Look, London 2001

Hanzer 2009
Markus Hanzer: Krieg der Zeichen. Spurenlesen im urbanen Raum, Mainz 2009

Hartmann, Bauer 2002
Frank Hartmann, Erwin K. Bauer: Bildersprache Otto Neurath Visualisierungen, Wien 2002

Heiser 2004
Jörg Heiser: Öffentlicher Dienst/Privatvergnügen, in: Wolfgang Drechsler (Hg.): Gerwald Rockenschaub 1980–2004, Museum Moderner Kunst Stiftung Ludwig Wien, Wien 2004, 298–303

Hering, Schilde 2000
Sabine Hering, Kurt Schilde: Das BDM-Werk »Glaube und Schönheit«, Die Organisation junger Frauen im Nationalsozialismus, Berlin 2000

Herzner 1953
Robert Herzner: Fotografie und Künstlerbild in der Werbung, in: Fachblatt für Wirtschaftswerbung 7/10, 1953, 8–9

Hevesi 1906
Ludwig Hevesi: Acht Jahre Secession. Kritik – Polemik – Chronik, Wien 1906, Reprint hg. von Otto Breicha, Klagenfurt 1984

Hickmann, Nardin 2007
Fons Hickmann, Christof Nardin: Beyond Graphic Design. Klasse Fons Hickmann, Mainz 2007

Hoffmann 1997
Robert Hoffmann: Kleinhaus und Eigenheim in historischer Perspektive. Ein Überblick zur österreichischen Entwicklung, in: Wolfgang Sitte, Hermann Suida (Hg.): Festschrift für Guido Müller, Geograph und Landesforscher, Salzburger Geographische Arbeiten, Bd. 31, Salzburg 1997, 71–91

Jordan 2003
Marlies Jordan: Werbeverbote und -beschränkungen bei Produkten mit schädlicher Nachfrage wie Tabak und Alkohol, Diplomarbeit, Universität Wien, Institut für Rechtsvergleichung, Wien 2003

Kapfinger 1985
Otto Kapfinger: Positionen einer liberalen Moderne, Die Wiener Werkbundsiedlung – 1932, in: Gmeiner, Pirhofer 1985, 155–178

Karolyi, Smetana 2004
Claudia Karolyi, Alexandra Smetana: Aufbruch und Idylle. Exlibris österreichischer Künstlerinnen 1900–1945, Ausstellungskatalog Österreichische Nationalbibliothek, Österreichische Exlibris-Gesellschaft, Wien 2004

Kern 2007
Anita Kern: Kurze Geschichte des Corporate Design in Österreich, in: Anita Kern: Von der Reklamekunst zum Kommunikationsdesign. Grafikdesign in Österreich im 20. Jahrhundert, Dissertation, Universität für angewandte Kunst Wien, 2007, 294–324

Kern 2008
Anita Kern: Österreichisches Grafikdesign im 20. Jahrhundert, Design in Österreich – Band 2, Salzburg München Wien 2008

Kokoschka, Spielmann 1984
Olda Kokoschka, Heinz Spielmann (Hg.): Oskar Kokoschka Briefe I, 1905–1919, Düsseldorf 1984

Koller 1987
Gabriele Koller: Die Radikalisierung der Phantasie. Design aus Österreich, Salzburg Wien 1987

Koller 1990
Gabriele Koller: Angewandte Kunst, Untersuchung der nahe liegenden Dinge, in: Kurt-Michael Westermann: Attersee, Malen und Leben, Wien 1990, 109–155

Koller 1991
Gabriele Koller: Die bildenden Künste: Über die Lehrbarkeit des Nichterlernbaren, II. Malerei und die Möglichkeiten der Reproduzierbarkeit, in: Erika Patka: Kunst: Anspruch und Gegenstand. Von der Kunstgewerbeschule zur Hochschule für angewandte Kunst in Wien 1918–1991, Salzburg Wien 1991, 180–257.

Koller 2000
Gabriele Koller: Die versagte Anerkennung. Bertold Löffler und der Nationalsozialismus, in: Patka 2000, 139–144

Klinger 1925
Julius Klinger: Das Chaos der Künste, Wien 1925, 10–11

Klinger 1999
Peter Klinger: Betterway Grotesken 1924, unveröffentl. Typoskript, MAK Wien, 1999

Krämer 2001
Harald Krämer, Museumsinformatik und Digitale Sammlung, Wien 2001

Kühnel 1997
Anita Kühnel: Julius Klinger. Plakatkünstler und Zeichner, Bilderheft der Staatlichen Museen zu Berlin, Heft 89, Berlin 1997

Kühnel 1999
Anita Kühnel: Tageskunst im Wandel, Anmerkungen zur Plakatkunst in Deutschland und Österreich 1914–1945, in: Verführungen, Plakate aus Österreich und Deutschland von 1914 bis 1945, Österr. Nationalbibliothek, Flugblätter-, Plakate- und Exlibris-Sammlung, Kunstbibliothek, Staatliche Museen zu Berlin – Preußischer Kulturbesitz, Museum für Kunst und Gewerbe Hamburg, Darmstadt 1999, 8–12

Larisch 1899
Rudolf von Larisch: Über Zierschriften im Dienste der Kunst, München 1899

Larisch 1904
Rudolf von Larisch: Über Leserlichkeit von ornamentalen Schriften, Wien 1904

Larisch 1905
Rudolf von Larisch/Lehrmittelbureau für gewerbliche Unterrichtsanstalten am k.k. Österr. Museum für Kunst und Industrie (Hg.): Unterricht in ornamentaler Schrift. Wien 1905

LCI
Engelbert Kirschbaum SJ u.a. (Hg.), Lexikon der christlichen Ikonographie, 8 Bände, Rom Freiburg Basel Wien 1994

Lensing 2000
Leo A. Lensing: Verbindliche Einbände? Bertold Löffler und der Wiener Verlag, in: Patka 2000, 35–47

Lewis 2003
Brenda Ralph Lewis: Die Geschichte der Hitlerjugend 1922–1945, Die verlorene Kindheit, Wien 2003

Liebscher 2002
Klaus Liebscher (Hg.): Vom Schilling zum Euro. Kontinuität und Stabilität, Ausstellungskatalog Kunsthistorisches Museum Wien, Mailand 2002

Maryška 2004
Christian Maryška (Hg.): Schnee von gestern. Winterplakate der Österreichischen Nationalbibliothek, Ausstellung Österreichische Nationalbibliothek, Wien 2004

Maryška Winter 2004
Christian Maryška: Buchungslage gut, Nächtigungszahlen steigend! Wintertourismus und Fremdenverkehrswerbung in Österreich, in: Maryška 2004, 15–51

McCoy 1998
Katherine McCoy, Digital Communications Design in the Second Computer Revolution, in: Stephanie Redman, ed., Transformation and Collaborations in New Media, Northlight Books 1998

Miller 2004
J. Abbott Miller: Alchemy of layout. Walter Pamminger champions the potential of design to create content, in: Eye, The International Review Of Graphic Design, No. 51, Vol. 13, 2004

Moldovan 1954
Kurt Moldovan: Der Industrielle und sein Medizinmann. Zur Situation der Werbegraphik in Österreich, in: Plakat. Österreichs Werberundschau 1954/55, 5

Mosch 1996
Clemens Mosch: Daseinskampf und Selbstbewußtsein, Leistungsdenken in der sozialdemokratischen Kulturbewegung unter besonderer Berücksichtigung von Sportlern, Naturfreunden und Abstinenzlern, Diplomarbeit, Universität Wien, Institut für Zeitgeschichte, Wien 1996

Moser 1917
Koloman Moser: Mein Werdegang 1917, in: Rudolf Leopold, Gerd Pichler (Hg.): Koloman Moser 1868–1918, Ausstellungskatalog, Wien München Berlin London New York 2007, 14–19

Müller-Brockmann 1996
Josef Müller-Brockmann: Grid systems in graphic design/Rastersysteme für die visuelle Gestaltung, Heiden 1996

Myrbach 1902
Felician Myrbach u. a. (Hg.): Die Fläche, Band 1, Heft 8, Wien 1902

Noever 2000
Peter Noever (Hg.): Kunst und Industrie. Die Anfänge des Museums für angewandte Kunst in Wien, Wien 2000

Noever 2003
Peter Noever (Hg.): Der Preis der Schönheit. 100 Jahre Wiener Werkstätte, Ausstellungskatalog Museum für angewandte Kunst Wien, Ostfildern-Ruit 2003

Noever 2004
Peter Noever: Politik und Kunst. Eine Designstrategie, in: Gabriel Ramin Schor (Hg.): Peter Noever, Chronisch obsessiv. Die Gegenwart muss erst erkämpft werden, Schriften und Interviews, Nürnberg 2004, 75–100

Oberhuber 1980
Oswald Oberhuber, Textplakat der Hochschule für angewandte Kunst, Wien 1980 (IN HS/00/80/1/Pl)

Oberhuber 1986
Oswald Oberhuber: Der Anspruch auf ein künstlerisches Schulsystem, in: Fliedl 1986, 369–374

Oberhuber 1987
Oswald Oberhuber: Zeitgeist wider den Zeitgeist, Eine Sequenz aus Österreichs Verirrung, Hochschule für angewandte Kunst, Institut für Museologie, Wien 1987

Oberhuber System 1986
Oswald Oberhuber: Vom schulischen System zur künstlerischen Freiheit, in: Fliedl 1986, 7

Pamminger 2004
Walter Pamminger: Einführung, Typographische Gesellschaft Austria, Symposion »...noch ein Buch«, Burg Raabs/Thaya, 02.–05. 09. 2004

Pamminger 2006
Walter Pamminger: Buchdesign als Raumarbeit, Vortrag im aut, Architektur und Tirol, 30. 11. 2006

Patka 2000
Erika Patka (Hg.): Bertold Löffler. Vagant zwischen Secessionismus und Neobiedermeier, Ausstellungskatalog Hochschule für angewandte Kunst Wien, Wien 2000

Pauser 2001
Wolfgang Pauser: Durch Abstraktion zur Allgemeinheit. Modernisierungsstrategien des Werbeplakats gestern und heute, in: Peter Noever (Hg.): Joseph Binder, MAK Studies 1, Wien 2001, 14–29

Peer 2006
Angelo Peer: Politisch nicht korrekt. Ein Werber sieht die Gesellschaft, Wien 2006

Pichler 2005
Gerd Pichler: Bertold Löffler – Das künstlerische Werk, Ergänzungsbericht, Forschungsprojekt des Fonds zur Förderung wissenschaftlicher Forschung (FFWF), Projekt P15462-G01, Wien 2005

Pichler 2008
Gerd Pichler: Das Kabarett Fledermaus. Gesamtkunstwerk der Wiener Werkstätte, in: Kabarett Fledermaus 1907 bis 1913. Ein Gesamtkunstwerk der Wiener Werkstätte. Literatur, Musik, Tanz, Ausstellungskatalog Österreichisches Theatermuseum Wien, Wien 2008, 51–87

Platt 1990
Andreas Platt: Die Leibeserziehung der Jugend im Zeitalter des Nationalsozialismus, Diplomarbeit, Universität Wien, Geisteswissenschaftliche Fakultät, Wien 1990

Platzer 2006
Monika Platzer: Kinetismus = Pädagogik – Weltanschauung – Avantgarde, in: Monika Platzer, Ursula Storch: Kinetismus, Wien entdeckt die Avantgarde, Wien Museum, Ostfildern 2006, 2–27

Pokorny-Nagel 2000
Kathrin Pokorny-Nagel: Zur Gründungsgeschichte des k.k. Museums für Kunst und Industrie, in: Noever 2000, 52–89

Pokorny-Nagel 2001
Kathrin Pokorny-Nagel: Carla Binder, in: Peter Noever (Hg.): Joseph Binder, MAK Studies 1, Wien 2001, 30–38

Pokorny-Nagel 2003
Kathrin Pokorny-Nagel: Hermann Kosel. Poster Art in Vienna – eine Wiener Gruppe, in: Peter Noever (Hg.): Hermann Kosel. The Holy Every Day, MAK Studies 4, Wien 2003, 27–33

Raff 2000
Thomas Raff: Thomas Theodor Heine. Der Biss des Simplicissimus. Das künstlerische Werk, Bd. 1., hg. von Helmuth Friedel, Leipzig 2000

Reinhold 2003
Bernadette Reinhold: Ausstellungen 1945–1964 in der Galerie Würthle, Wien, in: Klaus Albrecht Schröder, Antonia Hörschelmann (Hg.): Gustav Klimt bis Paul Klee. Wotruba und die Moderne, Ausstellungskatalog Albertina Wien, Wolfratshausen 2003, 268–278

Rennhofer 2002
Maria Rennhofer: Koloman Moser. Leben und Werk 1868–1918, Wien 2002

Rainer, Klinger 1999
Paulus Rainer, Peter Klinger: Der Theoretiker Julius Klinger, unveröffentl. Typoskript (Ausstellungstext zur MAK-Ausstellung Julius Klinger. Das Chaos der Künste), Wien 1999

Schmidt 2000
Burghart Schmidt: Vom Verrat des Design an seinen internationalen Sozialideen, in: Noever 2000, 13–19

Schulmeister 2003
Terese Schulmeister, Filme/Films/Films, Otto Muehl, Terese Schulmeister 1983–1993, Zurndorf 2003

Schwanberg 2003
Johanna Schwanberg: Günter Brus: Bild-Dichtungen, Wien New York 2003

Schweiger 1988
Werner Schweiger: Aufbruch und Erfüllung. Gebrauchsgraphik der Wiener Moderne 1897–1918, Wien München 1988

Sekler 1982
Eduard F. Sekler: Josef Hoffmann. Das architektonische Werk, Monographie und Werkverzeichnis, Salzburg Wien 1982

Schneider 2005
Beat Schneider: Design – eine Einführung. Entwurf im sozialen,wirtschaftlichen und kulturellen Kontext, Basel 2005

Spielmann 1978
Heinz Spielmann: Carl Otto Czeschka, Aspekte seines Lebenswerkes, 77. Ausstellung im B.A.T-Haus, Hamburg 1978

Staatliche Kunstgewerbeschule in Wien (Hg.): Bericht über das Schuljahr 1937/38, Bericht über das Schuljahr 1939/40

Steinböck 2002
Michaela Steinböck: Blickfang Heimat, Die Entwicklung des Heimatbegriffes anhand österreichischer Fremdenverkehrsplakate des 20. Jahrhunderts, Grazer Beiträge zur europäischen Ethnologie, Frankfurt am Main 2002

Storch 2006
Ursula Storch: Text im Bild, Schriftelemente im Kinetismus, in: Monika Platzer, Ursula Storch: Kinetismus, Wien entdeckt die Avantgarde, Wien Museum, Ostfildern 2006, 118–125

Strobl, Weidinger 2008
Alice Strobl, Alfred Weidinger: Oskar Kokoschka. Die Zeichnungen und Aquarelle 1897–1916, Salzburg 2008

Taucher 2004
Paul Taucher: Politik und Industrie, Zigarettenmarken im historischen Rückblick, in: Jörg Meißner (Hg.): Strategien der Werbekunst 1850–1933, Deutsches Historisches Museum, Berlin 2004, 100–111

Telesko 2006
Werner Telesko: Geschichtsraum Österreich. Die Habsburger und ihre Geschichte in der bildenden Kunst des 19. Jahrhunderts, Wien Köln Weimar 2006

Urban 1991
Dieter Urban: Demner & Merlicek, in: Novum 7/91, 18

Vogelsberger 1986
Vera Vogelsberger: Sequenzen aus Kunsterziehung und Geisteswissenschaften, in: Fliedl 1986, 274–314

Vogl 1991
Harald Vogl: Leibeserziehung in der Hitlerjugend, Diplomarbeit aus Leibeserziehung, Universität Wien, Grund-und Integrativwissenschaftliche Fakultät, Wien 1991

Vorländer 1988
Herwart Vorländer: Die NSV, Darstellung und Dokumentation eines nationalsozialistischen Organisation, Boppard am Rhein 1988

Wagner 1989
Manfred Wagner: Design aus Österreich 1955–85, in: Begleitheft zur Ausstellung des WIFI, Wien 1986

Wagner 1991
Manfred Wagner: Kunstgewerbe und Design – Oder die Flucht vor der Definition, in: Erika Patka: Kunst: Anspruch und Gegenstand, Von der Kunstgewerbeschule zur Hochschule für angewandte Kunst in Wien 1918–1991, Salzburg Wien 1991, 26–96

Wagner 1996
Manfred Wagner: Alfred Roller in seiner Zeit, Salzburg Wien 1996

Wagner 1999
Manfred Wagner, Kunst/Kulturpolitik in Österreich im 20. Jahrhundert, in: Beiträge zur historischen Sozialkunde 1/1999,14–23

Weidinger 2008
Alfred Weidinger: Bunter Lärm und rohe Indianerkunst. Der Plakatraum der Kunstschau 1908, in: Gustav Klimt und die Kunstschau 1908, Ausstellungskatalog Belvedere Wien, München Berlin London New York 2008, 128–131

Werkbund 1930
Werkbundausstellung 1930, Österreichisches Museum für Kunst und Industrie, Wien 1930

Werkner 2000
Patrick Werkner: Bemerkungen zum Komischen im Werk Bertold Löfflers, in: Patka 2000, 49–59

Werkner 2003
Patrick Werkner: Kunst im Kalten Krieg, in: Gloria Sultano, Patrick Werkner: Oskar Kokoschka. Kunst und Politik 1937–1950, Wien Köln Weimar 2003, 213–260

Werkner, Höpfel 2007
Patrick Werkner, Frank Höpfel (Hg.): Kunst und Staat. Beiträge zu einem problematischen Verhältnis, Wien 2007

Wisotzki 1923
Julius Wisotzki (Pseudonym von Julius Klinger), Poster Art in Vienna, Chicago 1923

Witt-Dörring 2006
Christian Witt-Dörring: Kreative Ambivalenz. Eine österreichische Designmentalität? In: Tulga Beyerle, Karin Hirschberger: Designlandschaft Österreich. 1900–2005, Basel 2006, 10–19

Zacharias 1997
Charlotte Zacharias: Winterhilfswerk des deutschen Volkes 1938 bis 1945, Gau Steiermark, Graz, Kulturelle Aspekte nationalsozialistischer Sozialpolitik, Diplomarbeit, Karl-Franzens-Universität-Graz, Graz 1997

Personenregister

Kursive Ziffern beziehen sich auf Bildunterschriften.

Register der Institutionen, Firmen, Marken u.ä.

Wir danken

allen in Ausstellung und Publikation vertretenen Grafikdesignerinnen und Grafikdesignern, Künstlerinnen und Künstlern, sowie:

Olli Aigner, Ingrid Appel, Dipl.Ing. Dr. Gustav Belousek, Marc Damm, Andreas Dittmann, Claudia Dohr, Peter Duniecki, Nicole Femböck, Dr. Rainald Franz, Elke Handel, Mag. Gertrud Held, Prof. Dr. Friedrich C. Heller, Silvia Herkt, Mag. Richard Hufschmied, Peter und Birgit Kainz, Ruth Kern, Peter Klinger, August Korischum, Elena Krizmanics, Mag. Anna Mader-Kratky, Prof. Walter Lürzer, Prof. Dr. Ruth Mateus-Berr, Thomas Mitterböck, Mag. Christof Nardin, Mag. Gerd Pichler, Mag. Kathrin Pokorny-Nagel, Mag. Stefan Sagmeister, Prof. Mag. Epi Schlüsselberger, Christian Schneider, Mag. René Schober, Mag. Anja Seipenbusch-Hufschmied, Karl Sekora, Joe Shouldice, Stephan Staudigl, Michael Stefan, Mag. Nele Steinborn, Mag. Anne-Sophie Stelzer, Helmut Stiedl, Prof. Dr. Peter Stöckl, Robert Svoboda, Angela Szivatz, Univ.Doz. Dr. Werner Telesko, Mag. Katharina Uschan, Thomas Vavrinek, Karl Wetsch, Mag. Gerd Zillner.

Mit freundlicher Unterstützung von:

faksimile digital
fotografieren
archivieren
kommunizieren

Repros (wenn nicht anders angegeben): Faksimile digital, Wien, und Sammlung der Universität für angewandte Kunst Wien

IN = Inventarnummer der Sammlung der Universität für angewandte Kunst

Bildnachweis Umschlag:
Illustration Titelbild: Unbekannt, Meisterklasse für Grafik Tino Erben, Plakat »Mladí viedenskí ilustrátori. Junge Wiener Illustratoren« (Ausschnitt), 1995, IN MKL 5/95/1 Pl
Umschlaginnenseite vorne: Koloman Moser, Flächenmuster für Ver sacrum, 1899, IN 435, in einer Bearbeitung von Anita Kern und Marc Damm
Umschlaginnenseite hinten: Stefan Sagmeister, Eigenwerbung mit Postkarten, 1986, IN DA 214/86

Impressum:

Herausgeber:
Patrick Werkner, Leiter der Sammlung der Universität für angewandte Kunst Wien

Ausstellung und Katalog:
Anita Kern, Kerndesign, Wien
Bernadette Reinhold, Sammlung der Universität für angewandte Kunst Wien

Autorinnen und Autoren:
Gerald Bast, Rektor der Universität für angewandte Kunst Wien Wien

Peter Kainz, Dokumentationsfotograf und Bildwissenschafter, Vortragsreihen an Universitäten, Aufbau von Bildarchiven für die bildende Kunst

Anita Kern, Grafikdesignerin und Kulturwissenschafterin, Publikationen und Forschungsprojekte zur österreichischen Grafikdesigngeschichte des 20. Jahrhunderts. Inhaberin des Grafikdesignbüros Kerndesign in Wien und Wienerherberg

Bernadette Reinhold, Kunsthistorikerin, Publikationen und Forschungsprojekte zu Kunst und Architektur im 19. und 20. Jahrhundert, seit 2008 Leiterin des Oskar Kokoschka-Zentrums in der Sammlung der Universität für angewandte Kunst Wien

René Schober, Jurist, Kunsthistoriker, seit 2009 Provenienzforscher in der Sammlung der Universität für angewandte Kunst Wien

Patrick Werkner, Kunsthistoriker, Gastprofessuren an der Stanford University, Universität Salzburg, Universität Leiden/NL, seit 2004 Leiter der Sammlung der Universität für angewandte Kunst Wien

Dieses Buch erscheint anlässlich der gleichnamigen Ausstellung im Ausstellungszentrum der Universität für angewandte Kunst Wien, Heiligenkreuzerhof Wien, 23. Oktober bis 12. Dezember 2009.

Autorensiglen im Katalog:
(AK) = Anita Kern
(BR) = Bernadette Reinhold
(RS) = René Schober

Printed in Austria
SpringerWienNewYork ist ein Unternehmen von Springer Science + Business Media

Gestaltungskonzept: Kerndesign, Anita Kern; Wien
Layout, Satz: Kerndesign; Anita Kern, Marc Damm; Wien
Lektorat: Anna Mader-Kratky, Wien
Druck und Bindearbeiten: Holzhausen Druck & Medien GmbH, 1140 Wien
Schrifttypen: Foundry Form Sans und Foundry Form Serif von Freda Sack, The Foundry, London
Papier: gedruckt auf Gardapat 115 g

SPIN: 12594221
Mit zahlreichen farbigen Abbildungen

Gedruckt auf säurefreiem, chlorfrei gebleichtem Papier – TCF

ISSN 1866-248X
ISBN 978-3-211-99145-9
SpringerWienNewYork
springer.at

Bibliografische Information der Deutschen Nationalbibliothek:
Die Deutsche Nationalbibliothek verzeichnet diese Publikation in der Deutschen Nationalbibliografie; detaillierte bibliografische Daten sind im Internet über http://dnb.d-nb.de abrufbar.

Der Wal trägt ein Organ auf dem Kopf, die *Melone*, mit dem er u.a. per Echoortung senden und empfangen kann. Es befähigt ihn zur Kommunikation. Besonders ausgeprägt ist die Melone beim Pottwal (*physeter catodon*).